— 1 —

Le docteur Evans F. Düger, astrophysicien et passionné des théories relativistes d'Albert Einstein, et dont le nom seul ne laissait aucun doute quant à ses origines allemandes, avait fait toute une découverte. Il ne faisait que s'amuser à s'élancer avec son « Boomerang » sur les rails d'une ligne de chemin de fer qui conduisait jadis à l'ancienne minoterie Parisch Mills Co., située à quelques milles de Rusty Valley, petite ville de la Californie près de la frontière du Nevada, où il demeurait. Il trouva un de ces fameux passages invisibles, un « trou de ver » rendant possible le voyage à travers le temps.

Düger, dont l'excentricité, la jovialité et l'exubérance contrastaient avec ses cheveux blancs et son dessus de tête déjà quelque peu dégarni, était un inventeur âgé d'une cinquantaine d'années. Il avait fait l'acquisition d'une Ford Shelby GT 500 1969 à l'Exposition nationale de voitures anciennes de Détroit, qu'il avait ensuite modifiée pour des expériences de physique et pour son bon plaisir.

Hormis le fait qu'elle possédait déjà un puissant moteur huit cylindres développant 425 chevaux, celui-ci en avait ajouté 90 autres grâce à un dispositif de sa propre fabrication, appelé « kit de nitro ». L'explosion de la nitroglycérine, par le seul toucher d'un petit bouton rouge situé au centre du tableau de bord juste en face du levier de vitesse, propulsait le véhicule à plus de 350 km/h. Combiné à une transmission allemande Getrag de six rapports parfaitement synchronisés sur des rails en ligne droite de près de cinq kilomètres de long et des patins qui s'y agrippaient afin de le retenir sur ceux-ci, le bolide pouvait parfois atteindre le sixième rapport en ne roulant que sur ses jantes d'acier spécifiquement conçues et atteindre une vitesse de 382 km/h.

Mais le *trip* ne s'arrêtait pas là. Lorsqu'il atteignait la limite des 4,4 kilomètres indiqués par de larges panneaux de couleur orange fluorescent au point de sa plus haute vitesse, il mettait aussitôt le levier de transmission sur le neutre et éteignait le moteur d'un simple tour de clé. Puis un gros crochet fixé au centre du châssis sous la Ford accrochait au passage une épaisse bande carrée de 19 centimètres en caoutchouc haute technologie. Elle était en effet capable de résister à un tel impact ; elle avait été moulée autour de deux cylindres d'acier plein de 15,8 centimètres de diamètre sur 1,2 mètre de hauteur, intercalés entre eux de 38,1 centimètres. Ces cylindres étaient coulés dans une forme en ciment équivalent à l'espace de trois poutres dormantes de chemin de fer à une profondeur de 1,8 mètre. Les bouts sortant hors terre ne dépassaient pas la hauteur des rails.

Là, le « Boomerang », comme l'avait baptisé Düger, relayé par le gigantesque élastique qui s'étirait, était lancé dans le sens contraire.

Depuis quelques semaines, le savant relativiste s'adonnait à ses expériences souvent plus *trippantes* plutôt que de contribuer à des calculs de physique. Il arrivait au volant de sa camionnette Ford King Cab, tirant et transportant le flamboyant coupé sport bleu royal métallisé sur une remorque qu'il avait lui-même construite. Il sortait de la cabine revêtu d'une combinaison argentée, et enlevait d'abord les étriers des roues bloquant et empêchant le véhicule de sortir de ses cales. Il faisait lentement descendre la Shelby à l'aide d'un treuil électrique et de deux passerelles antidérapantes qu'il déployait sur chacun des rails en parlant à son chien, Galiléo, un berger écossais qu'il laissait sortir de la camionnette avant lui afin qu'il puisse gambader un peu autour :

– Galiléo ! Galiléo ! Viens mon chien, c'est l'heure !

Le chien berger arrivait près de lui en branlant la queue et il poursuivait la rutilante sportive nord-américaine sur les rails, terminant l'ajustement et la fixation du dernier patin autour du rail côté avant conducteur :

– Nous allons faire un autre voyage dans le temps. Qu'en dis-tu mon vieux ?

Galiléo lâcha quelques aboiements et hocha la tête en signe de compréhension. Ouvrant la grande portière côté conducteur et basculant vers l'avant le dossier du coupé, il le fit monter sur la banquette arrière, ajusta sa ceinture de sécurité et son casque de protection, qu'il avait fabriqués sur mesure pour lui. Puis, après l'avoir bien installé, il prit place à son tour sur le siège du conducteur en appliquant les mêmes règles de sécurité. Düger, que les recherches sur les possibilités de voyager dans le temps s'étaient avérées jusqu'ici infructueuses, parlait encore à son chien et lui disait, un peu désabusé :

– Des trous de ver... Hum ouais ! S'il y en a, où sont-ils ? Comment les percevoir et les localiser ?

Le chien, manifestement de son avis, grognait en hochant la tête. Le savant, qui avait lu et revu les différentes théories en rapport avec le « voyage dans le Temps », disait cela parce qu'il était arrivé à la terrible conclusion qu'il ne suffisait pas d'avoir une machine à explorer le Temps comme H. G. Wells et d'autres l'avaient trop longtemps laissé entendre. Mais il fallait que tout ceci, à savoir la machine, l'appareil programmant les dates de départ et d'arrivée ainsi que la vitesse n'étaient en fait que très relatifs à un seul élément des plus essentiels du continuum spatio-temporel : un Portail du Temps. Ce trou de ver, invisible à l'œil nu, ne s'ouvre que pendant un court moment à des intervalles réguliers précis selon lui et peut seul permettre un tel exploit. Voilà pourquoi il parlait ainsi.

Depuis, ne s'amusant qu'à simuler la chose et parlant toujours à son fidèle compagnon juste avant de programmer la date/heure de départ et la date/heure fictive d'arrivée à une époque qu'il choisissait, il enchaînait, plein d'entrain :

– Nous sommes le lundi 26 octobre 1987, lança-t-il. Où allons-nous cette fois Galiléo ? Assister à l'exploit de la traversée de l'Atlantique de Charles Lindbergh en 1927 ? Ou encore à l'inauguration de la Ford Motor Company par Henry Ford en 1903 ? Ou un peu plus en arrière même... Faire la connaissance du père de l'ampoule électrique et inventeur du phonographe, sir Thomas Edison, disons vers... 1883 peut-être ?

Là, s'arrêtant presque chaque fois sur cette dernière époque, enviant plus particulièrement cette période effervescente du génie inventeur de l'homme en cette fin du XIXe siècle, il ruminait :

– Dieu que j'aurais aimé vivre à cette époque et être aux côtés de ces hommes qui, sous le feu du génie, découvraient et parvenaient à faire fonctionner pour la toute première fois leurs inventions, cher Galiléo... Tu peux pas savoir comment j'aurais aimé vivre à cette époque ! On pourrait également entre autres aller saluer ce cher Abraham Lincoln le jour de son élection en 1860 ? Ou à part ça, et là je suis sûr que tu vas être d'accord avec moi, empêcher cette injuste et stupide condamnation par l'Inquisition du plus éminent savant après Léonard de Vinci, Galilée, en 1633 ?

Le chien répondant aussitôt par quelques aboiements, il continua en lui disant, le regardant et acquiesçant à sa demande :

– Bon eh bien dans ce cas... on y va !

Néanmoins, le savant qu'il était ne pouvait se soustraire à l'avis de ses confrères scientifiques sur un point, et complétait par cette mise en garde :

– Seulement nous devrons faire le reste du chemin à pied et sur une embarcation de fortune pour nous rendre en Italie, affrontant et ne reculant devant aucun danger. Sans compter que les rails ne s'y trouvant plus, nous aurions fait soit une embardée en fauchant tout sur notre passage, soit un vol plané en nous écrasant sur le sol. À l'exception bien sûr de la théorie avancée par ce cher Zinnerman, un collègue scientifique qui croyait, en plus de l'existence des fameux « trous de ver », que de véritables tunnels faisaient également partie de cet univers, comme nos routes et autoroutes. Ils nous permettraient de nous rendre non seulement à une date ou à une époque précise passée ou future, mais aussi à peu près n'importe où sur la planète. S'ils n'existaient pas encore à l'endroit où nous allions, ils se formeraient automatiquement par extension afin de pouvoir revenir. La plupart d'entre nous trouvaient sa théorie trop fabuleuse et s'en moquaient un peu. Mais si la chose se révélait être vraie, Galiléo, tu imagines les possibilités…

Finalement, il lâcha un soupir et termina son bref exposé en disant :

– Bof, à quoi bon... Vaut mieux pas trop y penser.

Après, tout en le disant à voix haute, il pianotait l'expérience fictive, la date et l'heure de départ et la date et l'heure d'arrivée sur un appareil à circuit électronique branché à même la radio au centre du tableau de bord à sa droite. C'était une sorte de simulateur appelé « Transfuseur temporel » de sa propre invention. Lorsque la programmation numérique s'affichait et que les trois jauges transparentes à cristaux liquides bleue, jaune et verte, situées sur le dessus de chacune des dates présente, passée ou future choisies et y correspondant, leur remplissage commençait simultanément. Il tournait la clé et effectuait le démarrage du puissant moteur.

Le défi bien que calculé n'était pas banal, puisqu'il devait réellement franchir ce qu'il avait désigné comme étant le point d'impact vitesse/temps ou VT, c'est-à-dire les trois jauges remplies lorsqu'il atteignait la limite des 4,4 kilomètres. S'ajoutait à cela une musique présyntonisée avec la date sélectionnée jouant tout au long du parcours et pouvant être tout aussi bien du rock and roll que du classique. Cette fois, en rapport avec 1633, c'était la *Radetzky March* de Johann Strauss.

Enclenchant le premier rapport, il relâcha la pédale d'embrayage, appuya sur l'accélérateur et partit à vive allure en faisant successivement les cinq autres rapports pour ensuite, à plus de 250 km/h, provoquer d'un simple toucher du doigt une explosion avec son fameux « kit de nitro ». Celui-ci, propulsant le bolide à une vitesse fulgurante de près de 380 km/h et ayant franchi le cap du 4,4 kilomètres, mit aussitôt le levier de vitesse sur le neutre, éteignit le moteur puis, le crochet sous le véhicule enfourchant au passage l'épaisse bande de caoutchouc, il s'écria :

– Boomerang ! en riant à gorge déployée, même si le véhicule était immobilisé et la partie de plaisir terminée.

Son chien le regardait et voulait presque lui dire s'il avait pu lui parler : « Non mais... ce qu'il peut être dingue parfois celui-là ! » Ensuite, ses rires s'estompant, il dit au cabot, en descendant de son Boomerang :

– Dépêchons-nous maintenant Galiléo, il sera bientôt huit heures et il fera noir comme chez le diable ici. Et si tu es comme moi... un copieux

12

repas et un bon bain chaud est tout ce qu'il y a de mieux, après pareille envolée, pour refaire le plein d'énergie.

Aussitôt il démontait les patins en commençant par diminuer la tension que ceux-ci devaient exercer d'une façon égale sur toute la suspension du bolide afin d'empêcher, surtout lors du décollage, les jantes d'acier de tourner inutilement sur les rails, évitant ainsi la surchauffe, le gauchissement de celles-ci, et une perte importante d'accélération. Ensuite, il vaporisait un produit décapant sur l'intérieur des roues afin d'enlever les résidus d'un bitume gommeux qu'il appliquait aussi sur trois longueurs de rails des deux côtés. Cependant, pour la première fois depuis qu'il y venait, un fait inusité se produisit. Galiléo, qui était resté entre les deux rails à environ 60 mètres derrière la remorque contenant le bolide, aboyait sans arrêt et ne semblait plus vouloir quitter les lieux. La main sur la poignée de la portière de la camionnette et l'entendant aboyer depuis déjà un bon moment, le savant dit alors, ne comprenant pas la signification de ces interminables aboiements :

– Ce doit être un de ces putois ou je ne sais quoi encore !

Réitérant son appel à venir le rejoindre et à monter il lui lança, un peu agacé :

– Assez maintenant Galiléo, viens ! On n'a plus rien à faire dans ce coin perdu. Cette bête à ligne blanche n'en vaut pas la peine et tu le sais. C'est elle qui risque d'avoir le dernier mot en t'arrosant de son « parfum ». Cela m'obligera à te donner un bain que tu n'apprécies guère chaque fois.

Le chien, n'entendant rien et revenant à la charge, il lui dit, d'un ton plus menaçant et croyant avec cet ultime *bluff* finir par le convaincre :

– OK, comme tu voudras. Je te laisse ici. Seulement tous les coyotes affamés de la région ne tarderont pas à t'encercler et voudront t'avoir comme repas du soir. Et ça mon gars... ce ne sera pas le repos sous la pleine lune, crois-moi.

Montant ensuite dans la camionnette, le coude appuyé sur le bord de la vitre baissée il murmura, trouvant la chose anormale et bizarre :

– Non mais... qu'est-ce qu'il a celui-là ce soir ? Ce n'est pas normal...

N'en pouvant plus de l'entendre il ajouta, ouvrant le coffre à gants et ramassant la torche électrique ainsi qu'une paire de lunettes à infrarouge s'y trouvant :

– Argh ! C'est trop, il faut que j'aille voir !

Descendant du véhicule et venant vers lui en tenant sa torche et l'appareil de télédétection nocturne, il lui dit :

– Qu'est-ce qu'il y a l'Écossais, tu es malade ? Qu'as-tu découvert Dieu du ciel ? Le cadavre de Jismond Ladurantaye que la police cherche depuis deux ans ? Sinon, crois-moi que là je vais me fâcher.

Soudain, Galiléo cessa d'aboyer et se mit à avancer, Düger lui disant, tout en le suivant :

– Bon, OK, pour autant que la découverte en vaille la peine ou puisse faire progresser la science... Je n'ai pas de problème avec ça. J'accepte.

Toutefois, après vingt-cinq minutes de marche continue, il se retourna pour voir s'il distinguait toujours les feux de position de la remorque, l'obscurité recouvrant lentement l'endroit. Les apercevant encore quoique très faiblement, mais se rapprochant de plus en plus du large panneau orange qui miroitait lorsqu'il braquait sa torche dessus, il dit à son chien, qui avançait toujours :

– Écoute Galiléo... J'espère que tu te rends compte que nous devrons refaire tout ce trajet après. Je n'ai pas envie d'y passer la nuit ! Alors dis-moi s'il est encore loin ton ovni, parce que pour moi, ça s'arrête ici.

S'asseyant ensuite sur un rail et tirant un petit flacon d'eau de sa poche intérieure pour en prendre une bonne gorgée, l'ultime aboiement se fit alors entendre. Se levant en catastrophe, il s'exclama :

– Grand Dieu ! Voilà la réponse !

Refermant et remettant le flacon dans sa poche et empoignant tout son matériel de vision nocturne, il lui cria, tout en y accourant :

– J'arrive Scotland Yard, ne bouge plus !

Arrivé près du chien, ce dernier silant, grognant et aboyant, il lui dit, essoufflé par le sprint de 90 mètres qu'il venait de faire :

– Tu as enfin trouvé ? C'est quoi finalement ?

Éclairant d'abord droit devant à partir du sol entre les deux rails pour ensuite repasser lentement de chaque côté il lui dit, à la fois déçu et confus, et n'y voyant toujours rien :

– Je ne comprends pas Galiléo... Je ne vois absolument rien...

Le chien berger aboya et fit quelques pas en branlant la queue, comme pour lui signifier de bien regarder.

– Bon, OK, si tu branles la queue c'est une bonne nouvelle. Pas un cadavre, Dieu merci.

Mettant sa paire de lunettes à infrarouge et apercevant l'énorme trou parfaitement circulaire à un peu moins de 12 mètres droit devant lui entre les deux rails et touchant le sol, il s'écria, n'en croyant pas ses yeux :

– Par tous les capitaines Nemo de la terre ! J'espère que c'est bien ce que je pense que tu penses cher Galiléo, dit-il à son chien.

Encore un peu sceptique et voulant éviter tout désenchantement, il glissa sa main dans la poche droite de son habit argenté et sortit sa balle de baseball porte-bonheur. Elle portait non seulement l'inscription de la date, 5 août 1947, mais en plus un nom, Nemo, tiré du roman *Vingt Mille Lieues sous les mers* de Jules Verne ainsi que l'heure exacte affichée sur le tableau à gros chiffres, 8 : 37 : 15. Il l'emmenait presque toujours avec lui et l'avait attrapée au vol dans les gradins du stade de San Francisco, lors d'un match opposant les Giants de San Francisco aux Rockies du Colorado quarante ans auparavant, alors qu'il n'était encore qu'un gosse. Tenant la balle dans sa main droite et se remémorant ce qu'il avait dit à ce moment-là, il murmura lentement, parlant toujours à son chien :

– Je me souviens... J'avais justement dit : « J'espère qu'elle me mènera aussi loin... » La guerre était finie. Mes parents m'avaient emmené au stade pour mes onze ans. Ils m'avaient offert en cadeau avec ça un roman de Jules Verne que je désirais depuis longtemps : *Vingt Mille Lieues sous les mers*, avec son incroyable capitaine Nemo qui me fascinait tant et dont j'avais gravé le nom sur la balle ! Enfin, tout ça est du passé à présent. Reste à savoir maintenant si le futur est aussi prometteur, lança-t-il plus déterminé que jamais à percer le mystère du voyage dans le temps.

Remettant les lunettes à infrarouge il lui dit :

– Je vais lancer la balle de toutes mes forces à travers ce trou Galiléo, mais je ne veux pas que tu ailles la chercher, tu ne bouges pas d'ici, compris ? C'est très important. C'est une expérience scientifique.

Le chien aboya comme pour signifier qu'il avait bien saisi. Le savant lança ensuite la balle, qui disparut aussitôt en franchissant l'intérieur du grand cercle rouge.

Ayant suivi le trajet du projectile avec son appareil de détection nocturne et réalisant qu'il avait devant lui un de ces trous de ver, le Portail du Temps si recherché par toute son académie de savants relativistes défendant l'existence de la chose il s'écria, pouffant de rire, sautant de joie, son chien le regardant sans émettre le moindre son :

– Ha ! ha ! ha ! Te rends-tu compte de la chose, Galiléo ? C'est le panthéon de la gloire pour toi mon vieux ! C'est la plus grande découverte de tous les temps ! cria-t-il à l'animal, qui lâcha alors quelques aboiements joyeux. Bon, on n'a plus une minute à perdre à présent Galiléo, Dieu sait combien de temps encore ce Portail restera ouvert. Je sais, il est tard et on devrait normalement roupiller tous les deux dans notre lit à l'heure qu'il est. Mais le ciel n'est pas pour les lâcheurs. Donc, « vaut mieux tard que jamais » ou comme dirait Elvis : « It's now or never ». Qu'en penses-tu, hein ? lui demanda Düger tout en le secouant par le derrière du cou. Alors, reprit le savant, allons-y ! Tout droit au Boomerang !

Il se rendit jusqu'au véhicule plus motivé qu'il ne l'avait été jusqu'ici, le chien suivant son maître. Après, refaisant toute l'opération de mise sur rails du coupé sport en un temps record, le savant, bien assis et les deux mains sur le volant, parla à son fidèle compagnon de voyage :

– Il s'agit de la première du genre et nous ne savons pas encore si ce Portail du Temps sera toujours là ou quels sont ses intervalles d'ouverture, ni si nous risquons de rester définitivement bloqués à l'époque où nous nous retrouverons. S'il ne se passe rien de ce que je viens de mentionner, raison de plus de faire une bonne action pour mon salut éternel et vérifier du même coup s'il est vrai que l'on peut modifier le futur en intervenant dans les événements passés des individus, par exemple.

Ce dernier mot dit, et juste un peu avant de programmer les dates et heures de départ et d'arrivée sur les touches du cadran à affichage numérique de son Transfuseur temporel, il poursuivit de plus belle en révélant finalement la date choisie, enclenchant aussitôt après le remplissage des jauges et le démarrage du vrombissant moteur de la Shelby :

– J'ai donc choisi d'intervenir le 30 juin 1962, année où John Glenn effectua le premier vol orbital américain à bord d'une cabine *Mercury*, marquant le début de grands exploits spatiaux ! Mais malheureusement, c'est aussi l'année où Roland McGowan, le père d'Handy — un étudiant qui s'était lié d'amitié avec lui malgré leur grande différence d'âge — fut injustement accusé à tort de l'incendie du lycée lors du bal de graduation au détriment de celui qui, selon Handy mais faute de preuves, avait habilement monté le coup par jalousie, Stiff Tyken...

Resté pensif quelques instants, le savant relativiste parlait seul avec son chien et disait cela parce que Stiff était le genre de gars « gros bras mais rien dans la tête » qui, dès votre première année du secondaire, vous donne du fil à retordre jusqu'à la fin. Dans le cas de Roland McGowan, ce rival qu'il prenait plaisir à traiter comme un vulgaire *top* de cigarette et l'appelait hargneusement devant tous « le mégot », la chose avait été très loin et avait eu une funeste conséquence sur tout son avenir. En effet, McGowan, malgré sa nature repliée sur lui-même et sa timidité, était d'une imagination débordante et avait un talent fou pour l'écriture et la bande dessinée.

Dévoilant petit à petit son habileté à quelques-uns de son école qui n'en revenaient pas et l'encourageaient à continuer, entre autres sa petite amie Alice Boyle, une jolie brune qui s'était éprise de lui et qu'il fréquentait en cette fin d'année scolaire 1962, il avait alors entrepris d'écrire un roman-fiction : *Starkman – L'homme qui venait des étoiles.*

16

Aussi, le romancier en herbe, fort de la confiance qu'on lui témoignait, était devenu la coqueluche de tout le lycée y compris de tous ses professeurs. Sauf le directeur, Ralph Dicklane qui, malgré le consensus général, trouvait le genre de McGowan stupide et reflétant l'inculture de la génération montante. Pour cela, il brillait de tous ses feux ce 30 juin 1962 au bal de graduation. Tyken, envieux de son succès, avait comploté un sale coup avec trois membres de son gang. Il avait mis le feu à la bibliothèque de l'école et avait été déposer le bidon d'essence dans le coffre arrière de la Chevrolet Impala 1960 décapotable blanche de Roland McGowan — appartenant à son père — grâce à un double de clé qu'il avait réussi à obtenir, faisant exprès pour mettre les enquêteurs de la police sur la piste, en en répandant un peu derrière sur le sol et sur le pare-chocs du véhicule. Nul besoin de vous dire que la police ne mit pas beaucoup de temps pour conclure qui avait fait le coup, et ce, malgré Alice, qui clama son innocence en leur faisant valoir qu'il ne l'avait pas quittée de la soirée.

Arrêté le soir même, McGowan avait été jugé coupable dans les deux semaines qui suivirent et avait écopé d'une sentence de deux ans de prison.

Sa crédibilité entachée par un dossier criminel et son bel avenir ayant basculé ce jour-là, plus aucun éditeur ne voulait prêter oreille à son projet de roman-fiction. Confiné à trouver un autre travail et rencontrant beaucoup de méfiance de la part des employeurs de la région qui ne voulaient pas l'embaucher, il n'eut d'autre choix que d'accepter « comble de tout le malheur » de travailler pour son grand rival de classe, qui avait réussi à se hisser à la tête d'une importante concession automobile de Rusty Valley. Depuis, McGowan avait fini par s'y faire et travaillait toujours pour lui, malgré toutes les heures supplémentaires et les tâches viles qu'il lui imposaient parfois en le menaçant de le congédier quand il refusait de s'y plier. En fait, la seule consolation qu'il lui était resté, c'était Alice, qui l'avait épousé malgré tout et avait accepté de porter avec lui le fardeau de cette marginalisation « à perpétuité ». Trois enfants issus de cette union le partageaient également : Paul, 22 ans, Lena, 19 ans, et Handy, 17 ans.

Seulement, le savant connaissait toute l'histoire, ayant vécu à la même époque dans la même ville et Handy lui ayant raconté tout ce qu'il savait à ce sujet ainsi que la version que sa famille croyait toujours. Ils croyaient en la non-culpabilité de Roland McGowan et éprouvaient une forte suspicion envers Stiff Tyken. Il reprit, parlant toujours seul avec son chien, décidé à intervenir dans le temps et à rendre justice :

– Les pompiers de la caserne ont été alertés à 22 h 24 par un passant qui avait aperçu les flammes, ce qui laisse supposer que l'incendie a vraisemblablement été allumé autour de 21 h 45 tout au plus, vu l'utilisation d'essence. Je programme donc notre départ pour le lundi 26 octobre 1987 à exactement 22 heures 45 minutes et zéro seconde ! Donc, dit-il tout en regardant sa montre, dans un peu moins de trois minutes ! Et notre arrivée pour le vendredi 29 juin 1962 à exactement 19 heures 45 minutes et zéro seconde !

Le chien aboyant juste après cette dernière programmation, il lui dit en riant :

– Oui je sais... J'aime les chiffres ronds. Très bien Galiléo.

Enchaînant aussitôt, il compléta par ce dernier avis :

– Cela devrait nous permettre de bénéficier d'une bonne nuit de sommeil tout en ayant suffisamment de temps pour nous rendre sur les lieux pour observer et prévenir la police par téléphone. Pour ce qui est de la façon de freiner et d'immobiliser le véhicule spatio-temporel, ainsi que la possibilité de collision avec un train, c'est hypothétiquement impossible. *Primo*, je possède un parachute de secours que je déploierai dès notre arrivée ; *secundo*, le vieux Joseph Barbello, un ex-cheminot à la retraite connaissant bien cette ligne ferroviaire, m'a assuré qu'autrefois, aucun train n'arrivait ni ne partait après 19 heures jusqu'à l'aube. Alors qu'est-ce qu'on a à perdre, hein Galiléo ?

L'heure de départ tombant pile et le remplissage des jauges du Transfuseur temporel commençant il ajouta, démarrant le puissant moteur huit cylindres :

– À présent on va bien voir... à fond les gaz ! cria-t-il avec force.

La Ford Shelby GT 500 fonça alors à vive allure avec tout ce qu'elle avait dans le ventre, entra à 388 km/h dans le gigantesque trou circulaire au milieu d'une longue traînée de feu et d'étincelles sur les rails et sous la vibrante musique *Roll Over Beethoven* de Chuck Berry. Düger jubilait et s'écria, au summum de l'excitation, juste avant que le bolide ne disparaisse dans une friction d'éclairs :

– Boomerang !

Réapparaissant ensuite de la même façon en décélération, le parachute s'ouvrant, le conducteur encore exultant de joie et faisant une série de manœuvres de freinage, le véhicule s'immobilisa. Éteignant le moteur, regardant tout autour dans la pénombre de ce soir du 29 juin 1962 et pour s'assurer qu'il était 19 h 45, juste assez tard pour s'assurer d'une certaine discrétion même si la région était plutôt rurale. À première vue déjà, le changement d'époque était évident à partir des arbres parsemant la voie ferrée. Il dit à son chien, lunettes remontées, ayant peine à le croire et remarquant la petite taille des arbres :

– Tu as vu la dimension des arbres Galiléo ?

Puis, ne pouvant plus contenir sa joie, il s'écria :

– Ça veut dire qu'on a réussi ! On est vraiment dans le passé !

Le chien se mit à aboyer en signe d'approbation. Düger, se libérant aussitôt de sa ceinture de sécurité, sortit du coupé sport et se mit à courir en lançant haut et fort à son copain à quatre pattes, resté attaché sur la banquette arrière et le regardant à travers le pare-brise :

– On a réussi ! Whoua ! ha ! ha ! On a réussi Monsieur Einstein... Les trous de ver existent !

Revenant du côté conducteur, ouvrant sa portière et s'asseyant de nouveau, visiblement épuisé mais content, il reprit en regardant l'heure de sa montre, qui s'était automatiquement ajustée à partir de celle de leur arrivée en 1962 :

– C'est bien ce que je pensais... Ma montre affiche maintenant l'heure de l'époque où nous sommes et s'est systématiquement ajustée à partir de celle de notre arrivée fixée dans le temps. Ça fait curieux peut-être de voir ça... mais c'est normal. Plus que normal même, c'est une preuve de plus que nous y sommes assurément.

Là, s'arrêtant et le regardant par le rétroviseur il continua, traçant brièvement le programme de cette intervention dans le temps :

– Notre corps sait très bien qu'il n'est pas 20 h 2 comme cette montre l'indique mais plutôt 23 h 2. Un décalage horaire de trois bonnes heures qui ne s'est pas envolé comme par magie et qui commence à peser lourd sur nos épaules. Voilà donc ce que nous allons faire. Nous allons d'abord dormir ici dans la voiture. Par contre, il nous faudra être debout très tôt, juste un peu avant l'aube disons, dit-il ajustant l'heure et l'alarme de sa montre, 4 h 30 très exactement. Dès notre lever, je me mettrai aussitôt à la tâche en rangeant en tout premier lieu le parachute de secours dans son compartiment. Ensuite, le levier de changement de vitesse placé sur le neutre, je roulerai la Ford sans faire de bruit jusqu'au croisement du chemin menant à la carrière Glenn, à environ 800 mètres droit devant nous. Rendu au passage à niveau, je procéderai au remplacement des jantes existantes, conçues pour les rails, par celles pourvues de pneus de petit format que je garde toujours dans le coffre arrière au cas où je serais mal pris. Nous ne pouvons pas nous permettre de la rouler tout simplement jusqu'à l'ancienne minoterie des frères Parisch pour la cacher à l'intérieur par un changement d'aiguillage des rails. La minoterie n'a cessé ses activités qu'en 1982. Elle était au plus fort de ses activités à la date où nous sommes et employait une dizaine d'hommes le jour. C'est trop risqué. Nous la camouflerons à l'entrée d'un sentier boisé de préférence. Autrement, comment prendraient-ils la chose quand on leur dirait que nous venons du futur... Je serais assez rapidement interné dans un hôpital psychiatrique je crois ! Tandis que toi Galiléo... Tu te retrouverais très certainement à la fourrière avec d'autres chiens ou avec des maîtres pas très commodes. Déjà que le fermier Spitzel habitant les alentours a failli s'y retrouver quand il s'est mis à raconter qu'une soucoupe volante ayant des extraterrestres à son bord s'est posée dans son champ de maïs à cause d'une forme ronde d'un peu plus de 15 mètres de diamètre qu'il avait découverte ce même matin du 30 juin 1962.

Son chien grognant et silant, il poursuivit :

– Oui, à qui le dis-tu... quelle journée ! C'est pour ça que cette date sera toujours fraîche à ma mémoire, impossible de l'oublier. Rusty Valley avait été envahie par la presse, par les principales chaînes de télé du réseau américain, par des agents fédéraux ainsi que par toutes sortes d'envoyés spéciaux, experts militaires et autres. Avec l'incendie du lycée le soir... c'était un vrai capharnaüm, c'est le cas de le dire. Quoi qu'il en soit, nous ne sommes pas venus pour élucider ce récit hallucinant baptisé « l'histoire Spitzel », que beaucoup trop de gens croient encore, du fait qu'aucune explication sérieuse n'a été fournie jusqu'à présent par les autorités assignées.

Inclinant le dossier de son siège d'un seul coup vers l'arrière en position couchée et s'étirant pour déboucler la ceinture et enlever le casque de son chien, il ajouta tout en lui caressant la tête :

– Alors dormons ! Nous avons suffisamment de pain sur la planche avec l'affaire de l'incendie du lycée.

Le cabot rétorqua par quelques aboiements en se léchant les babines. Sachant ce qu'il tenait sans doute à lui faire savoir, il le regarda sourire en coin et le rassura :

– Oui Galiléo, nous mangerons demain matin c'est promis. J'ai une glacière derrière contenant quelques victuailles, du thé glacé et des conserves de viande Docteur Ballard pour toi. Seulement il vaut mieux les ménager. On n'a pas le choix. Il nous faudra dormir l'estomac vide mon vieux. Ça fait partie des impondérables auxquels tout explorateur digne de ce nom doit se soumettre. Eh oui, c'est comme ça.

S'abritant avec une couverture chaude laissée sur le siège avant côté passager, il tira un trait sur cette longue journée.

– Bonne nuit Galiléo.

Son fidèle compagnon silant et bâillant à son tour, ils s'endormirent.

— 2 —

LE LENDEMAIN MATIN, tout alla comme sur des roulettes. Ainsi, après avoir camouflé l'éblouissante Shelby en bordure d'un sentier débouchant sur le chemin de la carrière Glenn — un raccourci menant au même endroit — et avoir pris leur petit déjeuner bien mérité, il confia la garde du précieux véhicule spatio-temporel au chien.

– Maintenant que nous avons bien mangé Galiléo, je suis bien capable de m'occuper de l'affaire seul. Tu resteras donc ici pour garder le Boomerang. Tu ne te montreras que lorsque je reviendrai ce soir très tard après avoir entendu ce sifflet que tu connais. Ce sera notre mot de passe, compris ?

Le chien aboya en signe de compréhension. Il ajouta avant de le quitter, tout en enfilant des vêtements plus sobres que sa combinaison :

– Parfait ! Tout ira bien tu verras. Maintenant j'y vais. À ce soir.

Il partit aussitôt après et marcha. Au bout de quelques minutes, le long du chemin de la carrière Glenn, il faisait de l'auto-stop en direction de Rusty Valley. Il aperçut au loin, à environ 1,6 kilomètre juste dans la courbe, le gyrophare jaune d'un camion semi-remorque de largeur excessive doté d'une grue. Celui-ci était immobilisé sur l'accotement en bordure du champ de maïs de Spitzel.

– Mais qu'est-ce que ce semi-remorque fait là ? On dirait qu'il a perdu quelque chose d'assez énorme qu'il transportait... de forme ronde, ressemblant même à un silo à grain en acier galvanisé qu'il tente maintenant de récupérer à l'aide de sa grue. Dans le champ de... Spitzel ! s'écria-t-il, s'arrêtant, complètement ahuri.

En effet, le savant allait avoir le privilège de comprendre cette fameuse histoire de soucoupe volante rapportée par le fermier. Le semi-remorque transportait un gigantesque silo à grain en acier galvanisé.

Dans la courbe ayant un angle de presque 90°, un des câbles le retenant avait cédé sous la pression du virage, à cause de la trop grande vitesse qu'avait pris le véhicule. Il avait sorti de ses cales d'un seul coup et s'était ensuite mis à rouler sur lui-même, écrasant les épis de maïs sous un tel poids, et créant un immense cercle dans le champ de Spitzel. Comme le gros objet circulaire s'était finalement immobilisé du côté du champ en bordure de la route, les hommes du camion n'avaient eu qu'à le cueillir à l'aide du câble de la grue en le soulevant de terre pour le déposer et le fixer à nouveau sur la longue remorque. Le travail de récupération terminé, les deux hommes avaient aussitôt repris la route sans que le vieux fermier ait été avisé de quoi que ce soit de leur part. Pourquoi ? Sans doute à cause de toutes les complications qu'ils auraient eues : dommages causés à la récolte et à la propriété, délai de livraison non respecté et perte systématique de leur emploi. Voilà la véritable explication à la conclusion exaltée de « soucoupe volante » tirée par Spitzel en visitant son champ de maïs par la suite et qui donna naissance à son histoire pour le moins fabuleuse, propre à la région de Rusty Valley.

Aussi, se rapprochant de plus en plus du camion qui s'en allait, Düger, qui le regardait partir, aperçut la grande surface ronde laissée par le silo et comprit tout le fond de l'histoire :

– Grand Dieu ! L'histoire Spitzel... Voilà la clé du mystère !

Vers onze heures, il descendit finalement d'une automobile qui avait accepté de le mener jusqu'aux portes de la ville sur la grande route. Un large panneau de contreplaqué fixé sur des pieux plantés dans le sol annonçait le lotissement Rosen Estates, qui deviendrait peu à peu la nouvelle extension de Rusty Valley, venant de la même étymologie : Rosendale.

Le reluquant quelques instants, il prit ensuite la rue Principale et tira de la première poubelle publique qu'il croisa un journal de la région où il habitait, le *Rusty Valley Messenger,* publié le mercredi de chaque semaine en date du 27 juin 1962. Il murmura, en regardant la date :

– Le journal du mercredi 27 juin 1962... Voilà la preuve d'un bon souvenir à conserver.

Il continua de descendre la rue grouillante de piétons et de circulation automobile en cette fin de matinée à travers tous ces commerces, boutiques et restaurants qu'il connaissait bien. Il les redécouvrait une seconde fois comme un enfant, s'arrêtant parfois pour y faire un peu de lèche-vitrines, se rappelant dans les moindres détails chaque chose. Il s'immobilisa devant le Billy's Café à l'angle de l'avenue Franklin, en diagonale de l'autre côté du Courthouse Square Park. L'odeur du pain grillé, du bacon et des œufs se répandant à l'extérieur, il ne put résister et entra en catimini sous la musique de *Blueberry Hill* de Fats Domino, lunettes fumées noires sur les yeux, voulant se distinguer de son homologue y vivant malgré les vingt-cinq ans d'âge en moins de ce dernier.

Le restaurant, alors tout jeune, brillait de tout son éclat avec son remarquable juke-box « fusicolor » près de l'entrée au centre, ses tables et ses larges banquettes longeant les murs vitrés donnant sur les deux angles de rues. Il y avait aussi un magnifique comptoir lunch en formica vert pâle luisant de bordures d'acier chromé et des tabourets ronds pivotants, rembourrés, recouverts de vinyle rouge foncé. La cuisine était située derrière, sur un mur adjacent.

L'établissement étant reconnu pour sa bonne bouffe à un prix très abordable, et notre voyageur du temps disposant de quelques pièces de monnaie antérieures à 1962, put alors manger à sa faim et bénéficier d'un spécial « tout compris » pour la modique somme de 69 cents taxes incluses, en laissant même un pourboire pour la serveuse.

Düger, qui connaissait l'endroit, aimait bien l'avant-dernière banquette du fond, du côté de l'avenue Franklin. C'était la place par excellence pour observer qui y entrait sans être trop vu par un miroir se trouvant sur le mur dans l'allée. Fort heureusement, Billy Karoussos, le patron, trop occupé ce midi-là à la cuisine, n'eut pas la chance de le voir suffisamment de près pour éveiller le doute.

La serveuse et les autres s'y trouvant étaient beaucoup plus jeunes que lui, mais il n'eut guère besoin de s'en soucier. Après avoir pris le temps de bien manger et avoir bu deux cafés, il sortit aux aguets, traversa la rue Principale et alla s'asseoir sur un banc de parc en face de l'hôtel de ville, surmonté de sa grande horloge située sur la 1re Avenue, dans le Courthouse Square Park. Là, reluquant d'abord l'horloge centenaire indiquant 13 h 27, il se mit à faire semblant de lire le journal qu'il avait emmené avec lui, tantôt le déployant devant lui pour se mettre à l'abri de personnes susceptibles de le reconnaître, tantôt le déposant sur le banc quand il lui semblait ne plus y avoir aucun danger.

Après une heure de ce petit manège et comme il fallait s'y attendre, le décalage horaire se fit sentir à nouveau. Les paupières du savant s'alourdissant, il se laissa gagner par la fatigue, s'allongea, et se couvrant le visage avec le journal, s'endormit d'un sommeil profond.

Coup de chance de cet avenir reprogrammé peut-être... comme si la Providence voulait à tout prix s'en mêler elle aussi cette fois, l'auguste scientifique de la relativité se fit sonner l'alarme par un pigeon qui s'était posé sur l'hebdomadaire et le picorait.

Réveillé par le bruit, il sursauta. L'oiseau, effrayé, s'envola. Apercevant les aiguilles de la grande horloge marquant l'heure tout en se redressant lentement, il se parla :

– Dieu soit loué, il est 20 h 57. J'ai encore le temps. À présent... à nous deux Stiff Tyken. Ton heure a sonné, dit-il tout en se dirigeant vers une cabine téléphonique située près de là.

En entrant dans la cabine, il décrocha aussitôt le combiné, mit la pièce de monnaie nécessaire, et signala le numéro du poste de police, qu'il connaissait par cœur. La sonnerie se fit entendre et on décrocha. Le lieutenant Askin, affecté pour répondre à cette heure, lui répondit d'une voix enrouée :

– Oui allô, lieutenant Askin à l'appareil, que puis-je faire pour vous ?

Düger lui dit alors d'un ton pressant :

– Voilà, il se prépare un grand coup. Des gens vont tenter de mettre le feu à la bibliothèque du lycée ce soir vers 21 h 45. Il faut les en empêcher et les arrêter. Ils passeront par derrière et, avec l'aide d'une échelle, ils s'y introduiront en pénétrant par une fenêtre. Il faut y aller maintenant !

– Ho là mon ami ! rétorqua le policier. D'abord qui êtes-vous ? Comment se fait-il que vous sachiez tout cela d'avance ? Vous ne seriez pas plutôt dans le coup, justement pour nous attirer dans un endroit pendant que vos copains braquent la banque, hein ?

– Non lieutenant, ce n'est pas cela du tout, lui répondit poliment Düger. Si je téléphone, c'est parce que je sais pertinemment que ces personnes qui tenteront d'y mettre le feu ont des intentions qui risquent de porter préjudice à un honnête citoyen de cette ville, en le faisant habilement accuser à leur place de ce grave méfait. Ils ont tout planifié, et lui ne s'en doute pas le moins du monde, voilà pourquoi. Je n'ai rien à voir avec eux. Et si je préfère garder l'anonymat, c'est uniquement pour des raisons de sécurité personnelle. Disons tout simplement que je suis « un visiteur du futur » qui sait d'avance ce qui va se passer si vous n'intervenez pas immédiatement.

Le lieutenant, se rendant bien compte du sérieux de l'affaire dit, gagné par l'urgence d'intervenir :

– Ça me paraît beaucoup plus sérieux que je ne le croyais, en effet. C'est d'accord. J'envoie aussitôt deux voitures de police. Ne vous inquiétez pas si vous n'entendez pas les sirènes. Nous les surprendrons ces salopards ! ajouta-t-il pour mieux le rassurer, raccrochant aussitôt après ces mots.

Le savant sortit alors de la cabine téléphonique en prenant soin de regarder autour. Il ne voulait pas manquer l'arrestation de Stiff et de sa bande.

Il prit sans plus tarder la direction du lycée, se trouvant également sur la rue Principale, à la hauteur de la 3e Avenue, situé deux coins de rues plus loin. Arrivé en face de la réputée école secondaire, il traversa la rue et se dirigea en diagonale vers un peuplier se trouvant en plein sur la ligne de la propriété et qu'on avait préféré ne pas couper.

De là, se cachant derrière, il pourrait facilement voir ce qui allait survenir. Une atmosphère de fête régnait. Les portes de l'entrée principale étant toutes grandes ouvertes, on pouvait y entendre un petit orchestre de jeunes gens costumés interpréter avec beaucoup de talent les plus grands succès rock and roll des années 1956 à 1962.

L'événement ne tarda pas à se concrétiser, et la soirée se brisa au moment où l'orchestre débutait *Only you,* du prestigieux groupe The Platters.

Le savant, qui vit alors Stiff et ses trois acolytes se faire embarquer menottes aux mains à l'arrière des deux voitures de police habilement dirigées sur place, était soulagé et bien content de la tournure des événements et murmura, observant du coin d'où il était :

– Voilà que justice a été faite... Tout devrait aller pour le mieux à présent pour ton père, toute ta famille et toi, Handy !

Il put même voir son autre lui-même de 1962 se précipiter au moment où la police quittait lentement les lieux à travers une foule nombreuse. L'apercevant et pouvant bien le distinguer, il ajouta en riant, se rappelant qu'il y était venu :

– Ça alors ! C'est bien moi, mais oui, c'est vrai... J'étais arrivé un peu en retard et je n'avais pas pu être là au moment où la police avait embarqué Roland McGowan. Pas croyable...

Il aperçut du même coup le vieux Spitzel, lui aussi en ville et sortant du Exile's Bar sur la 4ᵉ Avenue. Il avait visiblement pris quelques verres de trop et s'apprêtait à monter à bord de sa camionnette GMC stationnée en bordure de la rue. Il accourut sans perdre une seconde, se faufila à travers les voitures et monta juste à temps dans la boîte arrière au moment où le fermier avait déjà démarré.

Le savant était couché sur les ridelles de la boîte. Il avait pu descendre le moment venu à l'entrée de la propriété de Spitzel, lorsque celui-ci dut ralentir pour effectuer le virage, faisant le reste du chemin à pied jusqu'à son repaire.

Il disposait de suffisamment d'essence dans le réservoir et voulait à tout prix réaliser son rêve de faire la connaissance des plus grands inventeurs de la fin du XIXᵉ siècle. Par la même occasion, il voulait vérifier si le fameux Portail du Temps était toujours là. Il se rendit sans attendre sur l'ancienne voie ferrée, refaisant minutieusement les opérations routinières requises après avoir au préalable effectué la plus indispensable de toutes, le changement de roues.

Un incident plutôt comique survint. Galiléo, qui s'était soudainement mis à aboyer sans que son maître ne comprenne son étrange comportement, partit en flèche du côté du fossé. Exaspéré, fatigué et n'ayant plus du tout envie de se livrer à son petit jeu, il s'exclama, le Boomerang déjà sur les rails et prêt à se lancer :

– Ah non ! Pas encore !

Mais l'escapade ne fut que de courte durée. Le chien revint avec la balle qu'il avait lancée auparavant et qui s'était retrouvée à cet endroit.

Düger s'accroupit et, réalisant de quoi il s'agissait, dit alors :

– Ça alors ! Ma balle porte-bonheur ! La chance est avec nous Galiléo, dit-il au chien, qui aboya comme pour lui signifier son contentement.

Le savant comprit tout de suite que sa balle s'était retrouvée dans le temps, et que c'était par conséquent la seule explication de son usure prématurée.

Fort de cela, il monta aussitôt dans le véhicule spatio-temporel, programma la date d'arrivée pour 5 heures le matin du 5 août 1883. Il dit, plein de fébrilité à l'idée de se rendre dans le Far West et d'y rencontrer celui à qui il vouait la plus grande admiration :

– L'avenir appartient aux lève-tôt, Monsieur Edison. Alors me voilà, j'arrive ! ajouta-t-il en démarrant le moteur de la Shelby.

Fonçant à vive allure vers le grand cercle rouge pour la deuxième fois avec la musique présyntonisée *Great Balls of Fire* de Jerry Lee Lewis, il ne put prévoir que son parachute de secours se coincerait et ne s'ouvrirait pas. Résultat, il fit toute une envolée et alla se rabattre entre deux gros rochers, sur un sapin près de l'entrée d'une grotte qui, fort heureusement, avait servi à amortir le choc. Bien que le bolide ne paraissait pas trop endommagé de l'extérieur, il en était tout autrement du dessous, qui avait subi de sérieux dégâts. Outre des pièces de la transmission et de la suspension, le réservoir à essence, percé par l'impact, s'était complètement vidé de son précieux carburant inexistant à cette époque, du fait que les premières pompes à essence n'apparaîtraient que vers le quart du prochain siècle. Cela représenterait le problème majeur d'un possible retour. Le savant relativiste allait donc être prisonnier du temps. Fort heureusement, il ne le vit pas sous cet angle. Au contraire, n'ayant souffert que de quelques égratignures et d'une bosse sur le front, il avait pris la situation avec disons... beaucoup de philosophie.

Parti comme un mendiant venant de nulle part, il accepta de travailler comme simple employé pour des éleveurs de bovins, même si on ne le payait qu'en lui fournissant l'hébergement et les repas. Il revint trois jours plus tard sur les lieux de l'accident et il réussit à dégager la Ford en utilisant une poutre de chemin de fer comme levier. Se servant de la pente naturelle conduisant à la grotte, il fit rouler la voiture jusqu'à l'intérieur de celle-ci en prenant soin de bien y fermer l'accès avec des pierres plates qu'il superposa l'une sur l'autre.

Bricoleur comme pas un et bénéficiant d'une connaissance avancée sur à peu près tout, il ne tarda pas à sortir des sentiers battus et devint vite un habile forgeron qui excella dans la fabrication d'éoliennes d'abord destinées pour les fermes de l'Ouest, plus isolées, mais aussi pour tous les habitants de la région où il s'était finalement établi. Il acheta, avec toutes ses économies, un superbe terrain avec hangar à l'entrée de la ville.

Il remplaça quelques fois le télégraphiste et le chauffeur de la locomotive, ce qui lui permit alors de se rendre dans les plus grandes villes de la côte Est et des Grands Lacs : Boston, New York, Philadelphie, Baltimore, Washington, Chicago, Détroit et Cleveland, à un prix plus qu'avantageux, jouissant d'un privilège de la compagnie de chemin de fer.

Il était heureux comme un roi d'avoir enfin pu rencontrer les génies de cette époque florissante d'idées et d'inventions dans des expositions de toutes sortes, en commençant par celui à qui il vouait la plus grande admiration, sir Thomas Edison. Il s'arrêta à son retour dans une dernière exposition du même genre à Kansas City, où il tomba éperdument amoureux d'une biochimiste d'origine écossaise qui avait seize ans de moins que lui, Cybril Baxton. Cette femme avait un visage resplendissant de noblesse, avait une fine intelligence, et était portée vers les sciences comme lui.

Ils firent le reste du trajet ensemble et se marièrent deux semaines plus tard en l'église St. Patrick de Rusty Valley. Tel que promis, dès leur première rencontre, il lui révéla l'incroyable secret et sa preuve qu'il avait ramenée avec un attelage de quatre chevaux. Il la gardait dans un petit bâtiment adjacent au hangar, recouverte d'une large toile.

Même s'il avait craint un choc face à une telle révélation, il n'en fut pas ainsi. La jeune femme, qui avait lu la plupart des romans de Jules Verne tout comme lui d'ailleurs, et qui anticipait déjà ce que le prochain siècle lui réservait, n'eut que de bons mots à son endroit, s'émerveilla et lui dit, éblouie, passant sa main sur l'aile arrière du coupé, admirant ses lignes :

– Quelle magnifique voiture ! Je te crois, Evans. J'ai lu Jules Verne, et celui-ci parle déjà d'un voyage habité de la terre à la lune à bord d'une...

– Fusée ! l'interrompit l'astrophysicien qu'il était. Et ils réussiront, y marcheront, et y planteront même notre drapeau sur son sol. J'ai lu tous ses romans moi aussi. *Vingt Mille Lieues sous les mers* fut le premier que j'ai lu à l'âge de onze ans.

Lui prenant ensuite la main et la regardant, belle comme un ange, il lui confia avec beaucoup d'émotion :

– Je voulais te le dire dès le début Cybril, mais j'ai préféré attendre de peur de te perdre à tout jamais... Je suis tellement heureux avec toi, lui avoua-t-il tendrement en ne la quittant pas des yeux.

– Non Evans, cela a été pareil pour moi ! Tu étais si gentil et plein d'égards que mes sentiments n'en auraient pas été plus ébranlés ! Même si tu m'avais dit que tu étais le capitaine Nemo en personne, répondit-elle pleine de douceur, en souriant.

Elle ajouta, reluquant le mot Shelby sur l'automobile, ses yeux scintillant de bonheur :

– Shelby... c'est féminin comme nom, fit-elle remarquer pour le taquiner.

– Eh bien... c'est peut-être vrai, puisque je me suis attaché à elle dès le premier jour où je l'ai vue à Détroit ! lança-t-il en riant.

Ils sortirent bras dessus bras dessous de l'endroit sur cette note fort prometteuse.

— 3 —

LES ANNÉES PASSANT ET LES AFFAIRES PROSPÉRANT, « l'éolienniste », comme tout le monde l'appelait, possédait à présent, en plus de son hangar qu'il avait dû agrandir en y ajoutant différents bâtiments annexes, un cottage colonial américain avec cheminée de pierre, lucarnes, grande galerie sur trois côtés et dépendance à l'arrière, qu'il avait construite de ses propres mains. Cybril était devenue par la force des choses institutrice à la petite école de Rusty Valley.

C'était l'automne. Le vent du nord faisait tourbillonner des boules de brindilles de foin ainsi que des feuilles mortes sur le sol dans la grande cour. Sous chacune de ces rafales, les grandes portes du hangar claquaient, l'éolienne et la girouette tournaient et virevoltaient. À l'entrée, une inscription sur laquelle était gravé à coups de poinçon « Les Düger » se balançait allègrement elle aussi. Cependant, ce soir du 13 octobre 1895 allait marquer le point de départ d'une autre aventure plus périlleuse pour toute la famille, du fait que deux autres membres s'étaient ajoutés depuis, Thomas, neuf ans, et Edison, huit ans. Derrière le tic-tac de la grande horloge grand-père dans le coin de l'escalier au rez-de-chaussée, la mère en train de border le cadet se fit bombarder de questions par celui-ci qui lui demanda, l'esprit encore captif de l'histoire que son grand-père, Wilmor Baxton, leur avait racontée lors de sa dernière visite :

– Est-il vrai maman que les Vikings auraient découvert l'Amérique avant Christophe Colomb, qu'ils semaient la terreur partout où ils débarquaient, et qu'ils étaient d'une cruauté sans égale ?

– Oui c'est vrai, répondit-elle très franchement.

Insatisfait de la réponse et toujours intrigué, il rappliqua plus pertinemment :

– Grand-père nous a aussi révélé lors de sa visite l'autre jour que ce sont eux qui ont tué son ancêtre le duc d'Édimbourg, Charles-Philippe Baxton, qu'ils ont pillé le château et qu'ils ont brûlé tous les documents manuscrits qui réglaient les titres, les biens et les droits de la succession ?

– Enfin, c'est ce qu'ont rapporté mes ancêtres venus d'Écosse. Malheureusement, nous sommes incapables de le prouver par des documents historiques valables. C'est pourquoi il vaut mieux ne pas faire comme grand-père et s'accrocher à cette histoire. Surtout les autres qu'il fignole assez bien, telles le monstre du Loch Ness, Leif Eriksson le Viking ou Barberousse le pirate, lui défila-t-elle un peu agacée.

Au même moment, Düger, qui écoutait la conversation au rez-de-chaussée tout en mettant son manteau et son chapeau, lui lança du bas de l'escalier :

– Cybril, je vais aller chercher du bois pour allumer un feu dans le foyer. En même temps, je vais dire à Thomas d'aller se coucher lui aussi. Il doit encore flâner dans un des bâtiments du hangar.

– C'est bien, Evans !

Puis, embrassant l'enfant, elle lui dit d'une voix douce :

– Dors maintenant. Oublie toutes ces histoires horribles. Sinon tu feras des cauchemars, tu auras ensuite de la difficulté à te rendormir, et tu rentreras à l'école fatigué demain.

Et, tout en éteignant la lumière :

– Bonne nuit mon ange.

Le père, qui venait de sortir et de traverser la cour arrière en marchant à grands pas jusqu'au hangar, ouvrit la porte et n'apercevant pas Thomas, se dirigea aussitôt vers la porte communiquant avec le petit bâtiment adjacent abritant le précieux véhicule. Le surprenant assis au volant et faisant semblant de conduire, fâché de le retrouver souvent ainsi, il lui ordonna :

– Thomas ! Descends de là tout de suite et va te coucher !

– Mais papa ! s'exclama le jeune conducteur contrarié, nous avons le privilège d'avoir une machine à voyager dans le temps et nous ne l'utilisons pas. Nous pourrions faire un petit voyage de temps à autre. Autrement, la rouille aura raison d'elle sans aucun espoir de « retour » cette fois — ses fils connaissaient le secret.

– Thomas ! Je t'ai déjà dit mille fois qu'on ne peut pas voyager continuellement dans le temps sans risquer de rompre le continuum espace-temps. Il faut que tu vives et grandisses comme tous les autres garçons de ton époque. Ce ne serait pas loyal. À présent, rentre à la maison et va au lit.

Sur ce, lâchant un grand soupir et ouvrant la portière, il descendit de l'automobile et lui répondit, visiblement déçu :

– Bon ça va... J'y vais.

Marchant d'un pas nonchalant jusqu'à la porte, il sortit silencieusement, épaules et tête basses.

Les deux garçons au lit, 21 heures sonnant, le couple se retrouva dans le salon. Cybril classait quelques livres dans la bibliothèque ; lui se tenait debout, près du foyer qu'il venait d'allumer. Et sous le crépitement du bois qui s'enflammait petit à petit, le mari voulut en savoir davantage sur cette fameuse histoire rapportée l'autre jour par son beau-père, étant donné qu'il ne pouvait y être à ce moment-là. D'un air curieux, il entama la conversation.

– Cybril, quelle est cette histoire que ton père a raconté l'autre jour aux enfants ? Ça m'intrigue un peu je l'avoue... Je n'étais pas là. Une pale de l'éolienne du juge Mason s'est brisée lors des grands vents l'autre jour. Il fallait absolument que je la répare pour le lendemain. Qui est ce Charles-Philippe Baxton ?

Cybril, qui plaçait un livre, s'arrêta, le poussa lentement avec ses doigts, se tourna et regarda son mari d'un sérieux qui lui fit presque peur. Elle alla s'asseoir sur la causeuse face à lui et, sous le reflet des lueurs du feu dans la pièce, lui en livra le récit détaillé, ce dernier étant debout face au foyer et l'écoutant :

– Eh bien... Mon père m'a raconté qu'il y a très longtemps, vers le début du XIe siècle, durant l'été de l'an 1015 plus précisément, les Vikings débarquèrent sur les côtes d'Écosse par la mer du Nord à quelques lieues du château qui appartenait, dit-on, au duc d'Édimbourg Charles-Philippe Baxton, l'ancêtre de mon père. Il y vivait paisiblement avec sa femme Katherina et sa fille unique, Amély. Un de ses serviteurs vint l'avertir que les gens fuyaient à travers champs et bois, que les Vikings se dirigeaient maintenant vers le château et qu'il serait sage de faire de même vu leur nombre, leur force, et surtout leur cruauté sans égale. Toutefois, le duc n'était pas homme à battre en retraite aussi facilement. C'était un Highlander qui avait fait la guerre à côté du roi Malcolm II contre ces redoutables envahisseurs. Il décida sur-le-champ de leur résister. Il arma ses serviteurs puis, avec l'aide de quelques chevaliers, il les attendit et leur offrit une résistance qui étonna les Vikings. Malgré cela, ces derniers réussirent à défoncer la grande porte et ils pénétrèrent dans le château. N'ayant plus aucun espoir de les contenir, il jugea bon de fuir par un passage secret avec sa femme et sa fille, ainsi qu'avec quelques-uns de ceux qui s'étaient battus avec lui jusque-là contre les Vikings. Mais il fut malheureusement rattrapé par ces pillards qui l'avaient hélas retrouvé. Comme il se battait farouchement contre le chef de ceux-ci et qu'il était sur le point de le vaincre, l'un d'eux le poignarda lâchement dans le dos à plusieurs reprises. Ils s'en prirent ensuite à sa femme, qu'ils violèrent et étranglèrent brutalement. La petite Amély, elle, s'était cachée derrière la porte qui menait au passage secret et, à travers une fente de la porte, elle vit cette horrible scène. Ne pouvant pousser aucun cri de peur d'être tuée elle aussi par ces véritables bêtes venues du Nord, elle devint dès cet instant muette. Et c'est presque par miracle qu'elle échappa à leur attention. Après le passage des Vikings, elle fut recueillie par un nommé Cédric, boulanger du duc d'Édimbourg qui, fort heureusement, avait pu échapper aux mains des barbares lui aussi. Sa femme Rébecca et lui la prirent sous leur toit pendant quelque temps. Puis un jour, ils retournèrent au château et le retrouvèrent déjà habité. Ils demandèrent alors à parler avec celui qui y vivait. Quelle ne fut pas leur surprise de voir qu'ils étaient reçus par nul autre que le comte d'Oxford, Robert Cromwell qui, tout comme la hyène qui attend que le lion ait abandonné sa proie pour s'en gaver, avait profité du passage des Vikings et de la région alors dévastée pour s'en approprier. Cédric ainsi que tous ceux qui étaient avec lui protestèrent en disant qu'Amély était la fille unique de Charles-Philippe Baxton, donc l'héritière du château et de tous les titres s'y rattachant et qu'à présent, il devait le lui rendre. Mais le comte d'Oxford, qui avait fait ses propres recherches en s'y installant et n'avait rien trouvé, présuma à sa grande satisfaction que les manuscrits pouvant en faire foi avaient été détruits. Hypocritement, il leur demanda alors de prouver son droit à l'héritage par un testament olographe muni du sceau du duché d'Édimbourg. Comme elle ne pouvait évidemment pas le faire, ne connaissant pas l'endroit secret où son père l'avait caché, et face à l'indignation et à la colère qui se manifestaient de plus en plus parmi les personnes qui l'avaient accompagnée, il la menaça de l'exiler dans un pays lointain en usant de tout son pouvoir si elle, Cédric, ainsi que tous ceux qui l'avaient suivie ne quittaient pas immédiatement le château. Il leur enjoignit de ne plus jamais y remettre les pieds. Devenue femme, elle fit la connaissance d'un noble chevalier du nom de Tristan Baxton, un cousin germain du troisième degré qui lui, épris de sa beauté, jura de l'aimer et de la protéger jusqu'à sa mort. Ils se marièrent et eurent quatorze enfants : huit garçons et six filles. Avant de mourir, Amély laissa une longue lettre racontant toute cette horrible histoire qui la rendit muette. Elle la termina en insistant : « Qu'ils gardent toujours à l'esprit et surtout dans leur cœur qu'ils sont vraiment les descendants du duc d'Édimbourg, Charles-Philippe Baxton. »

L'homme de science, captivé par ce que venait de lui révéler sa femme, se retourna lentement et, figé devant elle, la fixa puis s'exclama :

– Mon Dieu, quelle histoire horrible ! Pourquoi ne m'en as-tu pas parlé avant ? Tu sais que nous pouvons remonter le temps avec ma machine à...

– Non, je ne veux pas ! reprit aussitôt son épouse, l'interrompant vigoureusement. Et si je ne t'en ai pas parlé avant... c'est justement parce que je craignais que tu veuilles remonter le temps avec ta machine. C'est trop dangereux ! D'ailleurs toi-même tu ne cesses de nous répéter que les voyages dans le temps comportent beaucoup trop de risques. Tu viens même de réprimander Thomas ce soir dans le hangar à ce sujet, ajouta-t-elle, au bord des larmes.

32

À l'étage supérieur, les deux garçons, qui les entendaient, n'arrivaient plus à dormir. Pour mieux saisir ce que leurs parents disaient, ils s'étaient levés et avaient marché à pas de loup jusqu'à l'escalier. De là, ils s'étaient assis au haut de celle-ci et prêtaient maintenant l'oreille à la réplique que donnerait leur père qui s'exclama, survolté :

– Inutile ! Mais Cybril ! Tu es... tu es... tu serais... tu es duchesse d'Édimbourg ! Le titre le plus élevé dans la noblesse sous l'Ancien Régime ! termina-t-il complètement transporté.

Déçu, il conclut :

– Et dire que ce sont des barbares qui ont changé le cours de l'histoire... Quel gâchis !

L'épouse, le voyant ainsi bouleversé, regretta de lui avoir révélé tout ceci et lui fit valoir, pour l'en dissuader, tous les risques ainsi que l'inutilité d'un tel voyage dans le temps :

– Evans, te rends-tu compte... Il te faudrait remonter le temps jusqu'au XIe siècle lors d'une invasion de Vikings par-dessus le marché. Non je regrette. C'est trop périlleux. Oublions toute cette histoire et continuons de vivre le moment présent. Ne sommes-nous pas heureux comme ça ? lui demanda-t-elle avec douceur, usant de tout son pouvoir de persuasion féminin.

– Tu as sans doute raison. Et puis, hormis le principal obstacle, l'essence, il faudrait que j'y apporte d'importantes modifications... On ne peut tout de même pas aller en Écosse au XIe siècle avec un tel engin. Comment atterrir ? Il n'y a pas de rails !

En entendant ce que venait de dire leur père, Thomas regarda son cadet et lui chuchota à l'oreille :

– Tu vois Edison, le seul obstacle pour retourner au XIe siècle c'est le type de machine. Il nous faut donc trouver une machine appropriée à l'époque du Moyen Âge !

Edison regarda ensuite Newton — le nouveau berger écossais de Düger — qui venait de se glisser entre eux, et lui demanda à voix basse :

– Qu'en penses-tu Newton ?

– Grrr... grogna légèrement le chien en hochant la tête en signe d'approbation.

En bas, la discussion close et le calme revenant, Düger, qui s'était retourné face au foyer, s'arrêta à regarder une photographie en noir et blanc sur le rebord du foyer. Celle-ci montrait lui et Handy entre les rails de l'ancienne ligne de chemin de fer où il s'élançait avec son Boomerang, déguisés en cow-boys du Far West l'année avant qu'il ne disparaisse dans le temps. Il devint soudainement nostalgique et prit plaisir à se rappeler ce que faisait habituellement son meilleur ami pendant l'automne et dit, sa douce moitié l'écoutant :

– À la fin du mois d'octobre, le 31... il se préparera et ira au bal costumé de l'Halloween de Rusty Valley avec Jessica Randall, sa petite amie, et moi-même... enfin, quand j'y étais. Le week-end suivant, il se rendra à Pampelo Bay. Il vivra seul dans un vieux chalet en bordure de la mer qu'un vieil oncle du côté de sa mère, Jeffry Boyle, lui prête tous les ans. Sans radio ni téléphone, il y observera les oiseaux migrateurs et toute la faune qui s'y trouve. Et finalement, comme je suis son meilleur ami et que je n'ai plus aucune parenté, il m'invitera à venir passer le « Thanksgiving » chez lui en compagnie de sa famille. Chose que j'accepte toujours, bien sûr...

— 4 —

En 1987, Handy s'était levé après que son copain scientifique ait réussi avec brio une intervention dans le temps à la faveur de son père sans qu'il ne le sache encore. Il s'était retrouvé à sa grande surprise dans une dimension future positivement modifiée pour toute sa famille.

En effet, tout le décor intérieur et extérieur de la maison avait été complètement rénové avec beaucoup de goût et selon les toutes dernières tendances en ce domaine. Une superbe camionnette Nissan Frontier 4 X 4 1988, qu'il rêvait de posséder un jour, lui avait été offerte en cadeau et l'attendait dans le nouveau garage double aux côtés de la BMW de son père. Ce dernier était devenu célèbre avec son fameux roman-fiction, *Starkman – L'homme qui venait des étoiles*, qui en était rendu à une cinquième édition en plusieurs langues. Tous semblaient tonifiés, rajeunis même, et heureux comme il ne les avait jamais vus jusqu'ici, dans des vêtements à la mode qui ne venaient que rehausser leur apparence physique très soignée. Sa mère entre autres paraissait avoir dix ans de moins. Son frère aîné bénéficiait d'un statut plus élevé lui aussi et avait réussi son droit à l'université. Sapé comme un pape ce matin-là, il commençait sa première journée dans l'un des plus prestigieux bureaux d'avocats de Los Angeles, lui avait-il confié. Quant à sa sœur, Lena, elle évoluait à la tête d'une nouvelle entreprise de cosmétiques haut de gamme d'envergure internationale, *Iza*, et avait été choisie pour en faire la promotion sur des affiches géantes et dans une publicité à la télé. Finalement, même lui n'échappait pas à cette nouvelle réalité d'un niveau de vie beaucoup plus agréable. Sonotec — une maison d'enregistrement de disques —, à qui il avait fait parvenir sur cassette audio un enregistrement de ses compositions musicales à la guitare électrique, lui avait téléphoné pour lui offrir cette même semaine d'en faire un disque.

Mais la plus grande surprise du jeune rocker fut de constater que celui qui avait gâché tout l'avenir de son père, Stiff Tyken, était devenu le valet des McGowan. Il obéissait sans condition aux directives du chef de famille pour toutes les tâches domestiques qu'il lui assignait et comme bon lui semblait. Là Handy n'en revenait tout simplement pas, même s'il trouvait que ce n'était finalement qu'un juste châtiment pour tout le préjudice causé.

Bien qu'il fut plutôt troublé au début, il s'était fait assez vite à ce nouveau mode de vie sans trop chercher à comprendre ni le comment, ni le pourquoi de ce qui était vraiment arrivé. Cependant, dans la nuit du 31 octobre, jour de l'Halloween, il fit un cauchemar qui allait être le présage de ce qui allait survenir par la suite.

Il s'était endormi jumelles au cou sur un quai de bois en bordure de la mer en faisant de l'observation d'oiseaux. Il fut soudainement réveillé par un bruit de moteur ressemblant à celui d'un petit avion à hélice et par des centaines d'oiseaux effrayés qui s'envolaient. Comme il était étendu de tout son long sur le dos, il se souleva, s'assit et regarda péniblement autour de lui, s'interrogeant :

– Mais qu'est-ce que ce bruit ? Les oiseaux sont effrayés ? On dirait... on dirait un bruit de moteur d'avion à hélice ! Et moi qui croyais avoir trouvé un endroit paisible...

S'arrêtant un peu et regardant droit devant lui, il aperçut un énorme hydroglisseur qui venait sur lui à toute allure en klaxonnant. Effrayé, il se leva en catastrophe et s'écria :

– Merde ! Il fonce sur moi !

Pris de panique, il partit de reculons, trébucha sur sa glacière qui se trouvait juste derrière lui, se releva aussi vite, puis repartit en courant et en boitant. Toutefois, il avait à peine fait quelques mètres qu'il entendit la voix de celui qui, monté sur le véhicule amphibie, l'appelait à l'aide d'un porte-voix que les garde-côtes se servent habituellement pour interpeller un navire étranger. C'était Düger, habillé en Christophe Colomb avec la cape, le chapeau et l'épée à la ceinture, qui lui clama d'une voix forte :

– Handy ! Reviens ! C'est moi !

Bien que reconnaissant la voix de son grand ami, il se retourna tranquillement, encore un peu sceptique, les sourcils froncés, ne comprenant pas vraiment ce qui se passait. Puis, l'apercevant au loin qui agitait les bras dans tous les sens il dit, surpris et hésitant, l'appelant familièrement « Doug » :

– Mais c'est... c'est Doug ! Mais qu'est-ce qu'il fait ici sur un hydroglisseur ?

Le nouveau Colomb se rapprochant, il éteignit le moteur de l'appareil qui s'arrêta brusquement en atteignant la rive à environ 15 mètres du jeune homme. Débarquant en sautant d'un seul bond du véhicule amphibie, il vint vers lui en marchant à grands pas. Terrifié, il le pressa en lui disant :

– Handy, il faut quitter les lieux tout de suite ! Les Vikings ont débarqué et vont bientôt revenir. Regarde là-bas à gauche non loin du phare ! C'est leur navire... un drakkar !

Handy le regarda, un peu confus. Il lui répondit, avec un petit sourire moqueur :

– Mais voyons Doug... c'est impossible ! Tout le monde sait très bien que les Vikings ont disparu depuis presque mille ans. Et pour ce qui est du drakkar qui est là-bas, cela doit tout simplement être une réplique. Il n'y a rien que l'on ne fait plus aujourd'hui vous savez. Je n'ai pas à vous apprendre cela, Doug. Seulement dites-moi avant... qu'est-ce que vous faites dans cet accoutrement, c'est votre nouveau costume d'Halloween ? demanda-t-il en riant.

– Ha ! ha ! ha ! Je n'ai pas le temps de tout t'expliquer, il faut que tu me croies Handy ! Les Vikings sont vraiment débarqués et il nous faut partir tout de suite avant qu'ils ne reviennent ! répliqua le navigateur survolté, le pressant de s'en aller.

Il avait à peine terminé cette phrase que soudain ils entendirent des chants barbares et la voix d'une jeune femme qui appelait à l'aide désespérément. C'était la petite amie d'Handy que les Vikings avaient enlevée et attachée qui criait :

– À l'aide ! Au secours ! Aidez-moi !

Épuisée, désespérée, sanglotante, elle poursuivit plus difficilement :

– Je vous en prie... quelqu'un ! Aidez-moi !

Ceux-ci étaient résolus à la faire cuire sur le feu qu'ils venaient d'allumer en l'embrochant et en la faisant tourner au-dessus comme un vulgaire gibier, car ils étaient cannibales. Les deux hommes figés de stupeur, et Handy reconnaissant sa voix s'exclama, bouleversé :

– C'est la voix de Jessica !

Son visiteur, prêt à intervenir, lui dit :

– Les cris venaient de ce boisé là-bas je crois. Regarde la fumée ! Vite ! Allons-y !

Accourant tous les deux sans perdre une minute vers le petit bois, guidés par la longue traînée de fumée qui s'élevait dans les airs, à l'instant où ils arrivaient, les Vikings s'étaient déjà installés autour du feu pour festoyer, boire et s'empiffrer. Puis là, s'accroupissant derrière des broussailles, ils aperçurent la jeune fille à genoux, pieds et poings liés, la tête appuyée sur une souche d'arbre et un de ces géants à la chevelure et à la barbe rousse s'apprêtant à la décapiter avec une énorme hache.

Témoin impuissant d'un si horrible spectacle et faisant un cauchemar, il se réveilla en se débattant, répétant sans cesse :

– Non ! Non ! Non ! Non !

Roulant sur lui-même, entortillé dans les draps de son lit, il tomba en bas de celui-ci en se cognant la tête contre son bureau de chevet. Il se réveilla la main sur le côté de la tête en disant lentement, le visage grimaçant de douleur :

– Ah la vache... Quel cauchemar !

Après, il se dirigea vers sa porte de chambre tout en bâillant en cette journée de l'Halloween. Toute sa famille se préparait à lui faire une surprise. Celle-ci s'était approchée dans le passage et l'attendait fébrilement. Ils avaient tous revêtu leurs déguisements.

Ainsi, son père Roland était déguisé en mousquetaire, sa mère Alice en bergère, son frère Paul en fou du roi, sa sœur Lena en sorcière et finalement, le valet de la famille, Stiff Tyken, était déguisé en Bossu de Notre-Dame.

Handy, qui en ouvrant la porte se retrouva face à cette panoplie médiévale, crut presque qu'il n'était toujours pas sorti de son cauchemar. Aussi, les apercevant tous, les yeux encore mi-clos, il hurla :

– Ahhhhh !

Refermant la porte comme un éclair et la verrouillant en paniquant, il les chassa :

– Allez-vous-en ! Sortez de ma vie ! Sortez de la maison ! Laissez-moi tranquille !

Essoufflé, à bout de nerfs, il s'arrêta et entendit alors la voix de son père qui, tout en cognant avec vigueur sur sa porte de chambre, lui disait :

– Handy c'est nous voyons, ta famille !

Cessant de frapper, il reprit :

– Qu'est-ce qui est arrivé ? On a entendu du bruit ! Tu t'es fait mal ?

Celui-ci ne répondant toujours pas, sa mère, son frère, sa sœur ainsi que le valet enchaînèrent pour lui dire successivement :

– Voyons mon grand... Tu ne savais plus que c'était l'Halloween aujourd'hui ?

– On voulait juste te faire une surprise, c'est tout.

– Hé ! Handy, tu as encore trop bouffé de *fast food* hier avant d'aller te coucher c'est ça hein, et tu as fait un sacré cauchemar ? Je ne peux pas être si effrayante que ça, quand même.

– Mam'zelle Jessica sera bientôt là... et on va tous bien s'amuser ce soir hein Handy ? compléta Tyken. Il l'appelait à son tour « Skippy », du fait qu'il marchait courbé et venait vers vous en sautillant, se tenant toujours les deux mains pendantes à la hauteur du ventre.

Après quoi, il se retourna et ouvrit un œil ; il constata, se retrouvant le nez sur le calendrier suspendu à la porte et apercevant la date qu'effectivement c'était l'Halloween, et qu'il était bel et bien sorti de son cauchemar. La déverrouillant, il l'ouvrit de nouveau lentement, gêné de sa réaction, un coup dur pour son amour-propre de gars, et les regardant tous il leur dit :

– Bon je sais... Je suis désolé... J'ai fait un horrible cauchemar dans lequel des Vikings avaient capturé Jessica. Et je me suis réveillé en hurlant au moment où l'un d'eux s'apprêtait à la décapiter avec une énorme hache pour pouvoir mieux la faire rôtir et la manger. Je suis ensuite tombé en bas de mon lit en me cognant la tête sur mon bureau de chevet. Seulement, quand je vous ai tous vus là en ouvrant la porte, revêtus de tous ces déguisements médiévaux, j'ai cru sur le coup que je n'en étais toujours pas sorti.

Tout le monde encore suspendu à ses lèvres, voilà que le carillon de la porte d'entrée retentit et Skippy (Stiff), très alerte à servir les McGowan, s'empressa d'aller ouvrir et leur dit :

– Restez là. Ne vous dérangez surtout pas. Je vais répondre.

C'était Düger et Jessica. À vrai dire, pas tout à fait. Le premier allait s'avérer assez différent de l'original que connaissait bien Handy, même s'il semblait y avoir encore dans ce nouveau « docteur Evans F. Düger 1987 » certains traits de ressemblance, en ne tenant bien sûr pas compte du physique, qui lui n'avait pas changé et était en tous points identique. C'était d'ailleurs ce qui rendait la chose encore plus difficile à comprendre et qui allait cette fois perturber profondément le jeune rocker, jusqu'à ce qu'il en ait l'explication. D'autant plus qu'au début, sa petite amie considérait plutôt ce changement de look du savant comme tout à fait normal.

Arrivés presque en même temps, le nouveau Düger était déguisé en Christophe Colomb, exactement comme dans son cauchemar et Jessica, elle, en une ravissante comtesse. Le valet, qui ouvrit, fut le premier à en être émerveillé.

– C'est le docteur Evans et mam'zelle Jessica, Handy ! Venez voir leurs magnifiques costumes !

Tout le monde se précipita pour les voir, Handy en tête. Transporté à la vue de sa somptueuse robe à crinoline, ses longs gants et sa coiffure — une postiche —, il oublia quelques instants son meilleur ami. Il lui dit, impressionné :

– Wow ! Ce que tu peux être belle dans cette robe, Jessica !

Comblée et les yeux pétillants de joie, la jeune femme voulut prolonger ce moment idyllique et lui demanda d'une manière très aristocratique :

– Voulez-vous être mon cavalier ou plutôt mon chevalier pour le bal de ce soir, Messire McGowan ?

Flatté, jouant le jeu et se faisant gentilhomme, il lui prit la main, mit un genou par terre et lui répondit ironiquement, comme s'il était en train de se marier :

– Oui, je le veux.

Se relevant tout en regardant Stiff, il se tourna vers lui, le regarda avec un petit sourire mesquin, du fait qu'il savait maintenant qu'il était le valet de la famille, et lui dit :

– Hé, Skippy, tu crois que tu pourrais me trouver un carrosse de Cendrillon tiré par un bel attelage de chevaux blancs pour minuit ? J'accompagnerais Jessica au bal dans ce carrosse.

– Ouf ! je ne sais pas si je pourrai trouver une telle chose pour ce soir Handy, répondit le domestique, trouvant la chose un peu difficile et hésitant cette fois à l'exécuter.

Le père, qui était complètement derrière le groupe et l'ayant entendu le reprit aussitôt, n'acceptant pas la moindre défection de sa part et le lui rappelant impérieusement :

– Non Skippy ! On ne me la fait plus celle-là ! Tiens, voilà ma carte de crédit. Et c'est pour ce soir, compris Skippy ? commanda-t-il tout en la lui remettant.

– C'est compris. Je m'occupe de tout, Monsieur McGowan. J'y vais sans plus tarder, Monsieur McGowan.

Toutefois, le plus troublant allait maintenant se produire. Le nouveau savant déguisé pour la circonstance, et qui était resté là sans dire un mot, regarda Handy et lui demanda calmement :

– Hum, hum... Comment trouves-tu mon costume, maintenant ?

Délaissant momentanément sa jolie comtesse et l'examinant à son tour, il se dit en lui-même, croyant avoir affaire au vrai docteur Evans F. Düger : « Curieuse coïncidence... Il est déguisé exactement comme dans mon cauchemar. Ça alors ! »

Puis le nouveau Düger déguisé lui dit, le voyant muet et pensif :

– Qu'est-ce qu'il y a Handy ? Tu n'aimes pas mon nouveau costume d'Halloween ?

– Non, ce n'est pas ça... C'est juste que vous... que vous étiez... habillé comme ça dans mon cauchemar... répondit Handy, bégayant, sortant de sa bulle. Même qu'en plus vous fonciez sur moi à toute allure sur un hydroglisseur... et que là enfin... non mais c'est une blague ou quoi ? ajouta-t-il en riant.

Toute sa famille se retira tranquillement en le laissant seul avec ses deux amis. Il reprit, s'apercevant d'un petit changement dans le visage de ce dernier, comme s'il lui cachait quelque chose :

40

– Doug... vous... vous... vous allez pas me dire... que vous êtes venu ici en hydroglisseur j'espère ?

– Bien sûr que non voyons ! répliqua ironiquement d'un large sourire le nouveau savant charmé. Il préférait lui cacher la chose encore et voulait s'amuser un peu, du fait que le mot « hydroglisseur » n'était dans un certain sens qu'à moitié vrai.

– Ouf ! Vous m'avez fichu une de ces trouilles, enchaîna Handy, lâchant un soupir et décompressant.

Ayant mordu à son hameçon et très frétillant à le surprendre maintenant, le nouveau Düger vivant en 1987 lui balança sans plus attendre :

– Seulement je dois avouer que tu n'étais pas loin, car effectivement j'ai un tout nouveau véhicule récréatif !

Renversé, il s'exclama et bégaya :

– Quoi ! Vous... vous avez un véhicule ré... ré... récréatif vous dites ?

– C'est exact... et puis quoi, j'ai bien le droit de m'amuser un peu. La retraite pour moi... ce n'est pas pour demain tu sais. Viens que je te montre ! Ça va t'épater toi aussi j'en suis sûr, répliqua le scientifique, quittant le seuil de l'entrée et se dirigeant à grands pas vers le véhicule stationné en bordure de la rue.

Handy et Jessica y allant, ils arrivèrent au moment où le nouveau Düger, très emballé, s'était fièrement placé sur le côté de l'incroyable engin qu'il avait conçu.

– Qu'en dites-vous, hein ?

– Wow ! Vous vous êtes retapé une autre Shelby 69 en version décapotable... et l'avez rattachée à un coussin d'air... Ford serait sûrement fier de vous Doug !

– Je le trouve super, Docteur Evans ! lui dirent à tour de rôle Handy et sa comtesse, croyant toujours avoir affaire au véritable savant qu'ils n'avaient pas vu depuis une semaine.

– Mais il y a une chose que je ne comprends pas Doug, reprit le jeune homme, ayant relevé une certaine incohérence de langage de sa part. J'avais bien présumé, il s'agit bien d'un hydroglisseur.

À ce verdict qu'il attendait depuis un bon moment et toujours aussi exubérant, il lui dévoila :

– Beaucoup plus que ça Handy ! C'est un aérohydroglisseur qui peut se déplacer sur terre, sur l'eau, y compris les marécages, et même dans les airs. Bref un tout-terrain. Seulement je te l'accorde, il s'agit bien d'une carrosserie de Shelby 69 que j'ai dénichée dans un encan d'automobiles et que j'ai convertie en y ajoutant ce coussin d'air, ce qui donne ce polyvalent véhicule amphibie. Et hormis ce fameux toit rétractable tout à fait spécial, je l'ai doté d'un moteur fonctionnant entièrement à l'hydrogène placé à l'arrière, que j'ai combiné avec un puissant réacteur à propulsion lui permettant de voler et de dépasser la vertigineuse vitesse du son. Toutefois, afin de pouvoir circuler en zone urbaine sans risquer de tout faire voler en éclats, j'ai dû y incorporer un dispositif de blocage lui permettant d'avancer à un très bas régime, un peu comme un séchoir à cheveux si tu veux. Voilà, c'est mon tout nouveau véhicule récréatif !

La synthèse terminée, les deux jeunes gens se regardèrent l'un et l'autre, ne comprenant plus ce qui se passait. Handy lui demanda :

– Et votre Transfuseur temporel lui... Vous l'avez toujours ?

– Non, je n'ai pas ce truc dont tu parles.

Puis, avec l'aide d'une minitélécommande à distance, il commanda le déverrouillage des portières, ouvrit la sienne et monta à bord sans en ajouter plus.

Confus, troublé et se rendant bien compte que quelque chose avait vraiment changé chez lui, le jeune rocker rappliqua plus pertinemment :

– Et toutes ces choses sur le continuum spatio-temporel, les fameux trous de ver, et les voyages dans le temps... ça ne vous dit plus rien ?

– Bah ! le futur... le passé... tout ça n'a plus vraiment d'importance. Il vaut mieux vivre pleinement le moment présent... la planète devrait être notre seule préoccupation si nous voulons tous rester en vie, déclara-t-il, songeur, désabusé de toutes ces théories relativistes.

Surpris de l'entendre parler ainsi, il chuchota à l'oreille de sa petite amie :

– Tu as entendu ça... Je ne sais pas s'il s'est cogné la tête en glissant dans sa baignoire, mais on dirait qu'il n'est plus le même...

– Que dis-tu Handy ? demanda le nouveau Düger, l'ayant aperçu dans son rétroviseur.

Pris entre l'arbre et l'écorce, il lui répondit, fort embarrassé :

– Euh... Jessie et moi on se demandait dans ce cas, que faites-vous à présent Doug ?

– Quoi ! s'exclama le savant, bondissant hors du véhicule. Mais plein de choses voyons, Handy ! Je m'intéresse à tout ce qui peut affecter notre bonne vieille terre et plus particulièrement à ce nouveau phénomène d'effet de serre, qui risque de nous détruire. Pour cela, je suis membre de l'association Greenpeace. Je fais également partie d'une ligue anti-nucléaire. Je possède même une immense serre biotique avec une des plus grandes variétés de plantes et d'arbres de toutes sortes, où vivent différentes espèces animales des plus exotiques. Donc, comme tu peux voir, je ne m'ennuie pas ! lui défila-t-il avec verve.

Juste avant de remonter il ajouta, s'adressant à Handy :

– Oh, j'allais oublier… je dois aller faire quelques courses en ville et ce matin, j'ai omis de donner la nourriture à Hector l'iguane. Tu serais bien gentil de me rendre ce petit service.

Ce dernier, n'y comprenant plus rien, eut tout juste le temps de lui dire :

– Mais Doug... Je ne sais pas si...

Le nouveau Düger se faisait très galant à l'endroit de Jessica et la salua d'une grande révérence en lui disant d'un air charmeur :

– Mes hommages, comtesse !

Celle-ci, ne dédaignant pas la chose, inclina légèrement la tête et tout le haut du corps, en prenant bien soin de soulever sa robe. Elle le salua à son tour très bourgeoisement :

– Mais tout l'honneur est pour moi... Messire Christophe Colomb !

Après, se tournant vers Handy, il lui lança très familièrement, avec un sourire en coin, l'assurant de sa présence au bal de l'Halloween :

– À ce soir, Handy !

Démarrant aussitôt, l'énorme coussin d'air se gonfla, il leur fit le signe « peace and love » et partit sous la musique de la pièce *Echoes* du groupe Pink Floyd, en faisant beaucoup de vent.

Handy n'avait pas prononcé un seul mot, complètement sidéré par toutes ces nouvelles manières qui ne correspondaient plus du tout à la personne qu'il connaissait depuis assez longtemps. Il dit alors, se déliant la langue et regardant toujours dans la direction qu'il avait prise :

– Non mais dites-moi que je rêve encore... Doug qui *cruise* les filles et qui écoute du Pink Floyd... Il ne supporte pas ce genre de musique qu'il a toujours considéré comme étant du rock dégénéré !

L'écoutant silencieusement et adoptant une attitude délurée juste pour le faire marcher, sa jolie comtesse lui dit :

– Bien... moi j'ai aimé ça. Tu as vu ses yeux qui me dévoraient ? Serais-tu jaloux, Handy ?

– Moi ? jaloux ! Tu veux rire ! répondit le rocker.

Celle-ci continuait de le fixer avec un petit sourire pincé, sans dire le moindre mot. Il s'arrêta, faisant la même chose pendant quelques secondes pour finalement, très agacé, craquer et lui déclarer, survolté :

– Oh mais là attends un peu ! Tu... tu... tu vas me dire qu'il t'a vraiment tapé dans l'œil quand même ?

– Là je t'ai bien eu Handy ! s'écria-t-elle en riant, rompant le silence.

S'approchant ensuite lentement de lui, elle reprit :

– Bien sûr que non voyons. C'était juste pour te faire marcher un peu. Tu sais bien que c'est toi... mon unique chevalier ! lui murmura-t-elle doucement à l'oreille.

– C'est gentil ça Jessica ! répondit Handy, la regardant droit dans les yeux et l'embrassant. Maintenant allons chez lui ! Je te reconduirai après. Il l'invita aussitôt à se rendre à la maison du savant et se dirigea avec elle vers son Nissan Frontier garé dans l'entrée du garage.

Ouvrant sa portière, il l'aida à monter en lui tenant une main et il prit place à bord de la camionnette. Juste avant de tourner la clé dans le contact, pressé de s'y rendre et de mieux comprendre ce qui se passait, il dit :

– Une serre biotique qu'il a dit ? Mais depuis quand ? Il ne m'a jamais parlé d'un tel projet... Tout ça n'est pas normal !

Démarrant le moteur, ils partirent et se rendirent au 1655, rue Singleton, où il demeurait.

Le nouveau Düger, bien qu'il n'avait plus les mêmes ambitions et était devenu un « savant philanthrope de l'atmosphère », n'avait néanmoins pas changé sur un point qui le caractérisait, son excentricité. Les deux jeunes gens n'allaient pas tarder à découvrir cela plus que tout ce qu'ils avaient pu voir jusqu'ici.

Il avait construit une immense serre en forme de demi-bulle géante faite de matière plastique dure et transparente comme du plexiglas. On pouvait déjà voir de l'extérieur l'épaisse forêt tropicale amazonienne qu'il avait recréée.

Cependant, les quelques mots de sa brève description de l'endroit paradisiaque n'étaient en rien comparables à ce à quoi on pouvait réellement s'attendre.

Aussi, arrivant à l'endroit, ils constatèrent assez vite qu'il ne s'agissait pas d'un simple petit changement de décor. Face à cette réalisation qu'ils ne pouvaient concevoir, Handy s'exclama le premier, éteignant le moteur du 4 X 4, complètement abasourdi à sa vue :

– Non mais... tu as vu ça !

– C'est hallucinant ! s'écria la jeune fille à son tour, je n'ai jamais vu rien de pareil, même dans mes rêves !

– En tout cas, s'il a changé, il y a un point qui n'a pas encore changé, c'est qu'il ne ménage toujours rien dans tout ce qu'il invente et réalise, ajouta le rocker.

Descendant de la camionnette, ils se dirigèrent vers ce qui semblait être la porte d'entrée, la seule pour accéder à la serre. Celle-ci s'ouvrait et se refermait d'elle-même comme dans un sas grâce à une caméra de surveillance. Celle-ci captait les visiteurs se trouvant à l'intérieur d'un cercle de trois mètres de diamètre à partir du seuil.

C'était une espèce d'antichambre à partir de laquelle on devait franchir une autre porte avant de pénétrer dans la serre. Mégalomanie ou

simple précaution de la part du nouveau savant soucieux de l'environnement, cela ne visait semble-t-il qu'à protéger la pureté de l'air de sa
gigantesque sphère biotique.

Pour cela également, il avait installé une distributrice de masques à
gaz en tissu stérilisé biodégradable, distributrice qui se trouvait juste en
face du visiteur, au centre de la pièce. En pressant le bouton rouge, la
machine fournissait le masque dans une mince enveloppe de papier
recyclable. Cela enclenchait le témoin lumineux vert s'allumant pour
signaler de recueillir le masque dans le tiroir du bas. Un autre dispositif
de caméra s'assurait que la personne portait le masque. Il actionnait la
seconde porte donnant accès à la serre amazonienne.

Il avait aussi inventé et mis à la disposition des visiteurs cinq
exemplaires d'une invention révolutionnaire, le « Wee Jet Board ».

Le « Wee Jet Board » ressemblait beaucoup à une trottinette, à la
différence qu'il ne possédait pas de roues. De plus, lorsqu'on l'avait
placé en position horizontale et qu'on avait relevé le guidon, il s'élevait
et se tenait aussitôt grâce à un champ électromagnétique qui se créait à
environ 20 centimètres du sol, prêt à partir et invitant son utilisateur à y
monter.

Le petit véhicule était muni d'un petit propulseur s'alimentant à
l'hydrogène, donc non polluant. Avec l'aide d'un anneau situé sur le côté
intérieur de la poignée droite et relié à un ordinateur miniature intégré, on
pouvait augmenter ou diminuer la vitesse. Il était donc possible d'aller
voir de près divers animaux ou volatiles en se stationnant sur une branche
dans la cime des arbres, ou de l'immobiliser complètement pour observer
les animaux, les caresser et leur donner de la nourriture biologique.

Cela ravissait petits et grands, qui en gardaient un souvenir plus que
mémorable.

Pour celui qui s'avisait d'enlever son masque, il avait la surprise de
voir arriver en vitesse de petits robots métalliques de forme ronde volant
avec une hélice sur le dessus et ayant un avertissement programmé qu'ils
défilaient « recto-tono », baptisés par leur inventeur du nom de
« Zigoniac ».

Handy et Jessica, qui allaient savourer le cachet grandiose du lieu et
faire la connaissance de sa police robotisée volante, allaient du même
coup découvrir d'autres aspects troublants de la nouvelle personnalité de
ce Düger devenu « philanthrope environnementaliste ». Y ayant pénétré
et la porte se refermant, un message enregistré se fit aussitôt entendre ;
c'était la voix de Düger, qui leur dit :

« Bienvenue chers visiteurs dans la sphère biotique du docteur Evans
F. Düger. Vous y découvrirez une vaste gamme de plantes provenant de
toutes les zones de notre planète ainsi que différentes espèces animales

allant de l'oie blanche Pénélope à Hector l'iguane. Notre planète se meurt et il devient de plus en plus difficile de trouver de l'air pur. Je vous prierais donc, dans le but de préserver la qualité d'air de cet endroit, de bien vouloir utiliser un masque à gaz biodégradable, qui vous sera remis par une distributrice électronique installée à cet effet au centre de cette pièce. Vous remarquerez également des « Wee Jet Board » le long du mur. Ces petits engins sont mis à votre disposition et sont faciles à utiliser. Vous n'avez qu'à les décrocher et à les déplier à l'horizontale. Il ne vous reste plus qu'à monter dessus et vous balader à travers la plus belle flore tropicale de toute l'Amérique du Nord. Merci, et bonne visite ! »

Obéissant à la consigne, ils se couvrirent le visage, éblouis par tout ce qu'ils avaient vu jusqu'ici. Ils prirent chacun une trottinette volante.

Après l'avoir dépliée et apercevant le phénomène de lévitation du petit engin, Handy s'exclama en montant dessus :

– Wow ! Allez Jessie, sois sans crainte, il n'y a aucun danger.

Elle enleva ses souliers et y monta pieds nus.

– C'est prodigieux !

Se propulsant lentement, ils pénétrèrent enfin dans la serre. Handy s'arrêta sur le bord de l'entrée en apercevant sur le mur différentes plaques mentionnant toutes les associations auxquelles le nouveau savant faisait partie. Sa petite amie choisit plutôt de s'envoler et de s'enfoncer dans la forêt. Il se mit à lire les plaques à voix basse :

– Docteur Evans F. Düger... Membre de l'association internationale Greenpeace...

Passant à la suivante il poursuivit, se mettant à lire plus vite :

– Docteur Evans F. Düger... Président de la Ligue antinucléaire Schmidt & Düger Corporation...

Il enchaîna plus rapidement encore :

– Docteur... Préfet émérite du Conseil et des normes environne-mentales de la planète...

Bondissant en voyant cette quatrième plaque, il s'écria :

– Quoi ! Conseiller spécial du président des États-Unis d'Amé... pour les Accords de réduction des missiles Salt II !

Baissant son masque, le visage tout en sueur, il reprit, profondément troublé par la dernière :

– L'Association gay et lesbienne du continent nord-américain tient à remercier d'une façon toute particulière l'éminent docteur Evans F. Düger pour l'appui et les nombreuses représentations faites auprès du gouvernement des États-Unis en vue d'une reconnaissance des homo-sexuels dans les Forces armées américaines... Non mais, je dois être en train de fabuler ! Ce n'est pas possible, tout ça n'est pas normal ! termina-t-il, complètement renversé.

Fixant encore la plaque, un Zigoniac déjà délégué arriva et se plaça aussitôt entre son visage et le mur. Apercevant la chose et ne s'y attendant pas, il cria :

– Ahhh... qui êtes-vous ? des extraterrestres ? demanda-t-il apeuré, ne lâchant pas des yeux la boule volante immobile et muette.

Le petit robot lui dit alors, d'une voix déjà programmée :

– Je suis un Zigoniac. Je suis délégué par la caméra de surveillance pour vous avertir de remettre immédiatement votre masque !

– Et si je refuse ? osa le rocker.

– Je prendrai votre photographie et aviserai à l'instant même le maître de la sphère biotique par un signal de télécommunication. Il vous bannira à jamais de l'enceinte sacrée de ce lieu !

– C'est tout ce que j'aurai comme punition ? dit-il en riant.

– Non ! Pour les récalcitrants, nous disposons d'un rayon électrique paralysant très efficace. Voulez-vous en faire l'essai ? répliqua le Zigoniac, le narguant à son tour.

– Bon OK, je le remets.

Au même moment, Jessica lui lança, du milieu de l'épaisse flore tropicale recréée :

– Handy, viens voir... des pandas ! des oiseaux Froot Loops !

Celui-ci fila aussitôt vers elle comme un chevalier venant à la rescousse de sa princesse. Il lui cria, la police robotisée le suivant derrière :

– Remets ton masque, Jessie !

La jeune fille, ne comprenant pas l'urgence et n'en faisant rien, lui dit en haussant les épaules, le visage rempli d'émerveillement, lui montrant l'oiseau au bec coloré perché sur une branche :

– C'est mieux que dans un zoo... c'est fantastique ! Regarde comme il est beau...

– Pour ça il n'y a pas de doute. C'est ahurissant. On se croirait en pleine jungle amazonienne, répondit Handy, s'arrêtant et apercevant deux autres de ces bestioles volantes robotisées arrivant en renfort. Seulement, reprit-il, il vaudrait mieux que tu remettes ton masque Jessica, dit-il en lui montrant des yeux les polices du nouveau Düger.

Glissant son masque lentement, elle lui demanda à voix basse, intriguée :

– Qu'est-ce que c'est que ces choses Handy ?

– Ça ! C'est la petite police verte de notre nouveau Düger. Des robots délégués par une caméra de surveillance pour nous avertir de remettre notre masque, lui expliqua-t-il sur un ton visiblement agacé.

L'un d'eux se mit aussitôt à défiler le même message malgré le fait qu'elle avait remis son masque :

– Je suis un Zigoniac. Je suis délégué...

Le rocker lui dit aussitôt, en colère :

– Hé ! le « Let's go maniac »... Tu as un circuit brûlé ? Tu ne vois pas qu'elle a remis son masque ? Alors dégage ! Non mais... vous ne vous attendez tout de même pas à ce qu'elle vous chante une berceuse et vous fasse la bise chacun votre tour... Fichez-nous la paix maintenant. Sinon je me plaindrai à votre maître qui vous fera convertir en *talkie-walkie* ou en répondeur automatique de téléphone « made in Taïwan »... message reçu ?

Les boules volantes, ayant vraisemblablement compris ce qu'il venait de leur dire, partirent aussitôt. Jessica lui dit :

– Eh bien... on dirait qu'ils ont compris assez vite. Ah oui, je voulais te dire, ajouta-t-elle, j'ai trouvé Hector l'iguane et je lui ai donné sa nourriture. Tu n'auras donc pas à le faire.

– Bon OK, tant mieux. Parce que tout ça est peut-être bien beau... mais ce n'est pas normal. Quoique j'ai le pressentiment que je vais bientôt le découvrir...

– Là je crois que tu exagères et que tu t'en fais trop pour lui, dit la jeune fille. Le docteur Evans a peut-être changé je veux bien l'admettre, seulement il n'y a rien d'anormal à ce qu'il ait une serre, même s'il est plutôt assez original et excentrique dans tout ce qu'il réalise. Pour ma part, celle-ci en tout cas... est tout à fait réussie !

– Ah oui ! rétorqua Handy, viens que je te montre quelque chose.

Revenant ensemble à la porte d'entrée, ils s'arrêtèrent face au mur tapissé de toutes ces plaques du nouveau Düger. Tout en les montrant du doigt, il lui dit, encore sous le choc :

– Regarde !

– L'Association gay et lesbienne du continent nord-américain, se mit-elle à lire lentement, tient à remercier d'une façon toute particulière l'éminent docteur Evans F. Düger pour l'appui et les nombreuses représentations faites auprès du gouvernement des États-Unis en vue d'une reconnaissance des homosexuels dans les Forces armées américaines !

Se tournant vers lui, profondément secouée :

– Tu as raison... il a vraiment changé !

– Je te l'avais bien dit, enchaîna-t-il. Doug ne peut pas être comme ça. Ce n'est pas lui. Il a toujours été contre. Doug est peut-être un scientifique, mais ce n'est pas quelqu'un qui change d'idée comme de chemise, tu sais. Je le connais. Il a des principes. Et bien qu'il se montre en général d'une extrême gentillesse envers tous, même ceux qui ne pensent pas toujours comme lui, il n'aurait jamais cautionné une telle association, ni encore moins accepté d'en être leur porte-parole. Jamais !

– On fait quoi alors ? dit-elle, inquiète de la soirée à venir, face à ce revirement de situation.

– Bon, regarde ce qu'on va faire. Il n'y a rien de changé. On oublie tout ça. On se rend au bal comme prévu et on s'amuse comme des fous. D'accord ? termina-t-il en l'embrassant.

– D'accord ! répondit la jolie comtesse sur un ton sensuel, encore sous le charme de son baiser.

– Maintenant sortons ! Je te reconduis chez toi. Nous nous verrons ce soir, au bal.

Ils sortirent sans perdre une minute, après avoir rangé le petit appareil volant. Ils se dirigèrent vers la camionnette et partirent.

Une demi-heure plus tard, Handy arriva chez lui. Il fonça droit vers la porte d'entrée de la maison et se dirigea vers sa chambre.

Refermant la porte et arrêtant son regard sur la photographie encadrée et placée sur le dessus de son chiffonnier — la même que celle de Düger rendu en 1895 — il avança lentement vers celle-ci et dit tout en la fixant, se parlant à lui-même, n'y comprenant plus rien :

– Que se passe-t-il ? Au début de la semaine... toute la famille avec Stiff, devenu leur valet... Ensuite Doug complètement changé en une espèce de savant rose ! Je suis en train de devenir fou ou j'hallucine par moments ! Tout ceci m'apparaît tellement surréaliste que je n'arrive toujours pas à y croire...

S'arrêtant, pensif, il s'écria :

– C'est vrai, le Boomerang ! La vieille ligne de chemin de fer menant à la minoterie abandonnée des frères Parisch ! Il devait s'y rendre en début de semaine... Voyons voir ce qu'il y a encore peut-être là !

Partant en flèche aussi vite qu'il était arrivé, il remonta dans la camionnette, démarra et fila droit vers le lieu de prédilection de son ami.

Quand il arriva, il s'approcha lentement de la camionnette Ford de Düger qu'il voyait déjà, les passerelles d'acier chromé antidérapantes déployées sur les rails sans le Boomerang sur la remorque. « La Shelby n'est plus là... son chien Galiléo également... mais sa camionnette y est avec les passerelles déployées sur les rails, comme s'il était descendu et parti ! Misère... Je ne suis guère plus avancé que je ne l'étais. Tout ceci ne fait que rendre la chose encore plus insolite. Qu'est-ce qui t'es arrivé mon vieux ? Je n'y comprends plus rien...

— 5 —

Prisonnier du passé en 1895, Düger était lui aussi resté pensif et immobile devant la photographie. Cybril, se rendant bien compte qu'il n'était plus avec elle mais ailleurs, le fit sortir de ses pensées :

– Evans... ça va ?

– Oh, euh... oui, ça va... c'est juste que cette photographie m'a distrait et m'a rendu nostalgique.

Ils en restèrent là et allèrent se coucher. Le lendemain, à l'école, les aiguilles de l'horloge à pendule indiquant 10 h 27, un événement se produirait et remettrait tout en cause à la faveur du savant, qui aurait ultimement voulu tenter de remonter le temps.

Cybril était en train d'écrire et de donner des instructions au tableau lorsque soudain on frappa à la porte. Posant la craie, elle alla ouvrir. C'était le facteur de la Western Union qui lui dit, sans qu'elle ait le temps de bouger les lèvres :

– Vous êtes bien Madame Evans F. Düger ?

– Oui, c'est bien moi, répondit l'institutrice d'un air surpris. Qu'y a-t-il de si urgent pour que vous me dérangiez ainsi en classe ?

– Un télégramme, Madame ! Il vous parvient de Garbaine City. C'est de la part de... madame Wilmor Baxton. Veuillez signer ici je vous prie ! lui dit-il d'un ton pressé.

Nouvelle inopinée. Elle ferma lentement la porte, sidérée, et se mit à lire le télégramme en murmurant très faiblement. Toute la classe la regarda silencieusement retourner à sa place :

Le baron John-Lee Cromwell vient de débarquer en ville, et lors d'une violente dispute au saloon avec ton père au sujet des droits sur les titres et les biens qui lui reviennent sur le château d'Édimbourg, celui-ci l'a entraîné à défendre son honneur dans un duel aux pistolets. Il aura lieu dans dix jours, non loin de la ville, à la croisée du chemin des Sept Pendus. L'issue risque d'être tragique pour ton père, puisqu'il est myope. D'autant plus qu'il s'obstine à vouloir se présenter malgré cela à ce duel qui n'est qu'un piège. Je t'en prie aide-moi, et viens le convaincre de renoncer à cette idée stupide !
De maman Baxton qui t'aime et t'embrasse bien fort.

Interrompant la classe et donnant congé aux élèves, elle prit Thomas et Edison par la main et sortit.

Quelques minutes plus tard, arrivant à proximité de la maison, elle cria à bout de souffle :

– Evans ! Evans ! Il va tuer mon père... Il faut faire quelque chose, vite !

– Grand Dieu ! que se passe-t-il ? Cybril qui revient avant d'avoir terminé la classe ? Il faut que ce soit très grave ! dit le forgeron, en train de réparer une éolienne dans son hangar, surpris de l'entendre arriver à pareille heure et cessant tout mouvement.

Sortant aussitôt, il courut vers elle. Elle arriva dans la grande cour dans tous ses états.

– Il va tuer mon père ! Il faut faire quelque chose ! Il va tuer... mon... père !

Arrivant près d'elle et laissant tomber les outils qu'il tenait encore dans ses mains il s'approcha, se pencha et lui demanda :

– Mais qui ça ? Explique-toi et calme-toi voyons ! Je ne comprends pas !

Il la prit par les épaules et l'aida à se remettre debout. Ses deux fils à ses côtés, presque étourdis, pas encore remis de ce petit marathon et ne comprenant pas plus que leur père ce qui se passait, lui dirent, l'aîné prenant la parole le premier :

– Je ne sais pas ce qu'il y a... Après avoir lu le télégramme, elle a donné congé à toute la classe...

– Ensuite elle nous a pris tous les deux par la main et a couru jusqu'ici sans s'arrêter un seul instant ! Dommage que nous n'ayons pas eu votre montre chrono, elle a probablement battu un de nos records ! compléta Edison qui interrompit son grand frère, surexcité.

– Lis cela Evans, c'est épouvantable ! lui dit-elle angoissée, en lui remettant le télégramme qu'elle tenait encore dans la paume de sa main.

– Mais c'est de la folie ! Il faut l'empêcher de faire cela, vite ! s'écria-t-il en regardant l'heure sur sa montre. Il est 11 h 10 de l'avant-midi. Le train de Garbaine City arrivera à la gare de Rusty Valley dans une heure très exactement. Cybril, fais les valises ! Thomas, attèle De Vinci ! — leur cheval. Quant à toi Edison, n'oublie pas de donner à manger à Newton avant de partir. Pour ma part, je m'occupe de ramasser quelques affaires. Allez maintenant, on n'a plus une minute à perdre !

Puis, s'adressant à celle qu'il chérissait plus que tout au monde, il se fit compatissant et voulut avant tout la rassurer :

– Je t'en prie Cybril, cesse de pleurer. S'il le faut je m'occuperai moi-même de ce John-Lee Cromwell. Je sais que si ton père mourait à la suite de ce duel, cela t'affligerait beaucoup. Et comme je t'aime plus que tout au monde et que je ne supporterais pas de te voir triste et malheureuse, je peux t'assurer que je ferai tout pour empêcher une chose comme celle-là de se réaliser. Tu as ma parole !

Ils firent donc tout ce qu'ils avaient convenu et se rendirent à la gare prendre le train.

Deuxième partie

Rude
« ignoramus »
Tyken

— 6 —

Ayant failli manquer le train et à bout de souffle, les Düger prirent place dans leur wagon. Edison n'apprécia guère qu'on oblige Newton à être dans une cage et un wagon à part durant le voyage. Attristé, il dit à sa mère :

– Maman, pourquoi mettre Newton dans une cage et un wagon à part ? C'est un bon chien. Je suis convaincu qu'il peut être tranquille sans cela. Et je crois même que tout ça va le rendre malade. N'est-ce pas Newton ? ajouta-t-il au chien, qui hocha la tête et lâcha quelques aboiements avant de se faire entraîner par le préposé.

Au bout d'une demi-heure, les deux parents sommeillaient l'un contre l'autre et Thomas, petit génie de la mécanique, griffonnait un croquis avec un crayon de plomb sur sa planche à dessin. Son cadet, qui l'observait silencieusement du coin de l'œil depuis le début, lui demanda, intrigué :

– C'est quoi ce nouveau croquis que tu dessines, Thomas ?

– Ça s'appelle un hydroglisseur, lui dit-il en tournant sa planche pour qu'il puisse mieux le voir. C'est un appareil qui pourrait se déplacer sur à peu près tous les types de sol, terre, mer, marécages, grâce à son coussin d'air gonflable sur lequel reposerait tout le châssis. Et peut-être même... en ayant assez de puissance pour cela... dans les airs ! Enfin, ça reste à voir. À ce moment, ça deviendrait un « aérohydroglisseur ». Seulement, contrairement à Ader et aux frères Wright, le moteur et l'hélice se retrouveraient placés complètement à l'arrière tu vois... Dans un tel cas, ce nouvel engin serait donc mû par propulsion !

– Wow... Tom, tu es un génie ! Et tu crois que ce truc arriverait à traverser l'Atlantique ? lui dit le cadet, épaté.

À peine avait-il terminé que soudain, la locomotive s'arrêta. C'était Rude « ignoramus » Tyken, l'arrière-grand-père de Stiff.

On l'avait surnommé ainsi du fait que ce bandit de la pire espèce semant la terreur dans tous l'Ouest des États-Unis était, en plus de sa puanteur et de sa grossièreté, d'une ignorance telle qu'il lui arrivait souvent d'être incapable de désigner les choses par leur nom. Pire, il les déformait souvent en les mélangeant avec d'autres mots ayant une syllabe de même consonance. Chaque fois, il ne manquait pas de se faire reprendre par « Bellboy », le plus cultivé de son gang. Ceux qui étaient

55

autour de lui devaient alors éviter, s'ils ne voulaient pas se retrouver avec une balle dans la tête, de montrer, ne serait-ce que par l'expression du visage, le moindre semblant de rire.

En cavale, sans un sou, sa bande de truands et lui avaient réussi à voler des chevaux avec des montures et des paires de pistolets. Cependant, cette fois ils voulurent se remplir les poches en dépossédant toutes les personnes présentes à bord du train. Parmi eux, Evans F. Düger qui, selon Tyken, avait une dette de jeu envers lui. La vérité était que durant la partie de poker, Tyken, qui avait été admis pour jouer, avait obligatoirement dû remettre sa paire de pistolets au tenancier de l'établissement. C'était la condition. Mais comme il fallait s'y attendre il tricha, et la bagarre éclata. Il s'était réveillé après s'être fait casser une bouteille de whisky sur le crâne, les poches complètement vides. Depuis, il cherchait un coupable et il disait sans aucune preuve que c'était Düger.

Toutefois, il savait de bonne source que Cirrus McGowan, éleveur de moutons, ancêtre généalogique de Handy, le premier de la lignée débarqué en Amérique, lui avait asséné le coup de bouteille sur la tête. Düger lui avait conseillé de fuir au Canada après l'incident et de ne revenir que lorsqu'il n'y aurait plus rien à craindre du bandit.

Il le soupçonnait également d'avoir averti par télégramme la ville de Carson City du vol de banque qu'il avait pourtant bien planifié. Cela lui avait cette fois valu dix ans en tôle qu'il n'avait pas purgés jusqu'à la fin. Il s'était échappé avec les trois membres de son gang et, sans qu'il le sache encore, il allait croiser le fer avec le forgeron expert à le marteler. Montant dans la locomotive, ils menacèrent les passagers sous la pointe de leurs pistolets.

Prenant en otage le vieux Pinkley, chauffeur du train, ils l'obligèrent à le suivre dans le wagon des passagers. Toujours aussi hargneux, et tout en mettant le canon de son arme sur sa tempe, Rude Tyken lui dit :

— Écoute Pinkley, si tu es bien sage et que tu te conduis comme une jeune mariée, il ne t'arrivera rien ni à toi ni à ta famille. Tu vas donc nous emmener dans le wagon des « gros bonnets » que tu transportes, afin de bien leur montrer que c'est nous qui avons la situation en main. Tu piges ?

— Espèce de canaille ! Attends que le shérif Dicklane te mette la main au collet ! répliqua le chauffeur sur un ton rébarbatif, n'appréciant guère se faire intimider de la sorte.

Piqué au vif, le chef de la bande se fit plus exécrable.

— Ouais, mais pour l'instant c'est nous qui t'avons par le collet « chauffeur de marmite à vapeur » ! dit-il, toute sa bande se mettant aussitôt à rire comme des idiots.

Puis, reprenant, il lui dit :

– Allez avance ! On n'a plus de temps à perdre !

Ils se rendirent dans le wagon des passagers, où un vent de panique générale s'était déjà emparé de tous.

Faisant son entrée en tenant en joue le chauffeur, le silence se fit tel un rideau de théâtre descendant après une scène, à l'exception de quelques passagers qui, terrifiés, murmurèrent :

– C'est l'ignoramus...

– Misère... quel fléau...

– Par tous les saints...

Celui-ci les entendant sans qu'il ait pu comprendre ce qu'ils disaient et la hargne le dévorant de tout son être, il leur lança, ne les ménageant pas :

– On fait ses malles sans dire au revoir à tonton Tyken maintenant, hein !

Laissant le chauffeur, il se mit à déambuler tranquillement pistolets aux mains en les regardant tous et il poursuivit, sa bande le secondant juste après par de gros éclats de rire :

– Il s'adonne que vous vous êtes donné tout ce mal pour rien je crois... parce que moi et les copains allons vous aider à les défaire !

La rigolade cessant, il reprit :

– L'or, l'argent et les gros bijoux à la fin... C'est trop lourd pour des gens de votre âge... alors on ne s'énerve pas ! Videz-moi tout ce barda et on n'aura pas à faire votre boîte à cadavre ! leur commanda-t-il en colère.

À ses trois acolytes :

– Allez vous autres ! Magnez-vous les fesses !

Continuant de déambuler, il se mit à ricaner en les balayant lentement du regard.

Düger, le voyant venir vers lui, murmura à ses fils sur l'autre banquette :

– Cachez-vous vite sous la banquette, les garçons ! Et surtout pas de bruit !

Ainsi, pendant que Tyken et sa bande venaient dans l'allée en raillant, Thomas et Edison se mirent à comploter.

– Il faut trouver une solution pour se débarrasser d'eux. Réfléchissons... dit le cadet, s'arrêtant. Eurêka ! Je crois avoir une idée. Regarde ce qu'on va faire...

Alexandrine Harris, une veuve corpulente qui portait encore le deuil de son défunt mari et qui habitait la propriété voisine des Düger, se trouvait juste derrière eux. Elle avait pour seul compagnon un gigantesque doberman, Noireau. Malheureusement, comme tous les autres, elle avait dû accepter de le laisser dans le wagon réservé aux animaux, sauf que maintenant, il allait devenir indispensable.

Se tournant vers l'arrière, le petit homme s'avança, sortit légèrement la tête et lui demanda, celle-ci l'apercevant mais ne faisant mine de rien :

– Où est Noireau, Madame Harris ? Habituellement, il est toujours avec vous et ne vous quitte pas !

La veuve, d'un âge assez avancé et d'un regard austère, se pencha quelque peu et lui chuchota :

– C'est vrai mon garçon. Mais cette fois, on m'a obligée à le laisser dans le wagon de marchandise. C'est dommage. Tu peux être sûr qu'il aurait tôt fait de nous défaire de cette bande de coyotes !

– Madame Harris, comme je suis petit, je vais me traîner sur le plancher en passant sous les banquettes et me dirigerai vers la porte arrière du wagon pour aller chercher votre chien. C'est notre seule chance !

D'un signe de tête, ils se dirent tous d'accord pour tenter le coup.

– Tiens mon garçon ! Voici la clé du cadenas de sa chaîne, dit la dame tout en la lui remettant. Bonne chance… et que Dieu soit avec toi !

Le garçon, partant sans perdre une seconde, rampa discrètement sur le plancher sous les banquettes, juste au moment où Tyken arrivait près de celles de ses parents. Les apercevant et les reconnaissant, il se fit plus hargneux qu'il ne l'avait été jusqu'ici :

– Tiens, tiens, tiens, si je m'attendais à ça... mais c'est notre cher marchand ferrailleur fabricant de moulins à vent... Hi ! hi ! Tu espérais peut-être qu'après toutes ces années passées en tôle j'allais finir par oublier notre petite dette de jeu. Bien c'est là que tu te trompes, le maréchal-ferrant. Pendant que j'y suis... Où est passé ce trouillard de McGowan éleveur de moutons que l'on n'a jamais revu, hein ! Parce que crois-moi que dès que je l'aurai trouvé... c'est moi qui lui mangerai la laine sur le dos après lui avoir troué le ventre !

– D'abord, je t'ai déjà expliqué que je ne te devais plus rien et je ne reviendrai pas là-dessus. Ensuite, pour ce qui est de McGowan, il est très loin à présent. Et je doute fort que tu puisses le retrouver, Tyken ! rétorqua Düger, nullement intimidé.

Apercevant Cybril juste à ses côtés :

– Oh mais... je vois que ta biche est toujours avec toi. Ça tombe à pic. On cherchait justement quelqu'un comme elle pour nous apprendre le farfadet.

– L'alphabet patron, corrigea le membre numéro un du gang, Bellboy.

– Tu sais maréchal-ferrant que c'est un peu à cause de toi et de ce Cirrus McGowan que j'ai perdu du bon temps en prison. Mais si tu veux tout savoir... Je crois que je commençais à m'ennuyer d'une jolie poule comme la tienne... Il est donc normal que j'aie droit à une petite lacération...

– Récréation, qu'il faut dire patron ! le reprit plus vigoureusement Bellboy.

Le chef des bandits, habitué de donner des ordres, mais bougre d'âne qu'il était, digéra assez mal de se faire reprendre par un de ses acolytes de cette façon devant tout le monde. Il avala difficilement la rebuffade en marmonnant le mot en question.

Cependant, le mari, qui le regardait avec des yeux lançant des éclairs, n'en pouvait plus de rester impassible et éclata :

– Je t'avertis Tyken... ne la touche pas et ne lui fais aucun mal, car tu peux être sûr que j'aurai ta peau même si je dois pour cela te traquer le reste de ma vie jusqu'à l'autre bout du monde !

Tyken, avec un petit sourire plein de cynisme, se leva et reluqua ses copains pour leur dire :

– Entendez-vous ça...

Se retournant vers ce dernier, il poursuivit :

– Je t'ai toujours dit maréchal-ferrant de surveiller tes arrières si tu ne veux pas te retrouver avec une balle dans le dos. Bien j'ai changé d'idée... c'est dans la tête que je vais te la mettre finalement si tu ne te tiens pas tranquille ! lui rappela-t-il, tout en lui collant le canon de son pistolet sur le front. Il se remit ensuite à harceler sa femme, les deux autres membres de son gang, « Ice » et « Choppy » le retenant chacun d'une main, ayant un pistolet dans l'autre.

Au même moment, Thomas, qui observait l'altercation de dessous et qui aperçut le pistolet que Tyken tenait dans sa main, se souvint que celui-ci était le même qu'il avait vu quelques jours auparavant au magasin général de Phil Thompson.

S'étirant le cou, il vérifia si c'était la même chose pour les autres membres de son gang et constata qu'effectivement, ils avaient tous les mêmes pistolets.

Le chef bandit tentait à cet instant précis de forcer la belle institutrice à l'embrasser sous le regard d'un Düger impuissant à intervenir, mais qui jurait déjà de la venger. Celle-ci le repoussa et lui lança :

– Lâche-moi, sale brute !

Le fils aîné sortit de sa cachette et cria :

– Ce sont des faux !

Face à cette intervention pour le moins inusitée qui venait de prendre tout le monde par surprise, le père, ne sachant plus s'il devait rire ou pleurer, se fit circonspect et lui demanda, consterné :

– Mais qu'est-ce qui est faux, fiston ?

– Les pistolets que Rude Tyken et sa bande ont dans leurs mains ! Ce sont les mêmes que j'ai vus l'autre jour au magasin général de M. Thompson ! Il m'avait expliqué qu'ils étaient chargés à blanc et qu'ils ne servaient en réalité que pour la fête du jour de l'Indépendance. Nous ne courons donc aucun danger ! expliqua Thomas avec beaucoup de sérieux.

À ces mots, Tyken laissa sa mère, se leva et se plaça debout dans l'allée. Il prit le temps de regarder tout le monde en ricanant, sûr de lui, pour finalement le railler d'un ton enfantin :

– Hi ! hi ! brave petit... Il veut sauver son papa et sa maman, hein !

– Oui, et c'est encore bien mieux que d'être ce que tu es, sale bandit ! répliqua avec force le courageux garçon.

Tyken, qui ne s'attendait pas à se faire rabrouer d'un tel aplomb, en eut presque le souffle coupé, sortit carrément de lui-même et s'écria, s'avançant pour l'agripper :

– Ah oui... attends de voir !

Intervenant aussitôt, le numéro trois du gang, Ice, lui fit valoir :

– Hé patron, vous allez pas vous laisser gonfler par ce gosse. On a le convoi d'or avec Butch Cassidy et sa bande qui nous attend aussi !

– Hum ouais ! Tu as raison, on a plus important à faire, répondit le chef des bandits en se calmant.

Puis, souriant, regardant ses copains et jetant un regard dans le wagon, il lança :

– Je trouve que ça manque un peu d'air dans ce wagon. Ou bien c'est parce qu'il y a trop de monde, ou bien ça manque un peu d'aération, vous ne trouvez pas les gars ?

Toute sa bande éclatant de rire, et lui devenant subitement sérieux, les rires cessèrent et le silence se fit.

Sortant un des pistolets de son étui, il le pointa droit vers le plafond et tira trois coups de feu sans même lever les yeux. Après quoi, sûr de lui, il leur dit :

– Voilà qui devrait convaincre tout le monde à présent.

Sauf que là, le numéro deux, Choppy, celui-là même qui avait été chargé par son chef de leur procurer chacun une paire de pistolets et qui continuait de regarder le plafond lui dit, hésitant, réalisant sa bêtise :

– Heu... patron... hum... je crois que le gamin a finalement raison... Il n'y a pas de trou au plafond.

Tyken, le reste de la bande ainsi que tous ceux présents constatèrent qu'effectivement, c'était bien vrai. Lorsque le bandit idiot aperçut son chef et les deux autres qui le dévisageaient l'air en colère, il avala difficilement sa salive et leur dit, confus, larmoyant, pensant déjà au châtiment qui l'attendait :

– Mais pa-pa-patron... j'étais... su-su-sûr que...

Tyken, le saisissant par le collet de sa chemise lui dicta, furieux :

– Espèce de crétin... Mon nom c'est Tyken, pas « Toys-ken » ! Ce ne sont pas des flingues, ce sont des jouets ! Crois-moi que dès que j'en aurai fini avec eux, c'est dans ta jolie petite prune de tête que je vais m'amuser à faire des trous !

Pendant que son chef le tenait et le secouait, Edison arriva sur les entrefaites avec Noireau et Newton, qu'il avait ramenés du même coup. Le monstre canin grognant déjà face au danger, le jeune libérateur ne perdit pas une seconde et clama haut et fort :

– Madame Harris j'ai réussi, j'ai ramené Noireau avec moi, à vous de jouer maintenant !

Alexandrine bondit de son siège et dévisagea Tyken et sa bande qui commençaient déjà à filer à l'anglaise à reculons, Ice et Bellboy murmurant l'un après l'autre, le doberman noir n'attendant que le signal de son maître :

– Avez-vous vu le cabot ?

– Je crois qu'il va falloir quitter les lieux plus tôt que prévu !

La dame, bien campée sur ses deux jambes, mains sur les hanches et fronçant les sourcils, lança d'un ton très expéditif :

– Attaque Noireau et mange-les tous !

La vapeur se renversant, ce fut au tour des malfrats de goûter au vent de la panique et de la terreur. Se bousculant et se disputant, ils voulaient tous sortir en premier. Le chef passa d'abord, bien sûr.

– Poussez-vous, bande de crétins !

– Merde, laissez-moi sortir ! dit Bellboy en se chamaillant avec les deux autres.

Tandis que Choppy se retrouvait le dernier dans cette urgente sortie et voyant venir le chien, il hurla, poussant Ice, qui le précédait :

– Haaaa !

Ayant réussi à mettre les pieds dehors en déboulant les marches et en trébuchant les uns sur les autres, ils se relevèrent aussi vite. Ils se mirent à courir à toutes jambes vers un pauvre arbre endommagé par la foudre au milieu d'un champ non loin de là. Tout cela bien entendu sous les rires et les applaudissements des passagers, descendus pour mieux savourer ce petit spectacle s'offrant à leurs yeux. Évidemment, certains d'entre eux, très contents de la tournure des événements, ne purent s'empêcher d'y aller de leurs commentaires. Noireau venait tout juste d'arracher le derrière du pantalon de Choppy, au moment où il tentait désespérément de lui échapper en grimpant dans l'arbre à la suite des autres — son caleçon à gros pois rouges à la vue de tous. Ainsi, le vieux Pinkley ne se priva pas pour lancer au chien :

– Fais-en de la viande à pâté !

Alexandrine, quant à elle, cria :

– C'est tout ce que vous méritez, sales bandits de grand chemin !

– Voilà qui est bien fait pour eux ! compléta Edison, observant Newton qui s'était joint au doberman dans la tâche.

La peur donnant parfois des ailes, Choppy parvint à s'agripper puis à se hisser dans l'arbre avec les autres. Cependant, comme il était le dernier et qu'ils étaient trop nombreux sur la seule branche disponible, Tyken s'adressa à Bellboy juste derrière lui, à bout de nerfs. Il lui commanda :

– Fais-moi descendre ce crétin ! Il va faire casser la branche !

– Tout de suite, patron ! répondit le numéro un du gang.

Se tournant ensuite vers Choppy :

– Tu as compris ! Il faut que tu redescendes, sinon la branche va casser !

– Mais je ne peux pas voyons, je vais me faire dévorer par ce monstre ! lui dit-il d'un ton larmoyant.

Comme il refusait obstinément de descendre, Bellboy n'eut d'autre choix que de commencer à le frapper sur les doigts avec le talon de sa botte en lui criant :

– Descends, que je t'ai dit !

– Non ! ne fais pas ça... ouch ! arrête ! Ouch mes doigts ! Non ! supplia en hurlant Choppy.

Sur le point de lâcher prise, la branche céda et toute la bande tomba. Ils se retrouvèrent tous tête première sur le sol, à l'exception de Tyken, qui se retrouva la figure dans un tas de merde de vache. Après pareille chute, ils étaient très mal en point, se plaignant et se lamentant.

Au loin, les passagers aperçurent le shérif Dicklane avec son fils Benjamin, qui était aussi son adjoint, et ses hommes, qui venaient vers eux au galop pour reprendre les bandits en fuite.

Alexandrine rappela alors son chien, qui s'apprêtait à leur sauter dessus. Il laissa au shérif le soin de les récupérer, sachant très bien que maintenant, justice serait faite :

– Laisse-les maintenant Noireau ! Le shérif va s'occuper d'eux !

Le doberman revenant aussitôt, tout le monde accourut et arriva au moment où Tyken, en entendant le nom du shérif, leva la tête pour dire lentement :

– Là, je suis dans la merde.

Satisfaits de la tournure des événements, Düger et Pinkley y allèrent chacun de leurs flèches :

– Cette fois-ci Tyken, ton compte est bon. Je crois même pouvoir dire que tu vas en prendre pour un sacré bout de temps ! Et ça… c'est si tu évites la potence !

– Je te l'avais bien dit, espèce de canaille, que le shérif Dicklane finirait par te mettre la main au collet !

Le shérif Dicklane arriva avec ses hommes en compagnie de son fils et s'approcha de Tyken, qui venait de se remettre debout. Il lui colla son fusil à double canon sur le milieu du front et lui dit « Restez en selle » d'un ton très strict et d'un regard qui vous enlevait l'envie de faire la moindre blague :

– La dernière fois, Tyken, tu as bénéficié de la clémence de la cour… mais cette fois-ci je ferai en sorte que cela ne se reproduise plus. Je choisirai moi-même les membres du jury. Si c'est la prison... eh bien crois-moi que quand tu en sortiras, si tu en sors... tu seras tellement vieux que je me demande si tu seras capable de rester debout et de tenir un pistolet avec tes deux mains sans l'échapper par terre. Par contre, si c'est la corde... tu peux être sûr que je me ferai un plaisir de te la passer autour du cou moi-même pour pouvoir regarder ta sale carcasse se balancer au bout de la corde ! Tu n'auras pas cette chance d'une attaque surprise par les indiens Apaches comme Butch Cassidy.

Le bandit, s'apercevant vite qu'il tremblait un peu, se permit de lui faire remarquer, mort de trouille :

– Vous ne devriez plus me braquer comme ça Shérif... c'est que... vous vous faites vieux... vous tremblez... et que le coup pourrait partir.

Ce dernier ne se laissa pas attendrir pour autant. Reluquant son fils, qu'il initiait, il lui dit d'un ton austère, gardant les deux canons de son fusil sur le front du malfrat :

– À ton tour fils !

Le jeune adjoint, qui avait bien appris, lui colla les deux canons de son fusil de même calibre sur son front pour lui dire :

– Rude Tyken au nom de la loi je t'arrête, toi et ta bande, pour homicide, vol de diligence et vol à main armée dans un train !

– Parfait, tu as bien appris fils ! le félicita le père, fier de lui.

Le chef bandit, qui n'en pouvait plus d'avoir deux fusils de gros calibre sur le front, craqua :

– Non mais... vous êtes une famille de dingues de la gâchette ou quoi ?

– T'énerver est tout aussi dangereux Tyken, lui dit calmement le vieux shérif, il est jeune et la gâchette de son fusil est bien huilée, ce qui la rend encore bien plus susceptible que la mienne... si tu vois ce que je veux dire.

– J'ai compris Shérif Dicklane... je ne dis plus rien... je me calme... voyez !

Les deux hommes abaissant leurs fusils, le shérif s'adressa à la foule :

– Il y avait une récompense de 5 000 dollars qui était offerte pour la capture de Rude Tyken et sa bande. J'aimerais connaître la ou les personnes qui ont réussi ce merveilleux coup de filet pour leur remettre la récompense moi-même.

Alexandrine, le jeune avocat, une dame de la haute, le vieux Pinkley ainsi que le quinquagénaire au chapeau melon s'empressèrent de lui dire, se tournant tous vers Thomas et Edison :

– Ce sont ces deux garçons, Shérif Dicklane.

– Ils nous ont sauvé la vie !

– Quel courage !

– Elle a raison. Ce sont des héros !

– Qu'on leur donne la récompense. Ils le méritent !

Après pareils témoignages, les deux parents émus, Cybril se pencha, prit ses deux fils dans ses bras, les serra très fort contre elle et leur dit :

– Vous avez été tout simplement merveilleux !

Le père, resté debout, les regarda fièrement tous les deux pour leur dire, d'une voix empreinte d'émotion :

– Je suis très fier de vous les garçons !

Thomas et Edison, se donnant une solide poignée de main, se félicitèrent mutuellement :

– On a réussi !

– Ouais, tu l'as dit, on a réussi !

Les deux garçons s'avançant ensuite vers le shérif, l'aîné prit la parole et tint à lui faire valoir :

– Shérif Dicklane, pour ce qui est de la récompense, on voudrait que la moitié de cette somme aille à madame Harris. Elle est veuve. Et c'est grâce à Noireau, son chien, que la capture de ces bandits nous a été très facile.

En entendant cela, Alexandrine Harris, d'un caractère pourtant rude et sévère, fut très touchée par une telle grandeur d'âme et sortit un grand mouchoir de son sac à main pour essuyer les quelques larmes qui coulèrent sur son visage encore marqué par la dernière épreuve.

– Quelle grandeur d'âme, leur dit-elle en s'arrêtant pour se moucher, quels courageux garçons vous êtes !

– Merci Madame Harris. Mais on n'a fait que notre devoir, vous savez ! lui répondit candidement le cadet.

– Quant à l'autre moitié de la somme, dit Thomas, vous la remettrez à nos parents pour qu'ils puissent rembourser l'emprunt de la maison et nous permettre du même coup, grâce à cet argent, de poursuivre nos études dans une université réputée d'Angleterre.

Une chose, cependant, comptait beaucoup pour les deux garçons. Ils avaient quelquefois eu la chance de monter à bord d'une locomotive avec leur père, qui avait lui-même conduit l'engin à quelques reprises et leur en avait expliqué tout le fonctionnement. Depuis, ils rêvaient de la conduire.

Aussi, tirant la chemise de son frère, Edison voulut le lui rappeler et lui chuchota à l'oreille, très insistant :

– Hé, tu oublies la loco... tu sais, conduire la locomotive !

– Oui ça y est. Ne sois pas inquiet. Je leur demande. Sois tranquille ! rassura le grand frère, tout aussi fébrile que lui d'obtenir la faveur.

Puis, se tournant à nouveau vers le shérif qui, silencieux, prenait plaisir à regarder les deux garçons s'entendre entre eux, Thomas formula ce qu'ils tenaient surtout à obtenir comme récompense :

– Voilà Shérif, ce que nous aimerions avoir comme récompense serait de conduire la locomotive jusqu'à Garbaine City, si monsieur Pinkley est d'accord, bien sûr ! ajouta-t-il en reluquant le vieux chauffeur.

Dicklane jeta un regard sur les gens présents autour de lui et répondit :

– Eh bien, pour deux garçons comme vous, je crois vraiment que c'est la moindre des choses, petit.

Il regarda le chauffeur de la locomotive :

– Qu'en penses-tu Pinkley ?

– Ce sera avec grand plaisir, Shérif Dicklane ! acquiesça vivement le chauffeur, content de s'en être sorti grâce à eux. Venez les enfants ! dit-il aux garçons brûlant de vivre une telle expérience. Montez dans ma locomotive, et filons à toute vapeur jusqu'à Garbaine City !

– Yé ! s'écrièrent Thomas et Edison, sautant de joie, leurs parents remplis de bonheur pour eux.

Pinkley invita alors les passagers à remonter et y alla de son long cri :

– Allez... Tout le monde en voiture ! Tout le monde en voiture !

Le réputé shérif ne voulut pas partir sans avoir dit quelques bons mots à l'endroit des parents.

– Toutes mes félicitations Monsieur et Madame Düger. De nos jours, il est rare de rencontrer des enfants aussi dégourdis à cet âge et si bien éduqués.

Ceux-ci, très flattés, et Cybril, un peu gênée, lui répondit en baissant les yeux :

– Je vous en prie Shérif...

Düger ainsi gratifié voulut de son côté lui témoigner toute sa confiance.

– Pour ce qui est de la somme d'argent Shérif, vous la déposerez pour moi à la banque de Rusty Valley.

– Comme tu voudras, l'« éolienniste » !

– Rusty Valley vous est redevable pour l'ordre et la paix qui y règnent, Shérif Dicklane, ajouta l'institutrice.

– Vous m'en voyez honoré, Madame. Merci. Et comme je le dis très souvent encore à mon fils : « Ce n'est qu'une question de justice. De la justice c'est tout ! »

Puis, de sa monture, fusil baissé, il souleva son grand chapeau à rebord noir, les salua, et commanda à ses hommes :

– Emmenez-moi ces gibiers de potence à la prison de Rusty Valley ! Demain... ajouta-t-il en regardant les bandits menottés, le juge Mason prononcera sa sentence.

Sur ce, le sifflet de la locomotive actionné simultanément par Thomas et Edison retentit, et tous repartirent chacun de leur côté, heureux de la si belle tournure des événements.

Troisième partie

La bavure
de Cromwell

— 7 —

L<small>E LENDEMAIN, EN DÉBUT D'APRÈS-MIDI</small>, la locomotive s'arrêta devant la gare de Garbaine City. La petite ville encore jeune était en plein essor. On y trouvait de tout. Elle était rapidement devenue une plaque tournante du commerce, non seulement à cause de ses mines qui l'entouraient, mais aussi et surtout à cause de la variété de ses boutiques et magasins situés sur la grande rue. Celle-ci représentait, de par sa géographie à l'ouest des Rocheuses à mi-chemin entre Denver et San Francisco, un excellent relais pour le voyageur se dirigeant à l'ouest comme à l'est, au sud comme au nord grâce à sa ligne ferroviaire, son saloon et ses prestigieux hôtels. Il y avait un va-et-vient comme nulle part ailleurs, et on bénéficiait des dernières nouvelles qui se répandaient dans tout le pays. Düger aimait bien cette ville. Il y était venu à quelques reprises.

Les parents de Cybril, qui avaient posé pied sur la terre d'Amérique, habitaient non loin de là, à flanc de montagne. Son père, grand amant de ses Highlands d'Écosse, avait trouvé que l'endroit lui rappelait son coin de pays d'origine.

Au moment où ils débarquèrent, le bruit courait qu'un véritable gisement d'or se trouvait dans le Klondike au Yukon. Parmi les mauvaises nouvelles, un nom suffisait à faire grincer les dents de tous, celui du baron John-Lee Cromwell, arrivé tout droit d'Angleterre. Pour lui, sur cette terre devenue indépendante, la couronne de Sa Majesté était celle qui y avait encore prédominance. Seulement cette fois, la monarchie allait en prendre un sacré coup.

Le couple Düger, en descendant du wagon, aperçut à travers une nuée de vapeur se dissipant leurs fils, en compagnie de monsieur Pinkley, venant en leur direction. Une fois arrivé près d'eux, le vieux chauffeur ne put s'empêcher de leur communiquer ce qu'il ignorait au sujet de ses deux jeunes stagiaires :

– Eh bien Monsieur et Madame Düger... Ça m'a fait plaisir d'avoir eu vos deux fils en ma compagnie. Toutefois, j'ai été surpris de voir qu'ils connaissaient à peu près tout, même les cadrans. Ils semblaient familiers avec le fonctionnement d'une locomotive, comme s'ils avaient fait ça plus d'une fois auparavant !

Le savant regarda furtivement ses deux fils, qui lui firent chacun un clin d'œil sans que Pinkley ait le temps de les voir. Cybril lui sourit, puis lui dit :

– À vrai dire, j'ai dû quelquefois être chauffeur de locomotive. Et comme ils m'accompagnaient, c'est ce qui explique tout. Voilà !

– Pourtant, dit le vieux chauffeur, depuis le temps que j'exerce ce métier et que je parcours le réseau… je ne vous ai jamais croisé nul part. Il va falloir que j'en parle au comité à la prochaine réunion, ajouta-t-il, très sceptique.

S'éloignant en marmonnant tout seul, se retournant et les saluant en soulevant sa casquette, Düger se rabattit sur sa famille pour leur dire avec empressement :

– OK, maintenant qu'il est parti, je trouve une voiture et nous filons tous à l'hôtel. Là, je louerai une chambre afin d'y passer la nuit. Après, pendant que nous y sommes, nous profiterons du reste de cette journée pour voir les nouveautés et faire un peu de shopping. Demain matin, ajouta-t-il en regardant Cybril, nous nous rendrons chez tes parents afin de faire le point sur cette fâcheuse histoire de duel.

Avançant depuis vingt minutes dans la grande rue à bord de leur buggy, et émerveillé, il s'exclama :

– Quelle effervescence ! Quelle fin de siècle excitante, où la tornade de créer et surtout d'inventer s'est totalement emparée de l'intelligence et de l'imagination des hommes de cette époque, et qui ne semble plus vouloir s'arrêter avec sa pléiade d'hommes célèbres... Thomas Edison, Alexander Graham Bell, les frères Wright, Henry Ford, Marconi... Sentez ! leur dit-il en respirant profondément et en expirant, même l'air sent les inventions !

– Mon Dieu que ces toilettes sont magnifiques ! s'écria à son tour son épouse, éblouie par l'élégance des dames déambulant sur les trottoirs. J'ignore si je pourrai un jour me payer l'une d'entre elles…

– Un jour, je t'offrirai une de ces toilettes digne d'une dame de ton rang, Cybril ! balbutia faiblement le mari.

– Que viens-tu de dire, Evans ? demanda-t-elle, n'ayant pas compris un mot de ce qu'il disait.

– Hum... ce n'est rien. Je me parlais tout seul, répondit Düger, un peu embarrassé, se faisant évasif.

Ils passaient devant le chapiteau du Grand Cirque de Buffalo Bill qu'ils voyaient pour la première fois. De là, ils pouvaient voir le Crieur, juché derrière un gros panneau circulaire sur lequel on pouvait lire « Buffalo Bill's Grand Circus », et qui invitait les gens d'une voix forte :

– Approchez ! Approchez ! Mesdames, Mesdemoiselles, Messieurs. Entrez voir le spectacle du « Grand Cirque de Buffalo Bill », c'est une attraction unique au monde, qui vous ravira !

Edison, excité par la « grandiosité » de l'événement et voyant toute cette masse de gens affluant et se mouvant vers l'entrée, leur lança, complètement emballé :

– Avez-vous vu tous ces gens qui se pressent vers l'entrée ! C'est que ça doit être un spectacle vraiment inoubliable !

– Papa, enchaîna aussitôt Thomas, ce serait chouette si on pouvait y aller. Ça nous ferait même tous du bien. Surtout après tout ce qu'on a vécu depuis quelques jours. On s'amuserait et on rirait. En plus, vous venez de nous dire que nous avons un peu de temps devant nous. Alors, pourquoi ne pas tous y aller ? C'est peut-être une occasion qui ne se présentera plus. Enfin, vous ne trouvez pas ?

– Je suis vraiment désolé les garçons, répondit le père, mais ce sera pour une autre fois.

– Aaah ! Papa voyons... je vous en prie, supplia l'aîné.

– Et qu'est-ce qu'on va faire durant tout ce temps ? fit valoir Edison.

La mère, restée silencieuse jusqu'ici, voulut calmer la déception.

– On arrivera bientôt à notre hôtel. Et tout près il y a sûrement un saloon où vous pourrez aller vous chercher un soda mousseux. Qu'en dites-vous, hein ?

Le cadet fut facilement conquis par l'idée.

– Oui, chic alors ! C'est un bon compromis. J'accepte !

Thomas ne manifesta pas autant d'enthousiasme que son jeune frère et revint à la charge avec l'idée d'aller le voir un jour.

– Bon, OK, dit-il aux parents, seulement vous nous promettez que nous irons tous le voir ensemble un jour ?

– Bien sûr, c'est promis ! Vous le méritez bien, d'ailleurs. Surtout après un tel exploit, rassura le père en parlant de Rude Tyken et sa bande. Disons que pour l'instant il ne faut pas oublier non plus la raison de ce voyage... à savoir que la vie de votre grand-père est en danger et qu'il nous faut faire quelque chose pour le tirer de ce mauvais pas.

Comme ils aimaient leur grand-père, ils ne se firent pas prier pour faire ce petit effort.

– Vous avez raison père, qu'on en finisse avec ce sale escroc qui a pipé les dés ! dit Edison.

– Tout à fait ! Et comme le shérif Dicklane le dit souvent, « c'est une question de justice, de la justice c'est tout ! » le seconda sans hésitation l'aîné, plus que jamais gagné à la cause.

Arrivés à leur hôtel, le Garbaine City Town House, Düger y entra pour louer une chambre.

– Je voudrais louer une chambre assez spacieuse et avec fenêtre sur rue pour une nuit, s'il vous plaît. Nous sommes de passage seulement, dit-il au garçon de chambre.

– Vous êtes Monsieur... demanda le préposé.

– Docteur Evans F. Düger. Je suis avec ma femme et mes deux fils.

– Voici la clé, Docteur Düger. C'est la chambre numéro cinq, au premier étage. Vous allez voir, c'est la dernière au bout du couloir à gauche. Vous pouvez laisser vos bagages ici. Je vais les faire monter dans votre chambre. Si vous avez besoin de quoi que ce soit, n'hésitez pas. Et bon séjour à Garbaine City, Docteur Düger !

– Merci. À plus tard, répondit Düger, en sortant aussitôt.

Mettant les pieds sur le large trottoir, il aperçut Cybril, qui déjà faisait du lèche-vitrine face à la devanture d'une boutique de vêtements pour dames, Fergie Ross Ladies Shop, de l'autre côté de la rue, Thomas et Edison se tiraillant derrière elle. Traversant la rue à grands pas, il les surprit.

– Ça suffit, maintenant ! Cessez de vous tirailler ! Tenez les garçons, poursuivit le père, voilà quelques pièces de monnaie. Allez au saloon qui est juste en face, à côté de l'hôtel. Payez-vous chacun un bon soda mousse, puis venez me rejoindre au magasin général là-bas, juste au coin. Et amenez Newton avec vous !

– OK !

– C'est dac ! Merci papa, répondirent l'un après l'autre les deux fils.

– Viens Newton ! ajouta le cadet au chien, qui lâcha quelques aboiements.

Pendant qu'il parlait aux deux garçons, Cybril n'avait pas décollé le nez de la vitrine. Et le mari, qui s'en était rendu compte, voulut savoir si elle avait bien entendu ce qu'il venait de convenir avec eux.

– Cybril, tu as bien compris ? Thomas et Edison vont être au saloon d'en face avec Newton et me rejoindront ensuite au magasin général.

– C'est bien, Evans. J'ai compris. Et si je ne vous ai pas rejoints... c'est que je suis encore ici dans cette boutique à regarder toutes ces nouveautés, répondit l'épouse sans se retourner.

– Bon eh bien dans ce cas... à tout à l'heure, dit-il. Ah ! les femmes et les boutiques ! Une chance qu'il n'y a pas encore de galeries marchandes comme celles que nous avons dans le futur !

Puis il se dirigea lentement vers le magasin général, un peu plus haut à droite, sur le même côté de rue, tout en observant ses deux fils se rendre au saloon.

Pénétrant dans le tumulte habituel de ces endroits, ils marchèrent tranquillement vers le bar en serpentant au travers des tables des hommes qui jouaient au poker en buvant leur verre de whisky. Ceux-ci s'arrêtaient parfois pour les dévisager. L'un d'eux, un vieux chercheur d'or du nom de Jack Rabbit, leur demanda de sa voix rauque quand ils passèrent près de sa table, plutôt fouineur :

– Vous n'êtes pas un peu jeunes pour entrer dans un saloon ?

Arrêtant son regard sur Edison et fronçant ses gros sourcils gris, il ajouta, narquois :

– Surtout toi, petit. Parce que si vous cherchez votre maman... je doute fort que vous la trouviez ici...

– Non seulement nos parents savent que nous sommes ici, répondit Thomas, mais ce sont même eux qui nous envoient afin d'acheter un bon soda mousseux. Et cela, parce qu'on a aidé le shérif Dicklane à capturer Rude Tyken et sa bande ! ajouta-t-il, fier et nullement intimidé par les propos du vieillard.

– Comme ça, lui dit d'un sourire moqueur le vieux chercheur d'or, toi et ton petit frère avez aidé un shérif à capturer une bande de dangereux bandits... Entendez-vous ça les gars ! ajouta-t-il en regardant ses copains autour de la table, qui éclatèrent de rire.

– Exactement, Monsieur ! répliqua l'aîné, pendant qu'ils riaient encore.

Edison, qui s'était jusqu'ici contenté d'écouter, allait décontenancer leur belliqueux interlocuteur.

– Et si nos parents nous ont laissé venir dans ce saloon, c'est parce qu'ils nous font confiance et qu'ils savent qu'on est capables de bien se tenir. Par contre, je ne sais pas si vos parents vous auraient permis d'y venir à notre âge, Monsieur. En tout cas, pas si j'en crois votre langue fourchue ! lui lança-t-il avec force.

Tout comme Tyken, Jack Rabbit, qui ne s'attendait guère à se faire rabrouer de cette façon par le petit bout d'homme, en eut le souffle coupé et le bec cloué. Les hommes tout autour de lui étaient morts de rire. Il se leva carrément de sa chaise, exaspéré, et lui dit tout en tentant de l'agripper :

– Espèce de petit moucheron... attends que je t'attrape !

Mais quelques-uns de ses hommes l'empêchèrent d'aller jusque-là et finirent par le calmer.

– Voyons Jack ! Calme-toi !

– Tu ne vas pas t'en prendre à un gosse, quand même... Et puis, il faut dire que tu l'avais cherché un peu aussi, hein ?

Le barman, qui avait tout vu et qui riait encore, les invita pour leur offrir avec les compliments de la maison leur liqueur bien méritée.

– Venez par ici les garçons que je vous offre ce soda, dit-il tout en emplissant deux verres, c'est la maison qui paie.

Thomas et Edison s'approchèrent et s'installèrent sur les tabourets du bar, en s'empressant de le remercier :

– Merci Monsieur, c'est vraiment chic de votre part !

L'homme, désireux de jaser avec eux et de mieux les connaître, engagea la conversation et tint à les rassurer.

– Vous savez les enfants... il ne faut pas lui en vouloir, leur dit-il en parlant du vieux chercheur d'or. Surtout quand il a bu un peu trop de whisky. Si j'ai bien compris, vous avez des parents qui vous aiment et qui s'occupent de votre éducation. Pas lui. Il est orphelin et n'a jamais connu ni son père, ni sa mère... Il ne sait ni lire, ni écrire. Par contre, c'est un infatigable chercheur d'or, et aussi un excellent trappeur qui passe la majeure partie de son temps dans le Colorado et le Montana. On le revoit tous les deux ou trois ans à l'automne. Il repart demain, pour le Yukon cette fois. Des bruits courent qu'il y aurait des gisements d'or là-bas.

Tout en buvant, l'aîné, fort curieux, voulut en savoir davantage :

– Dans ce cas... d'où vient son nom de « Rabbit » alors ?

– Bah ! on dit que lorsqu'il se déplace dans la forêt en hiver sur la neige avec sa paire de raquettes, il est agile, rapide et très difficile à suivre. Ceux qui l'ont vu affirment qu'il est comme un lapin sur la neige, de là ce nom de « Rabbit » !

Edison, qui se mit à regarder un peu partout dans le saloon, s'arrêta soudainement et fixa son regard vers quelqu'un qu'il venait d'apercevoir à une table près du piano, en train de jouer au poker.

– Dites-moi Monsieur, demanda-t-il au barman, qui est cet homme là-bas assis à une table près du piano ? Celui qui porte une paire de petites lunettes rondes, une cape noire, et qui ne semble guère sympathique avec son visage de croque-mort ?

Cette attitude investigatrice du cadet gêna un peu Thomas. Avant que le barman ait eu le temps de dire quoi que ce soit, le grand frère le reprit en lui disant :

– Edison ! Nous ne sommes pas ici pour mener une enquête. Il ne faut pas toujours se fier aux apparences tu sais, la meilleure preuve, regarde « Jack Rabbit » et tout ce que l'on sait sur lui à présent.

– Ce n'est pas grave petit gars ! Ton cadet n'est pas tombé bien loin cette fois, rectifia le barman, parce que cet homme c'est vraiment un sale type. C'est John-Lee Cromwell ! ajouta-t-il sur ton exaspéré, tout en le reluquant du coin de l'œil.

– John-Lee Cromwell ! s'exclamèrent ensemble les deux garçons en entendant son nom.

– Ouais, c'est lui. Depuis qu'il a débarqué en ville, ce baron loyaliste venu d'Angleterre ne cesse d'insulter tout le monde, ce qui donne lieu à de violentes disputes qui se terminent presque toujours par des bagarres ou des duels. À vrai dire, tout le monde ici commence déjà à en avoir plein le dos de lui. Pas plus tard qu'hier encore, il a réussi à entraîner Wilmor Baxton dans un duel à propos de certains droits ancestraux. Mais ce qui est vraiment lâche de la part de cette espèce de chacal… c'est qu'il savait très bien que Wilmor était myope et que ses chances de remporter ce duel étaient pratiquement nulles.

– Comme ça, vous connaissez notre grand-père ? dit le plus petit bout d'homme avec de grands yeux ronds de surprise.

– Bien sûr que je le connais. Seulement avant d'aller plus loin… il faudrait peut-être faire les présentations. Je m'appelle Fred Miller, mais tout le monde ici m'appelle Fred. Et vous ? leur demanda-t-il, curieux de savoir qui ils étaient à présent.

– Mon père s'appelle Evans F. Düger. Nous sommes ses deux fils. Moi c'est Thomas. Lui, c'est Edison, dit l'aîné parlant au nom des deux et montrant son petit frère. Ma mère s'appelle Cybril Baxton. Elle est la fille de Wilmor Baxton. Nos parents nous ont donné ces prénoms en l'honneur de l'inventeur sir Thomas Edison. Vous comprenez à présent pourquoi on se sent un peu concernés par l'affaire.

Edison enchaîna sans attendre et ajouta, intrigué :

– Vous dites que vous connaissez notre grand-père ?

– Tout à fait, répondit Fred. Lui et moi avons été compagnons d'armes lors de la guerre de Sécession. Nous sommes de grands amis.

Votre grand-père est vraiment un type bien. Mais lors de cette altercation l'autre jour, le baron Cromwell a réussi à piquer son honneur d'homme. J'ai essayé de le ramener à la raison, mais rien à faire, il était trop gonflé. Il m'a même dit de me mêler de mes affaires ! En tout cas, ça semble être d'une importance capitale. Il est vraiment déterminé à l'affronter dans un duel aux pistolets. Il a dit que c'était une affaire entre lui et Cromwell. Même sa femme, qui était présente, a fondu en larmes et n'a pas pu l'empêcher. Il faut dire que tout le monde le comprend un peu. Il est d'un mépris et d'une arrogance qui vous fait perdre tout discernement et vous met systématiquement hors de vous-même. Pour tout vous dire… je ne sais pas comment j'ai pu l'endurer jusqu'ici.

Les deux garçons, qui écoutaient attentivement ce qu'il leur racontait, se reluquèrent d'un petit air qui voulait en dire long. Se faisant chacun un clin d'œil, le barman se rendit bien compte qu'ils en savaient beaucoup plus que lui. Il s'arrêta et les regarda tous les deux, fronça les sourcils pour finalement leur demander :

– Dites donc vous deux... j'espère que vous n'êtes pas en train de vous payer ma tête !

Ils pouffèrent de rire.

– Voilà, dit Thomas, dans un télégramme que notre grand-mère, épouse de Wilmor, a fait parvenir à notre mère, elle lui a exposé cette pénible situation. Ma mère a été atterrée par la nouvelle. Elle a donné congé aux élèves sur-le-champ et elle est partie en courant sans s'arrêter. Arrivée à la maison à bout de souffle et dans tous ses états, mon père est venu au-devant d'elle confus, ne comprenant pas cet affolement. Après l'avoir vivement questionnée, il la rassura en lui disant qu'il s'occuperait lui-même de ce John-Lee Cromwell. C'est pour cette raison qu'il est venu à Garbaine City.

– Et mon père n'est pas seulement un excellent tireur, enchaîna le cadet, c'est aussi un savant et un scientifique qui lui réserve une surprise qu'il n'est pas prêt d'oublier !

Toutefois, au moment où Fred se tournait pour saisir la bouteille de whisky et s'en servir un verre, il se reprit, passant à un cheveu de lui révéler que son père possédait une machine pouvant voyager dans le temps. Fort heureusement, le grand frère profita de ce bref moment d'inattention du barman et l'empêcha de trop parler en lui mettant la main sur la bouche.

– Car il a une ma...

Il descendit du tabouret sur lequel il était assis et se dirigea fièrement en direction de la table du baron. Jack Rabbit, qui l'observait toujours, murmura à ses copains, pressentant ce qui allait se produire :

– Hé les gars… regardez le petit. Il se dirige vers la table de Cromwell. On dirait bien qu'il va encore y avoir du grabuge.

– Edison non ! Reviens ! lui dit son grand frère.

Faisant la sourde oreille et continuant de marcher tranquillement en direction de celui que tout le monde surnommait « l'exécrable », celui qui jouait du piano et qui le voyait venir cessa quelques instants la musique. Il reprit, le trouvant amusant à voir avec le petit air patriotique *Yankee Doodle*.

En effet, l'homme aux petites lunettes rondes, à la cape noire et au visage de croque-mort ne pouvait passer inaperçu dans cette contrée du Far West. De taille plus élancée que son adversaire écossais, aux joues creuses, sans aucun poil sur la tête, il était avant tout un être arrogant, cupide, assoiffé de pouvoir et de richesse. Plus raffiné que Tyken dans sa méthode pour se débarrasser d'un opposant, il lui tendait un piège d'une façon habile et préméditée. Puis, avec la complicité de quelques témoins qu'il avait achetés, il s'arrangeait pour que le meurtre se situe dans les limites du droit à la légitime défense. Seulement, bien qu'il soit bon tireur, ce n'était pas le meilleur. Pour cela, il dissimulait une autre arme afin d'éliminer lâchement un adversaire représentant une trop grande menace. C'était la canne noire qu'il tenait toujours de sa main gauche. Supercherie que Düger allait découvrir quand il croiserait le fer avec « l'exécrable » arrivé par le train de New York depuis cinq jours, et venu du pays de Sa Majesté afin d'évincer celui qui, selon lui, représentait l'éternel adversaire des Cromwell, Wilmor Baxton. Mais notre cher baron avait un petit handicap qui allait être découvert par Edison, avec qui l'échange n'allait pas manquer d'être des plus humiliant, du seul fait qu'il avait une peur bleue des chiens.

Aussi, apercevant du coin de l'œil le petit bout d'homme s'amenant vers lui, il ne put résister et lui décocha une flèche.

– Voilà justement un petit deux de pique qui s'amène vers nous, dit-il aux autres joueurs autour de la table.

– C'est encore mieux que d'être un roi sans cœur ! répliqua avec force Edison.

Le piano cessant, il se fit un grand silence dans tout le saloon. Puis Cromwell, humilié, le visage crispé et au bord de l'éclatement, lui dit :

– Comment m'as-tu appelé, espèce de petit malappris ?

Évidemment, tout le monde était surpris et retenait son souffle face à la réponse du petit homme. Même le grincheux Jack Rabbit qui le reluquait tint à lui démontrer son appui par un clin d'œil. Fort d'une telle solidarité, la réplique fut encore plus percutante que la première.

– J'ai dit que c'était encore mieux que d'être un roi sans cœur ! Et que c'est plutôt vous qui êtes mal éduqué ! Parce que c'est vous Monsieur qui m'avez traité de petit deux de pique !

Cromwell était paralysé de rage, et ce fut l'euphorie dans tout le saloon. Le piano qui s'était subitement arrêté reprit de plus belle en jouant la très populaire marche *Ole Miss Marching Band*. Tout le monde se mit à chanter avec beaucoup d'enthousiasme à travers les éclats de rire, les cris de joie, les bruits de verres se cognant l'un contre l'autre et les coups de feu tirés en l'air. Certains des tables voisines se vidaient le cœur et y allaient de leurs encouragements.

– Voilà qui est bien dit petit !

– Il y a longtemps que je n'avais pas vu quelqu'un se faire rabrouer comme ça. Je crois qu'il ne l'oubliera pas de sitôt celle-là !

– Ça lui apprendra à traiter tout le monde comme de la merde. Sale loyaliste !

Fred Miller, qui buvait son verre, s'arrêta pour dire à Thomas :

– C'est qu'il a du cran, ton petit frère !

Ce moment euphorique s'estompant et le silence se faisant, un des joueurs à la table de Cromwell, un *rancher*, mit la goutte qui allait faire déborder le vase. Le regardant, il lui balança, d'un sourire narquois :

– Eh bien Cromwell, la pilule semble difficile à avaler cette fois, hein !

À ces mots, bondissant de sa chaise, il se cambra sur ses jambes et dévisagea le petit bout d'homme. Il lui dit, tout en agitant sa canne dans sa direction, fou de rage :

– Espèce de petit colonisé... tu vas me le payer !

Il ne fit qu'un pas en direction du gamin afin de l'agripper. Newton s'approcha et se mit à grogner et à aboyer. Le baron, qui jusqu'ici ne s'était pas rendu compte de sa présence, baissa légèrement la tête et changea complètement d'air en apercevant le chien. Son visage pâlissant, il se mit à reculer en tremblotant et monta tranquillement sur sa chaise tout en ne le quittant pas des yeux. Le garçonnet, qui découvrait comme tout le monde sa peur des chiens, reluqua Newton d'un petit sourire malicieux et lui murmura :

– Tu as vu ça, Newton ?

– Grrr... grogna le chien.

– Cette espèce de croque-mort à la crème anglaise, continua Edison, a peur de toi. Eh bien, je crois qu'on va drôlement s'amuser maintenant, ajouta-t-il, pensant déjà à ce qu'il allait lui faire subir.

Se tournant vers le baron se tenant debout sur sa chaise, mort de trouille, il lança le chien contre ce dernier :

– Vas-y Newton ! Ne le lâche plus !

Le baron, ne perdant pas une seconde, monta aussitôt sur la table. Lorsque Newton sauta sur sa chaise, le baron sauta sur la table voisine qui vacillait et passant près d'y perdre pied, il s'écria :

– Whoa ! whoa ! whoa !

Après, sautant de nouveau, il se jucha sur le piano et ensuite sur le comptoir du bar, sur lequel il courut en direction de l'escalier qui menait aux chambres de l'étage. Lorsqu'il arriva en haut et qu'il dut choisir, coincé entre se faire mordre ou sauter en bas, il grimpa sur la rampe. Comme parfois la peur donne des ailes, il s'élança sur l'énorme lustre du plafond au centre et parvint à s'y agripper. Un cow-boy présent, le voyant ainsi suspendu, y alla d'une bonne plaisanterie.

– Sais-tu Cromwell que si j'étais toi... j'irais me faire engager tout de suite comme acrobate dans le Cirque de Buffalo Bill. Je crois même que tu pourrais devenir célèbre. Malheureusement, il faudrait que tu acceptes d'avoir comme seul partenaire un cabot, afin de ne pas rater tes sauts les plus périlleux ! lui dit-il, tout le monde éclatant de rire.

Cromwell ne pouvait tenir indéfiniment suspendu par les mains. Ainsi, apercevant un filet à poisson accroché à un mur du saloon, il commanda à son valet Ludwig d'aller le chercher afin de saisir le chien juste en dessous de lui. Celui-ci aboyait et sautillait en ne se tenant que sur deux pattes par moments :

– Ludwig ! Prends le filet accroché au mur là-bas et attrape le chien, vite ! dit-il sur le point de lâcher prise.

Thomas et Edison, voyant le valet s'exécuter, eurent tout juste le temps de dire à leur fidèle ami :

– Laisse-le maintenant, Newton. Il a son compte.

– Sauve-toi vite, mon chien !

Le serviteur, qui n'avait pas perdu une seconde, s'amena sournoisement à pas de loup par derrière. Il jeta le filet sur Newton et le captura. Aussitôt, le baron, qui n'en pouvait plus de se tenir au lustre, tomba lourdement sur le plancher. Il se releva en râlant, le visage tout en sueur et bouillonnant de colère, son valet lui remettant son chapeau haut-de-forme et sa canne qu'il reprit avec vivacité.

– Vous n'êtes qu'une bande de sauvages incultes ! Vous n'êtes encore que de pauvres colonisés ! Votre président n'est qu'un petit surintendant de Sa Majesté la reine d'Angleterre !

Il hurla :

– Vive Sa Majesté la reine Victoria 1re ! Vive l'Impératrice des Indes ! Vive l'Empire britannique !

Pendant que le baron hurlait, Thomas jugea que c'était le moment de quitter les lieux. Tout en se dirigeant vers la porte, il pressa son cadet qui ne voulait plus abandonner son chien, pris dans le filet :

– Edison ! Viens, sortons d'ici tout de suite ! C'est trop dangereux ! Il devient complètement fou !

– Non je reste ! Je n'abandonnerai pas mon chien, répondit le cadet, chagriné. Cours plutôt chercher papa !

Apercevant le baron s'amenant derrière son petit frère, l'aîné eut à peine le temps de lui crier :

– Edison ! Attention ! Juste derrière toi !

Celui-ci l'empoigna par le dos de sa veste et lui dit, satisfait :

– Maintenant que je te tiens espèce de petit morveux… je vais te montrer comment je corrige les petits effrontés de ton espèce ! ajouta-t-il le soulevant et le traînant jusque dehors.

– Voulez-vous me lâcher ! Lâchez-moi je vous dis ! Lâchez-moi ! cria le gamin en se débattant de toutes ses forces.

Son frangin, qui était sorti en marchant à reculons, ne voulait pas le perdre de vue. Il manqua la marche de la galerie et trébucha. Se relevant aussi vite, il traversa la rue. Puis, pris de panique au beau milieu de la rue, il se mit à appeler désespérément :

– Maman ! Papa ! Cromwell tient Edison et veut lui faire du mal ! Vite !

S'arrêtant et se retournant l'instant de quelques secondes pour voir l'impitoyable baron arrivant à l'abreuvoir des chevaux, tenant toujours son petit frère, il reprit plus fort :

– Maman ! Papa ! Au secours ! À l'aide !

Cromwell était face au bassin d'eau. Il savourait sa vengeance.

– À présent, je vais te refroidir les idées !

– Maman ! À l'aide ! Au secours ! hurlèrent le gamin et son aîné, juste avant qu'il ne lui plonge la tête dans l'eau.

Le baron prenait un vilain plaisir à le traiter ainsi devant tout le monde, ricanant de satisfaction.

Cybril, qui était en train d'essayer une robe dans la boutique de vêtements pour dames de l'autre côté de la rue, reconnut les voix de ses deux fils. Sous le choc, puis émue et tourmentée par ce qu'elle voyait déjà à travers la vitrine, elle s'écria :

– Mon Dieu ! Mais il va le noyer !

Partant avec la splendide confection de velours rouge foncé sur le dos, elle sortit en coup de vent.

Cromwell s'apprêtait à donner un autre bouillon au petit au moment où elle fit irruption. La foule commençait à trouver qu'il dépassait les bornes et que c'était assez. Le juge Hodge entre autres, un manchot ventru, décida de s'en mêler.

– Ça suffit à présent ! Lâche-le ! M'as-tu compris Cromwell ?

Il venait à peine de lui dire cela que Cybril saisit la carabine Winchester de Buffalo Bill qui passait, et la pointa sur l'exécrable en criant :

– Lâchez mon fils tout de suite !

N'obtempérant pas et s'en fichant éperdument, elle visa et tira sur son chapeau haut-de-forme qui s'envola, virevolta et tomba sur le sol. Le baron lâcha instantanément Edison, qui courut aussitôt au-devant de sa mère, l'homme de loi s'avançant pour lui dire :

– Alors Cromwell, on dirait bien que la race a eu raison de l'audace. Cette lionne enragée ne s'est pas privée pour te le démontrer. Je dirais même que cette bavure a failli te coûter la tête, hein !

Le baron passa la main sur le dessus de son crâne chauve et sentit une éraflure du bout de ses doigts. Il murmura, réalisant que la balle aurait pu être mortelle :

– Par la couronne de Sa Majesté... cette espèce de folle a failli me tuer !

Thomas et Edison, arrivant vers leur mère, s'empressèrent de lui dire :

– Maman ! Maman ! C'est lui, c'est le baron John-Lee Cromwell !

– Il est vraiment méchant, tu sais ! Il se permet d'injurier tout le monde, même le président des États-Unis. Il m'a insulté le premier et il s'en est pris à moi parce que j'ai eu assez de cran pour le reprendre devant tous ceux qui étaient là.

Elle remit la carabine Winchester au célèbre cow-boy ébloui par sa performance, se pencha pour étreindre ses deux fils et, inquiète, leur demanda d'une voix douce :

– J'espère que vous n'avez rien mes chéris ?

– Non, ça va maman.

Lorsqu'elle se releva, Buffalo la salua en soulevant son chapeau à large rebord retroussé vers le haut.

– Toutes mes félicitations, Madame ! Je me présente, Buffalo Bill. Je suis le directeur d'un grand cirque. J'étais justement à la recherche d'une femme qui sait tirer comme vous. Peu importe qui vous êtes ou d'où vous venez, je vous engage tout de suite. Si vous êtes d'accord, bien entendu !

– Je vous remercie beaucoup Monsieur Buffalo Bill. Je suis institutrice. Je suis mariée et j'ai deux enfants à éduquer. Ça me suffit. Je suis très bien comme ça. Par contre, j'étais heureuse que vous passiez par là. Vous m'excuserez d'avoir pris votre carabine de cette façon. C'était urgent, je n'avais guère le choix. Encore merci, et j'ai été enchantée de faire votre connaissance Monsieur, ajouta-t-elle en lui serrant la main.

– Y a pas de quoi, Madame. Ça a été un réel plaisir. Et si toutefois vous changiez d'avis... n'hésitez pas, venez me voir, je paie bien, réitéra le directeur de cirque.

Reluquant les deux garçons à ses côtés :

– Ce sont vos gosses ?

– Oui, répondit la mère avec beaucoup de fierté.

Puis, lui remettant quatre billets, juste avant de les quitter :

– Tenez ! voilà quatre billets. Ça vous ravira j'en suis sûr, leur dit-il avec un grand sourire.

Düger, qui avait entendu tout le tumulte, était sorti au moment où Cybril saisissait la carabine de Buffalo Bill et la pointait vers Cromwell, tirant un coup de feu sur son chapeau haut-de-forme. Il était resté un peu en retrait, debout, muet, complètement abasourdi. S'avançant et marchant ensuite lentement vers elle, n'en croyant pas encore ses yeux, Buffalo partit et celle-ci le regarda s'en aller. Du même coup, elle vit son mari venir vers elle.

– Evans, mais où étais-tu ?

Le mari, arrivant silencieusement près d'elle en tenant son chapeau devant lui avec ses deux mains, s'arrêta brusquement, la regarda et, au lieu de répondre à sa question, lui dit plutôt, fort impressionné par son prestigieux tir à la carabine :

– Cybril, j'ignorais que tu savais tirer de la carabine comme ça !

– Eh bien... quand j'étais fille, j'allais passer mes vacances d'été sur la ferme de mon oncle à Dark Peak, où je gardais les moutons. J'ai donc dû apprendre à me servir d'une carabine dès mon jeune âge. Des loups faisaient beaucoup de ravage dans la région à ce moment-là. C'est lui qui me l'a appris.

– En tout cas, enchaîna-t-il fier d'elle, à en juger par ce que je viens de voir, tu ne sembles pas avoir perdu la main depuis tout ce temps. Tu pourras même dire à l'avenir que tes leçons ne t'ont pas servi seulement à chasser des loups...

S'arrêtant et se tournant vers Cromwell, il ajouta en élevant la voix, pour que tout le monde puisse bien le comprendre :

– ... mais aussi des chacals de cette espèce !

Revenant à elle il lui demanda, curieux de savoir :

– Dis-moi... qui était le type à qui tu as emprunté la carabine et avec qui tu conversais tout à l'heure ?

L'aîné, n'en pouvant plus de garder la nouvelle, répondit avant que leur mère n'ait le temps de dire quoi que ce soit :

– C'était le grand Buffalo Bill en personne, papa !

– Il nous a même donné des billets pour aller à son cirque. Regardez ! compléta le plus jeune tout en les montrant.

Entendant aboyer, ils aperçurent Newton, libéré du filet à poisson par le barman. Il courut aussitôt vers eux en branlant la queue. Edison, très content de le revoir, s'accroupit pour pouvoir le prendre dans ses bras.

– Mon chien ! dit-il en lui faisant des câlins, pendant un petit moment tu sais... j'ai cru que je n'allais plus te revoir.

Düger, qui n'avait pas quitté des yeux Cybril, baissa la tête, regarda ses deux fils et voulut en savoir plus sur ce qui était arrivé au chien.

– Comment se fait-il qu'il n'était pas avec vous ? Que lui est-il arrivé ?

Comme il eut un pressentiment, il se tourna vers Cromwell, qu'il surprit en train de lever sournoisement sa canne vers Newton. Décelant vite le subterfuge, il sortit rapidement ses revolvers automatiques qu'il venait tout juste d'acheter et qu'il avait déjà sur lui sous son long manteau. Il ne manqua pas de le lui faire savoir avec vigueur.

– Remets ta canne à sa place, Cromwell !

Pistolets en main, il s'avança fièrement vers lui. Arrivé en face de ce dernier, il s'arrêta à environ trois mètres et lui dit, en le regardant droit dans les yeux et en ne le ménageant pas :

– Espèce de lâche ! Combien de gens as-tu tués avec ton petit subterfuge ? Je doute que tu nous le dises, je me trompe ? Eh bien je ne te laisserai pas réserver le même sort à mon beau-père Wilmor Baxton dans ce duel que tu as habilement truqué !

Descendant du trottoir, il lui répondit :

– Je ne sais pas de quoi tu parles. S'il le veut, il peut toujours se désister. Je lui ai donné assez de temps pour cela, il me semble.

Ne lui laissant aucune chance, le savant se fit plus virulent.

– Hypocrite ! Là encore tu savais qu'il était un homme d'honneur et qu'il ne se désisterait pas. Mais si je suis venu à Garbaine City, Cromwell, c'est justement pour régler cette affaire une fois pour toutes. Crois-moi que cette fois, tu en sortiras confondu plus que tout autre ne l'a été jusqu'ici avant toi.

Après avoir remis ses pistolets dans leur étui respectif il sourit, et se tourna pour regarder Cybril et ses deux fils. Il poursuivit en conviant le baron à un autre duel auquel ce dernier ne s'attendait pas du tout. Il se présenta, mit les choses en lumière et lui lança un défi :

– D'abord je me présente, docteur Evans F. Düger. Je m'intéresse beaucoup à la science. Disons que j'excelle dans l'art de tuer le temps. Celle qui a failli t'arracher le dessus du crâne tout à l'heure avec une balle c'est Cybril Baxton, ma femme.

– Dommage qu'elle n'ait pas visé un peu plus bas ! cria le barman, qui en avait gros sur le cœur.

– Elle est la fille unique de Wilmor Baxton, reprit Düger. Par conséquent, après son père, c'est la seule descendante de Charles-Philippe Baxton, duc d'Édimbourg.

S'arrêtant, il jeta un regard sur la foule tout autour de lui :

– Tout à l'heure, au magasin général, quelqu'un parlait du juge Hodge et a dit qu'il était au saloon d'en face. Est-il ici ? J'aimerais qu'il soit témoin de ce que je vais déclarer.

L'homme de loi lui répondit en s'avançant :

– Je suis ici. Vas-y, on t'écoute !

Prenant la parole, il s'adressa à Cromwell haut et fort, le juge se tenant à ses côtés :

– Je te mets au défi, Cromwell ! Je te dis devant le juge Hodge et tous ceux ici présents qu'avant ce duel, j'apporterai l'original d'un document portant le sceau du duché d'Édimbourg qui prouve hors de tout doute que Wilmor Baxton ainsi que sa fille unique, Cybril, sont les seuls héritiers du château avec tous les titres s'y rattachant. Robert Cromwell, comte d'Oxford, n'est qu'un voleur de premier ordre qui a profité de la région alors dévastée par le passage des Vikings au début du onzième siècle pour s'en approprier en y substituant un faux document. Amély Baxton, fille unique du duc d'Édimbourg Charles-Philippe Baxton, échappa miraculeusement à ce carnage et épousa par la suite un cousin germain du nom de Tristan Baxton, une lettre en faisant foi. Ceci étant dit, je reviendrai avec cette preuve incontestable. Ainsi, les masques du mensonge et de l'hypocrisie tomberont à jamais !

L'exécrable loyaliste, qui jusqu'ici s'était tu, s'écria :

– C'est impossible !

– Je regrette, c'est possible, rétorqua le savant, nullement impressionné. Après cela Cromwell, tu reprendras le train pour New York, d'où tu quitteras les États-Unis d'Amérique par le prochain bateau à destination de l'Angleterre pour ne plus jamais y revenir. Est-ce assez clair ?

Obstiné et toujours plein d'arrogance, il répondit :

– Et si je refuse ?

Düger, connu pour sa verve et ses réparties, termina l'échange et lui cloua le bec par ce proverbe latin.

– *Bis dat, qui cito dat !*

Puis, arborant un large sourire et reluquant le juge, il compléta d'un air moqueur :

– Cela signifie : « Que celui qui oblige promptement, oblige doublement ! » En plus clair : « Un homme averti en vaut deux ! »

– Ça va être ta fête ! Ce n'est pas ce que tu voulais, hein ! Tout le monde ici en a plein le dos de ton cynisme et de tes insultes, ajouta le barman.

Cromwell resta muet, la bouche bien serrée, et marcha tranquillement en direction de sa calèche. Tour à tour, quelques-uns murmurèrent :

– C'est bien la première fois que je le vois ainsi !

– Habituellement, il réplique toujours par des insultes.

– Oh, mais attendez encore, il va sûrement craquer.

Edison, qui en avait profité pour se rapprocher, se tenait un peu en retrait dans les premiers rangs de la foule. Ayant entendu ce qui venait de se murmurer, il n'hésita plus et tint fin prêt à lancer de nouveau le chien sur l'exécrable loyaliste, pressentant le pire. Accroupi et l'observant se diriger vers sa voiture, il chuchota :

– Tiens-toi prêt Newton, et attends mon signal. Si le baron se met à nous couvrir d'insultes, tu te lanceras à sa poursuite. Tu devras cependant courir très vite, parce que lui ne négligera pas les coups de fouet sur son cheval afin de nous échapper, tu comprends ?

– Grrr… grogna le berger écossais.

Toutefois Ludwig se faufila à travers la foule pour aller se placer à son insu juste derrière lui. Ayant tout entendu, il sortit un petit pistolet de sa poche de manteau. Ayant entendu le déclic de l'arme et les grognements du chien, Edison se retourna, le vit, et resta figé de stupeur.

– Sauf que cette fois... je crois que ça va être un faux départ, lui dit le valet avec méchanceté, savourant déjà sa victoire.

Surprise également pour le valet, Jack Rabbit l'ayant repéré à son tour. Il intervint juste au bon moment et lui planta son pistolet dans les côtes.

– Hé ! le valet de trèfle, lui dit-il d'un ton sec, remets doucement le chien de ton petit *pistolero* à sa place et jette-le par terre... tout de suite ! Sinon tu auras une côte ou deux en moins… et un gros trou dans le foie.

Ludwig obéit sans rouspéter et laissa tomber son arme. Tout en le gardant en joue il regarda Edison furtivement, lui fit un clin d'œil et lui dit :

– Ramasse son arme petit et donne-la-moi. Et fais ce que tu as à faire.

– Maintenant, espèce de lèche-cul, fit valoir Jack, je te conseille de rester tranquille et de ne pas tenter de jouer au plus malin avec moi, ajouta-t-il tout en lui enfonçant son pistolet dans le côté.

Le jeune garçon avait bien cru être pris au piège ; il était très content d'avoir eu le vieux chercheur d'or pour le sortir de ce mauvais pas. Il le remercia et lui fit des excuses pour ce qu'il lui avait dit juste auparavant dans le saloon.

– Merci Jack... je regrette pour tout à l'heure... j'ignorais que vous étiez orphelin.

– Ce n'est pas grave. À vrai dire je suis content d'avoir fait ta connaissance. J'aime les petits gars qui ont du cran comme toi. Mais s'il y en a un ici qui nous doit des excuses, dit-il en pointant sa tête vers Cromwell, c'est bien ce sale type qui s'en va là-bas. Et puis je crois que ton copain aimerait bien lui remettre le coup du filet, qu'en penses-tu vieux ? ajouta le vieux chercheur d'or en reluquant le chien.

– Grrr… grogna Newton.

– Ouais, tu as raison. Il nous doit des excuses, dit Edison, décidé plus que jamais à le lui faire payer.

Il sortit de la foule et s'avança vers Cromwell pour leur dire avec beaucoup de détermination :

– Jack Rabbit a raison... le baron nous doit des excuses pour toutes les insultes qu'il nous a faites dans le saloon tout à l'heure.

Mais comme la plupart de ceux qui étaient là devinèrent ce qui allait inévitablement se passer, le barman et le juge y allèrent de leurs encouragements.

– Je suis avec toi à 100 % petit !

– Eh bien Cromwell… qu'as-tu à répondre, hein ?

Un grand silence se fit. Comme il fallait s'y attendre, l'exécrable loyaliste se tourna vers eux avec beaucoup de vigueur et leur vociféra :

– Jamais m'entendez-vous ! Jamais !

Edison lui répliqua du tac au tac :

– Ah oui, eh bien c'est ce qu'on va voir !

En l'entendant, Thomas, qui était resté avec ses parents, leur dit :

– Là, il ne faut pas que vous manquiez ça. Je crois même que ce coup-ci on va tous rigoler encore plus que la dernière fois.

À peine avait-il fini de parler que l'on entendit le cri percutant du frangin lançant Newton sur Cromwell :

– Vas-y Newton ! fonce sur lui, et surtout ne le lâche pas tant qu'il ne nous aura pas fait des excuses.

Applaudissements, cris de joie, sifflements et coups de feu tirés en l'air se firent entendre spontanément. Newton fonça en direction du baron qui choisit alors de monter sur la diligence du courrier se trouvant tout près. Il pensa qu'il serait plus en sûreté là et dans une meilleure position pour négocier le retrait du chien, du fait de l'heure et des délais prévus pour la livraison du courrier. Grimpant en catastrophe sous les aboiements et les assauts répétés de Newton, il demanda à avoir la parole. Il leur dit :

– Eh bien, je crois que finalement c'est encore moi qui ai le gros bout du bâton. Bandes d'ignobles attardés ! Ha ! ha ! ha ! Vous ne savez pas encore qu'il faut que le courrier soit livré à l'heure ? Et tant que le gamin ne rappellera pas son chien... la diligence ne bougera pas. Pauvres imbéciles ! Ha ! ha ! ha !

Il riait encore quand Will Bennett, le conducteur de la diligence, sortit de la foule pour rassurer le garçon :

– Ne rappelle pas ton chien petit !

Puis, s'adressant au baron, il poursuivit :

– Tu as entièrement raison Cromwell... la diligence ne bougera pas d'ici. Et pour ce qui est du courrier, je vais tout simplement le décharger et le livrer avec une autre voiture. Ce n'est pas plus grave que ça. Tu resteras donc juché là tant et aussi longtemps que tu ne nous auras pas fait tes excuses.

À ces mots, des cris de joie et des coups de feu tirés en l'air fusèrent de toutes parts. Deux cow-boys y allèrent de leurs bons mots à l'endroit du conducteur.

– Voilà qui est bien dit !

– On est tous avec toi Will !

Le barman de lancer :

– Venez vous autres ! Aidons-lui à dételer les chevaux et à décharger le courrier.

Devant une telle solidarité, le juge voulut faire sa part.

– Tiens Will ! dit-il avec empressement, prends ma voiture. C'est une des meilleures que l'on puisse trouver en ville.

Le silence se faisant à nouveau, Düger prit la parole et s'adressa à Cromwell qui, par ce revirement de situation, avait maintenant le visage crispé et les dents serrées. Le forgeron, prenant plaisir à le voir ainsi, lui fit valoir :

– Comme tu peux voir Cromwell... il n'y a pas beaucoup de place pour les rapaces ici. Alors fais tes excuses. Sinon, tu peux être sûr que tu vas y rester. Crois-moi que tout le monde se fera un plaisir de venir donner à manger à mon chien afin qu'il ne te lâche pas !

Il se mit à marcher de long en large sur le toit de la diligence en marmonnant seul. Puis il s'arrêta et se décida finalement à faire des excuses. Toutefois, il les fit en bredouillant tellement, que ce fut à peine si on arriva à l'entendre.

– Hum... je m'excuse.

– Plus fort que ça ! lui cria Edison.

Mis au pied du mur, exaspéré, il lui cracha :

– Je m'excuse !

– Je trouve ça insuffisant et incomplet, répliqua le petit bout d'homme. Vous allez donc devoir répéter après moi « haut et fort » afin de bien réparer les torts faits à tous.

– Je l'ai fait. Je n'ai donc pas à le refaire. Voilà ! lui répondit le baron récalcitrant en se croisant les bras.

– Bon, OK, si c'est comme ça... vous allez devoir rester là. Voilà ! lui dit à son tour d'un petit air indépendant Edison.

Le barman lui signifia, les quatre doigts repliés dans la paume de la main et le pouce en l'air, qu'il avait bien fait de tenir son bout.

Cromwell marmonna :

– Espèce de petit vermisseau ! Tu mériterais que je te fasse cuire sur une grille !

Finalement, comme il n'avait guère d'autre choix, il obtempéra et lui concéda la partie :

– Bon ça va… je vais faire ce que tu me dis.

Grand silence. La foule attendit ce qu'Edison allait maintenant lui formuler.

– Répétez maintenant après moi. Je tiens à m'excuser auprès de vous tous…, lui dicta-t-il lentement.

– Je tiens à m'excuser auprès de vous tous... répéta le baron.

– ...pour toutes les insultes que j'ai proférées à votre endroit depuis mon arrivée ici, compléta le jeune garçon.

– ...pour toutes les insultes que j'ai proférées à votre endroit depuis mon arrivée ici.

La condition remplie, l'exécrable reprit sans plus attendre :

– Rappelle ton chien, maintenant !

– Reviens Newton. Laisse-le à présent.

Le baron redescendit. Il venait à peine de mettre le pied sur le sol que Jack Rabbit cria :

– Tu as oublié le président des États-Unis d'Amérique !

Un court moment d'accalmie s'ensuivit. Edison reluqua Jack, lui fit un clin d'œil, prit un peu de temps pour regarder les gens tout autour, entre autres Fred Miller — le barman —, le juge Hodge, Will Bennett, son père, sa mère et son frère Thomas. Puis il fixa le baron, qui s'était immobilisé et n'osait même plus murmurer quoi que ce soit. Il leur dit :

– C'est vrai ! Il a oublié le président des États-Unis d'Amérique !

Puis il lança une seconde fois le chien.

– Vas-y Newton ! Fais-nous remonter ce loyaliste sur sa cage !

Encore là, ce fut l'euphorie générale. La foule lui manifesta instantanément son appui par des cris de joie, des sifflements et des coups de feu tirés en l'air.

Cromwell, qui remonta sur le toit de la diligence plus vite que la première fois leur dit, humilié :

– Vous n'avez pas le droit de me faire ça ! Vous n'êtes pas loyaux avec moi... J'irai devant les plus hautes instances !

Le juge tint à lui rappeler :

– Je te signale Cromwell que devant un grand nombre de témoins, tu as dit du président des États-Unis d'Amérique qu'il n'est qu'un petit surintendant de la reine. Pourtant il y a un sacré bout de temps que nous sommes indépendants d'elle.

Le baron leva la tête en l'air comme une oie et se croisa les bras.

– Sais-tu au moins ce qu'il pourrait t'en coûter d'avoir dit une chose comme celle-là dans certains pays, Cromwell ? Alors fais tes excuses à celui qui représente ce pays tout de suite et nous te laisserons partir, ajouta-t-il.

Venant de la part d'une personne comme le juge Hodge, il n'y avait plus d'échappatoire. L'exécrable marmonna et tergiversa encore. Puis finalement il fit ses excuses à l'endroit du président des États-Unis d'Amérique.

– Bon, OK, je m'excuse pour les propos que j'ai tenus tout à l'heure... à l'endroit du président des États-Unis d'Amérique, leur dit-il d'une voix douce.

Edison rappela le chien.

– Ça va, tu peux revenir Newton.

Le silence se fit à nouveau. On n'entendait que le bruit d'un vent léger soulevant la poussière sur le sol. Tous observèrent le baron descendre de la diligence et franchir les derniers mètres vers sa calèche sans regarder personne. Le petit bout d'homme, le voyant dans cet état, se pencha vers son chien pour lui rappeler :

– Tu n'as pas oublié ce que je t'ai dit tout à l'heure, hein Newton ?

Ce dernier hocha la tête, grogna, et branla la queue en signe de compréhension.

– Parce que je parierais toutes les économies de ma tirelire que ce type-là ne partira pas d'ici sans nous avoir insultés à nouveau. Alors tiens-toi prêt et attends mon signal.

Pendant que le jeune garçon donnait ses dernières instructions au chien, Cromwell, qui avait pris place dans sa voiture, avançait déjà. Une distance d'environ 60 mètres le séparait maintenant de la foule qui le guettait. Soudain, il immobilisa sa voiture, se leva carrément debout dans celle-ci, se retourna et se mit à les injurier tous.

– Pauvre fou ! cria-t-il en commençant par Düger, tu n'es qu'un paumé et un incapable comme ton beau-père ! Ha ! ha ! ha !

Il reprit, s'en prenant à tous :

– Vous n'êtes tous que de pauvres habitants arriérés ! Ha ! ha ! ha !

Pendant qu'il riait encore, Edison lança de toutes ses forces :

– Vas-y Newton ! Poursuis-le, et fais-lui en voir de toutes les couleurs !

Il partit comme une balle, fonça sous l'euphorie générale et la poursuite s'amorça.

Cromwell, le voyant venir à vive allure, se rabattit sur son siège en catastrophe et se mit à fouetter son cheval.

– Allez hue ! cria-t-il à la bête, hue ! Plus vite ! Newton le rejoignit et sauta dans le buggy. Le baron, qui avait une grande peur des chiens, s'élança sur le dos de son cheval. Tout cela bien entendu sous les rires et les applaudissements de la foule qui voyait le chien « vainqueur » assis sur le siège du conducteur tête haute et langue sortie. Ce dernier regardait Cromwell qui se tenait difficilement sur l'animal qui filait à toute bride.

L'époustouflante chevauchée terminée, les uns retournèrent au saloon, les autres à leurs occupations en jasant de ce qu'ils appelaient déjà « la bavure de John-Lee Cromwell ». Düger, qui était resté au beau milieu de la grande rue, était très confiant des événements à venir. Cependant, lorsqu'il se retourna, il s'aperçut qu'il en était tout autrement de Cybril, qui se demandait après pareil défi ce qu'elle allait maintenant devenir. Il s'avança avec empressement vers elle pour la consoler et la rassurer. Devinant ce qui l'affligeait, il lui dit :

– Cybril je n'ai pas le choix, c'est la seule solution. Sinon ton père mourra. Si je fais cela… c'est parce que je t'aime et que je ne supporterais pas de te voir malheureuse. Je m'en voudrais de n'avoir rien fait, tu comprends ?

Ces paroles la touchèrent profondément. Elle essuya ses larmes avec un mouchoir brodé qu'elle sortit de la poche de sa robe et lui fit valoir :

– Te rends-tu compte Evans que s'il fallait que tu y restes et qu'en plus de perdre mon père je te perdrais toi ! Je serais alors doublement malheureuse et cela pour le reste de ma vie. Pense aussi à tes fils !

– Je comprends. Mais tout ira bien, tu verras.

Les deux garçons, qui jusqu'ici s'étaient contentés de les écouter, se portèrent volontaires.

– Moi ça ne me fait pas peur, dit l'aîné. Je suis prêt à y aller avec vous père !

– Moi aussi, enchaîna l'autre, j'en ferai un roman que j'intitulerai : *Voyage au fond du Moyen Âge* ou *Perdus dans l'Espace et le Temps* par Edison Düger !

– Désolé les garçons, déclina le père, mais ce sera pour une autre fois.

– Ah ! Ça fait deux fois aujourd'hui que vous nous refusez, répliqua Edison.

– Vous n'êtes tout de même pas pour aller là seul ! fit valoir Thomas.

– En effet, il n'a pas tort, souligna la mère.

Düger les regarda d'un petit air moqueur et leur dévoila, tout en marchant, ce qu'il avait déjà concocté :

– D'abord, étant donné qu'il est déjà 16 h 37 et que le train est déjà reparti, nous passerons la nuit ici à l'hôtel comme prévu. Demain matin après le petit déjeuner, nous repartirons tous ensemble et vous me déposerez à la gare, d'où je prendrai à nouveau le train pour Rusty Valley. Rendu à la maison, je m'occuperai de remettre en marche le Boomerang pour retourner en 1987. Je me rendrai aussitôt à la bibliothèque chercher quelques informations sur les Baxton, l'Écosse et ce fameux château d'Édimbourg. Après cela, je ferai les modifications qui s'imposent sur la machine à voyager dans le temps. Toutefois, comme je porte des vêtements du Far West, je m'y présenterai le 31 octobre, jour de l'Halloween, où tout le monde sera déguisé. Pour cela, je reprendrai la ligne de chemin de fer par laquelle je suis arrivé par le Portail du Temps s'y trouvant, et qui à cette époque ne sert plus et mène à l'ancienne minoterie abandonnée des frères Parisch. Je la mettrai à l'abri de tout soupçon. Ensuite, j'entrerai en contact avec Handy et l'inviterai à venir avec moi au Moyen Âge en Écosse. C'est aussi simple que ça.

– Qu'est-ce qui te fait croire qu'il acceptera ton invitation ? objecta l'épouse.

– Eh bien… dit-il un peu hésitant, parce que c'est mon meilleur ami. Il sera peut-être un peu surpris de me revoir, mais il acceptera j'en suis sûr. Nous retrouver à nouveau réunis ensemble va nous rappeler de bons souvenirs.

— Et comment comptes-tu mettre en marche le Boomerang et atteindre une vitesse suffisamment élevée et nécessaire pour franchir la barrière du temps ? demanda-t-elle avec un petit sourire presque malicieux.

— Je construirai une rampe très haute, presque à 90° et je le lancerai dessus ! Ou encore je le pousserai avec une locomotive chauffée à blanc, bégaya Düger, emporté par la question soulevée et la volonté de réussir à tout prix.

S'arrêtant et les voyant souriants, muets et semblant lui cacher quelque chose, il leur demanda :

— Qu'est-ce que vous me cachez là ? Vous me paraissez tous complices !

— Eh bien, c'est qu'on a réussi à le faire démarrer l'autre jour, répondit le cadet, rompant le silence.

— Quoi ? s'exclama le père.

— Tout à fait ! dit Thomas. On a colmaté le trou du réservoir avec du bitume, on a tourné le moteur à la main pour huiler les cylindres et les pistons comme tu nous l'avais recommandé, et maman a fait démarrer le moteur après avoir donné trois bons coups sur l'accélérateur !

— C'est grâce à l'éthanol ! lança Edison.

— De l'éthanol… murmura Düger en regardant Cybril qui lui souriait.

En effet, la biochimiste qu'elle était avait découvert dans la Shelby un journal de l'époque de son mari, et elle était tombée sur un petit article de la première page intitulé : « L'éthanol : un carburant non polluant ! ».

L'article révélait en détail tout le procédé d'extraction et de raffinage du révolutionnaire liquide provenant de l'épi de maïs et surtout, de son avantage à l'utiliser comme carburant non dommageable pour l'environnement à l'aube du XXIe siècle.

Celle-ci lui en fit alors l'aveu.

— Exact ! Le printemps dernier, en faisant un peu de ménage dans le petit bâtiment abritant la Shelby, j'ai voulu me reposer quelques instants. J'ai donc ouvert la portière côté conducteur pour m'y asseoir et j'y ai vu un vieux journal qui traînait sous le siège. Je l'ai pris, il était tout jauni et daté du 26 juin 1987. Ce titre apparaissant au bas de la première page attira aussitôt ma curiosité de biochimiste. On y parlait de l'utilisation de l'épi de maïs comme carburant pour l'automobile en extrayant tout le C_2H_5OH qu'il contenait, ainsi que la manière d'y parvenir. Partant de là, secrètement, je me suis promis de tenter le coup dès la première récolte de maïs. Et j'ai réussi, ça fonctionne. Il m'en reste environ un litre dans un contenant de verre que j'ai laissé sur la première tablette de la grande armoire du hangar.

– Par tous les capitaines Nemo de la terre ! s'écria Düger. C'est bien trop vrai… l'éthanol, comment n'y ai-je pas pensé ? Cybril tu es un vrai génie ! ajouta-t-il en riant.

– Eh bien disons plutôt que j'aimerais en être un tout droit sorti d'une lampe pour pouvoir tirer mon père de ce mauvais pas sans que tu sois obligé de t'impliquer. Cela serait la meilleur solution pour tous, dit l'épouse résignée.

– C'est quand même une bonne partie du problème qui est résolue, tint à souligner Thomas.

– Parfaitement ! dit le père.

– Et nous, qu'allons-nous faire durant tout ce temps ? Où et à quel moment nous reverrons-nous ? demanda Cybril.

Le savant convint avec elle de la date et de l'heure précise où ils se retrouveraient.

– Voilà, après m'avoir déposé à la gare, tu iras chez tes parents avec Thomas et Edison. Sans oublier bien entendu Newton. Vous y resterez jusqu'à mon retour. Hum, voyons... nous sommes le jeudi 17 octobre 1895. Cela veut dire que nous nous reverrons ici même en face de ce saloon le vendredi 25 octobre 1895 à 14 h, soit à peine une heure avant l'heure fatidique de ce duel. Tu t'arrangeras pour que ton père, Cromwell, ainsi que le juge Hodge soient tous là. Maintenant que tout est bien convenu et que toutes les aiguilles qui marquent le temps ont déjà commencé à avancer, rentrons à notre hôtel. Profitons des quelques heures qu'il nous reste pour prendre un copieux repas et une bonne nuit de sommeil. Nous en avons tous besoin.

Ces dernières recommandations faites, et au moment où toute la famille était sur le point d'entrer à l'hôtel, la propriétaire de la boutique de vêtements pour dames, Fergie Ross, arriva en courant.

– Hé vous là Madame ! dit-elle d'un air préoccupé à Cybril. Vous ne pouvez pas partir comme ça avec cette robe, voyons ! Enfin, la prenez-vous ? Sinon, il faudrait me la remettre.

Réalisant la chose, fort mal à l'aise, elle s'exclama :

– Mon Dieu ! Qu'est-ce que je fais là... c'est bien trop vrai. Mille excuses Madame Ross. J'ai été tellement prise par ce qui était en train d'arriver à mes fils que j'ai complètement oublié que j'étais sortie dehors avec une de vos robes sur le dos. Comme vous avez pu le constater par vous-même, j'ai dû agir de façon impromptue. Encore une fois mille excuses. Je vais vous la rendre de ce pas.

La robe de velours d'un rouge écarlate presque identique à celle que portait Scarlett O'Hara dans le film *Autant en emporte le vent* lui allait magnifiquement bien. Düger s'interposa pour lui dire d'une voix remplie d'émotion, juste avant qu'elle ne parte :

– Cybril... les circonstances jusqu'ici ne m'ont peut-être pas donné l'occasion de te le dire, mais tu es vraiment magnifique dans cette robe à la « Scarlett O'Hara ». Je te l'offre !

– Mais Evans... cette robe doit valoir dans les 60 dollars ou plus, dit-elle un peu troublée.

– Elle vaut 75 dollars avec le chapeau et l'ombrelle, lui précisa Fergie. Mais pour une dame qui a eu assez de cran pour tirer à bout portant sur quelqu'un d'aussi exécrable que ce Cromwell, je vous la laisse à 60 dollars tout compris. Est-ce que ça vous va comme ça ?

– Ça me convient, lui répondit aussitôt le mari, qui ne voulut pas laisser passer une telle offre. Seulement... pouvez-vous me la mettre de côté moyennant un acompte de 20 dollars ? Je reviendrai dans exactement huit jours et vous donnerai la différence. Je bénéficierai d'une bonne prime à mon retour, compléta-t-il, voulant parler de la rançon qu'il allait toucher pour la capture de Rude Tyken et sa bande.

– Il n'y a aucun problème Monsieur. Marché conclu !

– Tenez, voilà les 20 dollars.

– Merci. Je donnerai le reçu à votre dame, lui dit Fergie, qui se dirigea aussitôt vers sa boutique.

– Merci Evans ! lui dit Cybril en l'embrassant tendrement. Bon, il faut que j'y aille maintenant... ce ne sera pas long, leur dit-elle à tous.

– Prends tout le temps qu'il te faut, nous t'attendons ici.

Puis elle les quitta.

— 8 —

LE LENDEMAIN MATIN, Düger mettait les bagages dans la voiture. Jack Rabbit était en train de charger sa mule et se préparait à repartir pour le Yukon. Apercevant les deux jeunes garçons qui passaient juste derrière lui, il leur fit signe et les appela à voix basse :

– Hé ! Venez ici vous deux ! J'ai quelque chose pour vous.

Thomas et Edison se regardèrent mutuellement quelques instants en haussant les épaules. Ils avancèrent tranquillement vers le vieux trappeur. Il sortit alors de la poche intérieure de sa veste un petit étui en daim, duquel il fit tomber dans la paume de sa main une magnifique pièce d'or. Il les regarda en souriant, et tout en l'exhibant il leur dit de sa voix rauque :

– Vous savez maintenant que je suis orphelin et que je n'ai jamais connu ni mon père ni ma mère. Aussi, je ne voudrais pas qu'une chose comme celle-là vous arrive... même pour tout l'or du monde. En gage d'amitié, je vous donne ma première pièce d'or que j'ai toujours gardée précieusement sur moi ; c'est en quelque sorte mon porte-bonheur.

La glissant dans l'étui, il la remit à Edison.

– Je ne vous interdis pas de l'échanger contre quelque chose que vous aimeriez vous payer un jour, ajouta-t-il en riant. Je sais ce que c'est que d'être jeune. Au contraire ! Offrez-vous cette chose en souvenir de votre vieil ami Jack Rabbit. Qui sait, peut-être même qu'elle contribuera à vous sortir d'un mauvais pas !

L'aîné s'y opposa.

– C'est beaucoup trop voyons ! On ne peut accepter une chose comme celle-là. Elle représente ce que vous avez de plus précieux Jack. Cela vous appartient.

Rien à faire. Il y tenait mordicus.

– Voulez-vous me faire plaisir ? leur demanda-t-il les yeux baignant dans l'eau. Alors acceptez cette pièce d'or et gardez-la ! Ma vie s'achèvera bien avant vous, et je ne l'emmènerai pas au paradis.

Face à une telle insistance de sa part, ils se plièrent à ce qui semblait être son plus grand désir et le remercièrent, émus à leur tour.

Puis il partit. Leur père, qui venait de placer les derniers bagages dans la voiture, leur lança :

– Thomas ! Edison ! C'est l'heure. Il faut y aller à présent.

94

Ils prirent place sur le siège arrière. Leur mère, déjà assise à l'avant, voulut savoir :

— Qui était ce vieux monsieur avec qui vous parliez ?

— Lui, c'est Jack Rabbit, un vieux chercheur d'or que l'on a connu hier au saloon, répondit Thomas.

Ils n'en dirent pas plus et préférèrent garder ce petit secret qui les liait.

Arrivés à la gare, le train qui allait à Rusty Valley crachait sa vapeur. Avant de descendre de la voiture, Düger embrassa tendrement Cybril et voulut la rassurer une dernière fois :

— Crois-moi, tout ira bien, et quand j'en aurai fini avec Cromwell et que justice sera faite, nous irons tous voir le cirque du grand Buffalo Bill. Qu'en dites-vous ? ajouta-t-il en les regardant tous.

— Chic alors ! s'écrièrent Thomas et Edison en bondissant de joie.

Toutefois, comme ils tenaient depuis très longtemps à accompagner leur père dans un voyage spatio-temporel, ils ne purent résister à la tentation. Le plus vieux avait bien planifié ce qui allait être leur première fugue. Aussi, le cadet, de connivence avec son grand frère, demanda à sa mère :

— Maman, est-ce que je pourrais aller au petit coin ? J'ai très envie et je n'en peux plus de me retenir. Sinon, je crois que je vais le faire dans mon pantalon.

Comprenant bien la chose elle lui répondit, ne se doutant de rien :

— Bien sûr. Thomas, accompagne-le, veux-tu !

Les deux garçons savaient déjà qu'elle dirait exactement cela. Ils firent donc semblant d'y aller en entrant par une des portes de la gare pour sortir aussitôt par une autre et courir en se faufilant à travers la foule de passagers amassés sur le quai. Là, très habilement et sans avoir été vus par personne, ils parvinrent à monter clandestinement dans un des wagons de marchandise du train.

Avant, ils saluèrent leur père.

— Au revoir papa, et bonne chance !

— Merci Thomas, et serrons-nous la main comme de vrais gentlemen ! dit-il en lui présentant la main.

Quant à Edison, c'est tout juste s'il ne vendit pas la mèche.

— On se reverra papa... c'est sûr !

Cette façon de le saluer lui fit une drôle d'impression. Reprenant sa phrase, il la lui retourna un peu de la même façon :

— C'est ça fiston. On se reverra... c'est sûr !

Le sifflet de la locomotive se faisant entendre, Düger, qui regardait ses deux fils s'en aller, ne put s'empêcher de confier à Cybril juste avant de monter, ayant un pressentiment :

– C'est bizarre la façon dont Edison m'a répondu, tu ne trouves pas Cybril ?

– Non, je ne trouve pas Evans, répondit-elle.

Puis il monta dans le train.

Seulement, lorsqu'elle se tourna pour voir si elle les apercevait toujours, son instinct maternel lui fit soudainement appréhender le pire. En baissant les yeux, elle découvrit une lettre épinglée sur le siège arrière visiblement écrite par ses fils :

Maman, j'espère que tu ne seras pas trop fâchée contre nous. Nous voulions tellement faire ce voyage avec papa que nous avons décidé d'aller avec lui. Ne t'inquiète pas, nous reviendrons. On t'embrasse bien fort,
Thomas et Edison

À peine avait-elle terminé de la lire qu'elle entendit les aboiements de Newton. Elle regarda partout, affolée, puis le vit. Il était seul. Effrayée par la perspective d'un tel scénario et ne pouvant plus se contenir, elle se leva debout dans la voiture et s'écria :

– Mon Dieu... mais c'est épouvantable ! S'il fallait qu'ils y restent tous, je crois que je deviendrais folle.

Elle eut beau faire des pieds et des mains, crier pour essayer d'empêcher le train de partir, mais en vain, l'engin de métal hurlant était en pleine accélération. Elle n'eut d'autre choix que de surmonter son angoisse et partit chez sa mère en pensant déjà à ce qu'elle devrait lui donner comme explication du fait que ses deux fils n'y seraient pas.

— 9 —

Bénéficiant d'un trajet de retour moins long, le savant ne perdit pas une minute même s'il faisait déjà nuit. Voulant économiser le carburant, il tira avec un attelage de quatre chevaux la Shelby jusque sur la ligne de chemin de fer où se trouvait le Portail du Temps par lequel il était arrivé.

Pendant qu'il s'occupait de toutes les opérations habituelles pour la mise sur rails du bolide, ses deux fils l'observaient silencieusement, cachés près de la voie ferrée. Ils voulurent profiter du coffre arrière laissé légèrement entrouvert pour s'y cacher en se blottissant sous une épaisse couverture.

Regardant avec ses lunettes à infrarouge et apercevant le grand cercle du Portail il murmura :

– OK, il est toujours là.

Il retourna une dernière fois à l'arrière, et Thomas entendit le bruit de ses pas se rapprochant. Il chuchota à son jeune frère :

– Plus un bruit maintenant ! Le voilà qui vient !

Il ferma le coffre, ouvrit la portière, prit place et poursuivit :

– Voyons voir... Nous sommes le samedi 19 octobre 1895 et il est exactement 23 h 47. La bibliothèque de Rusty Valley ouvre à 10 h. Donc, pour disposer de plus de temps au cas où il y aurait de petits pépins, il serait plus sage de programmer le Transfuseur temporel pour le 31 octobre 1987 à 8 h 30 compléta le savant, tout en réglant la programmation de l'appareil.

Tournant la clé, le moteur démarra et le remplissage des trois jauges transparentes s'amorça. Débordant d'enthousiasme et heureux d'effectuer ce retour en 1987, il lança :

– Me revoilà Handy... et joyeuse Halloween !

Ces dernières paroles prononcées, il enclencha la première vitesse et relâcha la pédale d'embrayage. Le Boomerang fonça et entra comme la première fois dans le grand cercle rouge au milieu d'une longue traînée de feu et d'étincelles sur les rails, sous la musique *Johnny B Goode* de Chuck Berry. Le bolide disparut dans une friction d'éclairs pour réapparaître de la même manière en décélérant. Le parachute s'ouvrit et Düger donna une série de coups de freins pour finalement l'immobiliser à la hauteur de l'ancienne minoterie abandonnée Parisch Mills Co.

Opérant le changement d'aiguillage comme prévu, il se dirigea à bas régime vers le vieux bâtiment afin de mettre le Boomerang temporairement à l'abri de tout soupçon.

Quatrième partie

Une Halloween
pas comme les autres

— 10 —

DÜGER, QUI JUSQU'ICI NE VOYAIT dans le voyage dans le temps qu'une utilité positive au service de l'humanité, allait bientôt en découvrir l'envers de la médaille.

Aussi, malgré ce retour en 1987 qu'il venait d'effectuer avec succès grâce à la petite quantité d'éthanol fabriquée par sa femme et croyant peut-être pendant un court moment que la chose allait être des plus simples pour lui, il se trompait. En effet, des imprévus l'attendaient.

Sans qu'il le sache, la compagnie de chemin de fer avait décidé d'entreprendre le démantèlement de la vieille ligne ne servant plus, en commençant par celle conduisant à la minoterie abandonnée et les premiers rails se trouvant à l'intérieur. Résultat, la Shelby s'écrasa lourdement sur le sol.

Le moteur s'étant arrêté sous le choc, il ouvrit la portière pour descendre sous la poussière qui retombait. Il aperçut et lut sur un panneau accroché au mur, toussant dans son mouchoir de coton : « Début des travaux de démantèlement de la ligne ferroviaire prévu pour le 30 octobre 1987. Misère, c'était hier ! Il faut absolument que j'arrive à la dégager d'ici ! ajouta-t-il, se dirigeant aussitôt vers sa camionnette laissée non loin de là et équipée d'un puissant treuil.

— Merde ! s'écria-t-il, j'ai oublié d'éteindre les lumières avant de partir. Je verrai à arranger cela plus tard. Il faut d'abord que je me concentre sur ce que je suis venu faire ici.

Bien décidé à parvenir à ses fins dans cette halte qu'il se devait d'effectuer en 1987 et sachant tout le chemin qu'il lui faudrait faire à pied pour se rendre à la bibliothèque de Rusty Valley, soit environ 25 kilomètres, il allait devoir faire de l'auto-stop.

Marchant en bordure de la route asphaltée, une voiture s'arrêta au moment où Stiff venait en sens inverse sur un scooter, déguisé en Bossu de Notre-Dame. Reconnaissant le savant, il ralentit et s'immobilisa sur l'accotement.

Tout étonné de le voir habillé en maréchal-ferrant du Far West, et croyant avoir affaire au même qu'il venait tout juste de voir chez les McGowan, il lui dit, juste avant qu'il ne monte dans l'automobile :

— Docteur Evans, vous teniez vraiment à nous faire une surprise, n'est-ce pas ?

Même s'il l'avait reconnu, Düger, l'esprit vif comme l'éclair, comprit que son intervention dans le temps avait effectivement porté fruit, et que ce nouveau changement de personnalité de Stiff Tyken en était une conséquence. Devinant la chose mais ne sachant encore rien de l'existence du nouveau Düger que cette question concernait, il le regarda avec un large sourire et lui répondit très ironiquement :

– Bah, disons qu'il faut bien s'amuser un peu Stiff. Après tout, c'est l'Halloween !

Puis il monta, et l'auto partit.

Peu de temps après, Stiff arriva chez les McGowan au moment où Handy s'apprêtait à monter dans sa camionnette pour se rendre à la bibliothèque dans l'espoir de peut-être trouver une explication à ce qui lui arrivait.

Très excité, il s'empressa de lui communiquer :

– Handy, j'ai finalement trouvé le carrosse et les chevaux que tu m'as demandés. Attends de voir, tu ne seras pas déçu. Je les aurai pour ce soir, c'est promis. Ah oui ! j'allais oublier, je viens tout juste de croiser le docteur Evans... Il était déguisé en maréchal-ferrant du Far West. Je crois qu'il voulait nous faire une petite surprise, ajouta-t-il naïvement.

En l'entendant, il changea complètement d'air et, profondément troublé par la nouvelle, il s'écria :

– Quoi ? Es-tu vraiment sûr de ce que tu dis Stiff ?

Le valet le voyant réagir de la sorte et ne comprenant pas sa réaction, crut qu'il avait peut-être gâché quelque chose en lui annonçant cela. Très mal à l'aise et se sentant coupable, il lui répondit :

– Eh bien... hum… oui ! Se-se-seulement j'espère que je n'ai rien gâché. J'ai l'impression d'avoir dit quelque chose qu'il ne fallait pas dire. Hum… je ne savais pas que enfin… dis-moi ce qui se passe Handy !

Encore tout retourné par la nouvelle, il se mit à fixer Stiff avec de grands yeux effrayés et lui dit d'un ton à donner la chair de poule :

– C'est seulement qu'il se passe des choses étranges, Stiff !

Puis, se rapprochant de plus en plus près et le regardant toujours droit dans les yeux il lui répéta très lentement, en pesant ses mots :

– Des choses… étranges !

Le valet se délia la langue pour lui dire :

– À vrai dire Handy... tuuu sembles comprendre des choses que jeeee... ne comprends pas ennncore... eeet touuut çaaa meee donne laaa chairrr deee pouuule...

Montant dans la camionnette, il lui dit à travers la vitre baissée de sa portière, bien déterminé à le découvrir :

102

– En tout cas, moi je veux en avoir le cœur net. Je vais donc sans plus tarder à la bibliothèque pour en savoir davantage sur ces choses étranges qui m'arrivent depuis la nuit dernière.

Il démarra et partit sous la musique *Sweet Dreams* du groupe Eurythmics.

Arrivé en trombe à la bibliothèque et tellement captivé par les choses étranges qui lui arrivaient, il descendit en traversant la rue sans trop regarder et manqua de se faire happer par une automobile venant en sens inverse.

– Hé ! Regarde où tu vas… sinon tu finiras ta journée à la morgue ! cria le conducteur, déguisé en croque-mort.

Lui faisant signe qu'il l'avait compris mais ne s'en souciant guère, il alla vers la bibliothèque et y entra, un peu étourdi.

Rendu en face du bureau de la bibliothécaire, il lui demanda très anxieux, ne tenant plus en place :

– Pardon, la section ésotérisme s'il vous plaît.

– La quatrième vers le milieu à gauche jeune homme, lui répondit-elle en le regardant par-dessus ses lunettes.

Il s'y dirigea sans même lui avoir dit merci, obsédé par l'idée. Il se mit à balayer des yeux les titres des volumes tout en les énumérant à voix basse :

– Voyons voir... *Astrologie chinoise, Tarot et lignes de la main, Sorcellerie et vaudou, Arts divinatoires...* Ah ! voilà exactement le livre dont j'ai besoin. *Présages et rêves prémonitoires,* termina-t-il en le tirant du rayon.

Il commença à lire le livre. Toutefois, lorsqu'il tourna la page et leva les yeux, il aperçut le nouveau Düger, déguisé en Christophe Colomb, qui passait silencieusement au fond de l'allée, entre les étagères, absorbé dans sa lecture. Haussant les épaules, il continua la sienne. Mais quand il tourna la tête de l'autre côté et qu'il vit à l'autre extrémité le même Düger habillé cette fois en maréchal-ferrant du Far West, il ferma le livre et il recula lentement. Tremblant de peur il murmura, les deux Düger ne s'étant toujours pas rendu compte de sa présence :

– Je n'hallucine pas… j'en ai bien vu deux !

Se retournant vivement et se retrouvant face à face avec le nouveau Düger qui venait de l'apercevoir, il s'écria :

– Ah !

Paniquant, il partit sans se retourner vers la sortie en bousculant quelques personnes sur son passage, effrayé :

– Excusez-moi, je ne sais plus ce qui m'arrive ! Je ne sais pas non plus si c'est à cause de ce cauchemar de la nuit dernière ! Je le vois partout habillé différemment à présent !

Il dévala l'escalier en passant près de tomber. Il traversa la rue, remonta dans sa camionnette, démarra et repartit aussi vite qu'il était arrivé.

Le nouveau Düger philanthrope, qui n'avait même pas eu le temps de lui dire quoi que ce soit, s'aperçut que tout le monde le dévisageait. La bibliothécaire, debout les bras croisés, le dardait de son regard, furieuse.

– Hum, excusez-le... je ne sais pas ce qui le tourmente à ce point. C'est la première fois que je le vois dans pareil état.

– Dans ce cas Monsieur, il faudrait penser très sérieusement à le faire exorciser, est-ce assez clair ! Non mais, vous vous croyez où ici, hein ! lui dit-elle en colère.

– Oui, je comprends. Vous avez sans doute raison. Je veillerai à ce que cela ne se reproduise plus.

Le véritable Evans F. Düger, qui était arrivé avant son homologue de 1987, avait dû quitter les lieux le premier. Il avait eu le bon réflexe de se cacher derrière une étagère. Ayant tout entendu et connaissant les conséquences qu'il y avait d'être vu par son autre soi-même dans les voyages dans le temps, il en avait profité pour filer à l'anglaise durant l'échange.

Rendu à l'extérieur, il s'était mis un peu en retrait pour le guetter. Lorsque le nouveau Düger sortit, il le suivit de loin en se cachant, tantôt en longeant une haie, tantôt derrière les automobiles stationnées en bordure de la rue. Puis là, le regardant monter dans cette nouvelle Shelby transformée en aérohydroglisseur, il s'exclama d'abord, à la fois stupéfait, troublé, et n'y comprenant rien :

– Par tous les capitaines Nemo de la terre ! J'ai un homologue vivant en 1987... Comment se fait-il ? Et il a une Shelby transformée en aérohydroglisseur ! Dieu soit loué ! En plein le véhicule qu'il me faut ! dit-il, content de disposer d'une si belle opportunité.

Tout en le regardant partir, se parlant à lui-même, il ajouta, encore sous le choc :

– Je dois absolument entrer en contact avec Handy, c'est impératif. Mais comment ? Je comprends qu'il soit perturbé, maintenant !

Il quitta les lieux à son tour sans trop savoir où il irait. Au même moment, ses fils, sans qu'il le sache encore, étaient sortis de leur cachette et avaient hâte de voir à quoi ressemblait le monde de 1987.

Après avoir marché durant un peu plus d'une heure et demie, ils franchirent le muret de briques portant l'inscription du lotissement *Rosen Estates.*

Y pénétrant et passant en face de l'hôtel de ville, les aiguilles de la grande horloge centenaire indiquant 10 h 52, le cadet s'arrêta et dit au grand frère, se levant la tête et l'admirant :

– Regarde… elle est toujours là !

Revenant sur leurs pas, ils traversèrent le Courthouse Square Park et arrivèrent à proximité de la station-service Texaco située à l'angle des avenues Franklin et Gersh. Ils étaient éblouis, pour ne pas dire étourdis, par tout ce qu'ils voyaient.

– As-tu vu tous ces modèles de voitures qui roulent sans chevaux ! s'écria Thomas.

– Hé, regarde celui-là... il est énorme ! lui dit son cadet en pointant le camion-citerne venant ravitailler la station-service.

S'apprêtant à traverser au feu rouge, un vieux clochard surnommé Max les poubelles, se trouvant juste derrière eux, les retint en les agrippant par le bras.

– Hé ! On ne vous a pas appris à respecter les feux de circulation ? Et vous savez pourquoi…

Se penchant, il leur chuchota :

– Entendez-vous ce bruit de moteur... c'est celui de la motocyclette de « Bike Stevens ». C'est un maniaque de la vitesse. Un fou dangereux. Il s'en vient et va passer à plus de 160 km/h !

Le vrombissement du moteur se faisant de plus en plus fort, le motocycliste passa à toute vitesse. Complètement sidérés par la performance de ce nouvel engin, les deux garçons ne purent contenir leurs émotions :

– Wow ! C'est incroyable !

– Ça alors ! On aurait dit une fusée sur des roues ! compléta Edison, les yeux encore ronds d'éblouissement.

Le clochard leur confia, irrité, se vidant le cœur :

– Vous voyez ce que je veux dire maintenant par « maniaque de la vitesse ». Des fous comme lui il y en a plein aujourd'hui dans nos villes. Du reste, tout est de plus en plus rapide, c'est le siècle de la vitesse. Rusty Valley n'y échappe pas. Il est de plus en plus difficile de dormir sur un banc de parc. Il y a toujours un de ces paranos qui surgit de nulle part ou d'ailleurs en plein jour comme au beau milieu de la nuit. Tout le monde court en plus de ça, au point d'en faire des crises cardiaques. Et ça, je n'arrive pas à m'y faire. Ouais, des fois je ne sais pas ce que je donnerais pour vivre cent ans en arrière. Enfin, que voulez-vous, c'est la vie... ajouta-t-il nostalgique.

Max reprit, étonné qu'ils ne le sachent pas, et leur expliqua le fonctionnement des feux de circulation :

– Mais les feux, à votre âge, vous devriez savoir ça ! Je ne comprends pas... Ce n'est pourtant pas difficile. Enfin voilà, je vous explique. Il faut toujours regarder le feu qui s'allume devant vous. Là, il vient de tomber au rouge vous voyez... ça veut dire qu'on ne doit pas traverser. Au jaune également... surtout s'il y a un certain Bike Stevens qui s'amène. C'est seulement au vert qu'on peut y aller. Donc à l'avenir, si vous ne voulez pas vous retrouver aplatis comme des crêpes, il vaut mieux bien observer, vous comprenez ?

– Merci Monsieur. On se souviendra de la leçon, répondirent Thomas et Edison en le quittant.

Quelques minutes plus tard, ayant repris la rue Principale, ils aperçurent une énorme enseigne sur laquelle on pouvait lire P. Thompson & Sons Co. Store (Since 1890). Ils s'arrêtèrent devant ce qui leur sembla être l'emplacement du magasin général de Phil Thompson en 1895. Depuis, c'était devenu un immense magasin à grande surface de type quincaillerie avec de chaque côté une boutique pour petits animaux, Dinky's Pet Shop et un salon de barbier, le Romano's barber Shop.

– Tu as vu ça ! C'est bien l'emplacement du magasin général de Phil Thompson... Il est devenu immense, s'exclama le cadet, reconnaissant bien l'endroit.

Thomas, qui faisait déjà du lèche-vitrine, était ébloui par tout ce qu'il voyait, particulièrement les appareils électroniques comme les téléviseurs, les chaînes stéréo, les magnétoscopes, les caméras, etc.

– Edison, viens voir toutes ces nouvelles inventions. C'est fascinant, elles ne transmettent plus seulement la voix, mais également les images.

Il s'approcha, colla son nez sur la vitre et les dévorant des yeux il dit, complètement renversé :

– Par tous les capitaines Nemo de la terre ! Alexander Graham Bell et Thomas Edison ont dû se retourner dans leurs tombes. Et même si papa nous en avait déjà parlé un peu, le voir dépasse tout ce qu'on pouvait imaginer...

Se tournant l'un vers l'autre, une grande question existentielle leur vint à l'esprit.

– Mais si Phil Thompson n'est plus de ce monde... qui s'occupe du magasin alors ? se dirent-ils ensemble.

Thomas répondit, le fils de ce dernier étant plus jeune qu'eux en 1895 :

– Cela voudrait dire que c'est le petit Edge qui en serait maintenant le patron ?

Se regardant de nouveau, ils éclatèrent de rire.

– Et que celui-ci, qui n'a que quatre ans en 1895, aurait maintenant, s'il est toujours vivant, quatre-vingt-seize ans ! C'est dingue ! compléta Edison.

– Il n'y a qu'un moyen de le savoir, reprit l'aîné, c'est d'aller le vérifier nous-mêmes. De toute façon, je brûle d'envie d'examiner de plus près toutes ces nouvelles inventions. Qu'avons-nous à perdre alors ?

– Ouais, tout ça est bien beau, seulement qu'arrivera-t-il si celui-ci nous reconnaît ? Tu sais ce que papa nous a toujours répété à propos des voyages dans le temps : « Il faut toujours faire très attention de ne pas briser le continuum Espace-Temps. » Cela pourrait enclencher le processus de la fin de l'univers.

– Voyons Edison... Edge Thompson n'avait que trois ans lorsqu'il nous a vus pour la dernière fois. Il ne peut tout de même pas se souvenir de nous, surtout à l'âge qu'il a maintenant. Alors qui risque rien n'a rien. Allons-y !

En entrant, ils virent une publicité du fabricant Sony, qui passait sur tous les téléviseurs allumés au même canal et où l'annonceur terminait en disant :

– « Vous cherchez le meilleur. Un seul nom, Sony. Ça c'est du hi-fi ! »

Ils se mirent à examiner et à toucher à tout. Ainsi, pendant que Thomas essayait de comprendre le fonctionnement d'un baladeur Sony, Edison s'amusait à faire rouler dans tous les sens une petite camionnette téléguidée, très populaire auprès des jeunes garçons de leur âge.

Toutefois, ce qu'ils ignoraient, c'est que le propriétaire du magasin, Bénédict Thompson, fils de Edge et donc petit-fils de Phil, les avait aperçus très vite grâce à un système de caméras de surveillance.

Les deux Thompson père et fils étaient connus pour être radins. Le premier était effectivement toujours vivant et très lucide malgré son âge, mais se déplaçait en fauteuil roulant électrique à la suite d'une chute qu'il avait faite en manquant la marche du second niveau de plancher, à l'entrée du magasin. Le fils, qui gérait le commerce depuis qu'il avait pris sa retraite, venait de faire tout l'inventaire. Le bilan financier du troisième trimestre, comptant de maigres bénéfices, l'obligeait à ajuster le tir. Il ne voulait plus perdre une seule vente. Seulement, contrairement à ce qu'il pouvait s'attendre cette fois, les deux jeunes louveteaux du Far West allaient lui montrer que « les affaires sont les affaires », peu importe l'âge.

Il alla donc vers eux et les prit un peu par surprise. Mais comme il devait augmenter sa marge de profit, il fit attention pour ne pas leur faire peur ou les froisser. Il les aborda et leur dit, son cigare dans le coin de la bouche :

– C'est du beau stock, hein !

Les deux garçons demeurant silencieux il poursuivit, voulant les mettre davantage à l'aise et dans l'intérêt qu'il avait de leur vendre :

– Donne, je vais te montrer, c'est facile.

Le lui remettant, Edison, qui s'était momentanément arrêté, continua de s'amuser avec la camionnette téléguidée tout en écoutant leur conversation. L'homme au gros cigare sortit alors une cassette audio de sa poche de pantalon, une compilation des meilleurs succès rock and roll de 1956 à 1968. Il pressa le bouton lui permettant de l'insérer, lui posa le casque stéréophonique sur la tête et lui dit, très fébrile de le lui faire essayer :

– À présent, écoute cela !

Enfonçant la touche le faisant fonctionner, il attendit sa réaction.

– Wow ! quel son ! quelle musique ! c'est envoûtant ! s'écria-t-il transporté, n'en croyant pas ses oreilles.

Bénédict vanta alors la haute technologie japonaise en ce domaine.

– Il n'y a rien de surprenant petit... c'est du « made in Japan », les maîtres incontestés du monde de l'électronique. Et ça, c'est leur tout dernier modèle fabriqué par le géant Sony. On peut même y raccorder un microphone ou des haut-parleurs grâce à ces petits trous qui se trouvent sur le côté ici. Avec les fils fournis par le fabricant, ce petit bijou peut se transformer en un clin d'œil en une véritable chaîne stéréo haute-fidélité.

Bien qu'il était ingénieux et inventeur dans l'âme tout comme son père, Thomas, qui n'avait pas vraiment tout saisi, ne voulut pas éveiller le moindre soupçon. Et reluquant les abréviations hi-fi sur une affiche accrochée au plafond, il lui répéta ce qu'il venait tout juste d'entendre à la télévision, avant qu'il n'arrive :

– Ouais, ça c'est du hi-fi !

Edison, qui jusqu'ici n'avait pas prononcé un seul mot, s'arrêta brusquement et, laissant le jouet, s'avança pour lui demander :

– Pardon Monsieur, est-ce que Edge Thompson est toujours vivant ?

– Bien sûr, il est dans l'arrière-boutique et regarde le match de football à la télévision. Seulement, il y a deux ans, il a fait une chute et s'est cassé les deux jambes. Depuis il se déplace en fauteuil roulant électrique. Mais c'est curieux ça... Vous devez être nouveaux dans le coin parce que je suis Bénédict, son fils, c'est moi qui m'occupe du magasin depuis qu'il s'est retiré il y a de cela vingt ans déjà.

Très futé, le grand frère se tira bien d'affaire en lui fournissant une explication.

– À vrai dire nous sommes seulement de passage. Nos parents ont décidé de venir fêter l'Halloween à Rusty Valley chez des amis, et nous ont amenés avec eux.

Malgré cela, le cadet passa près de vendre la mèche lorsqu'il ajouta :

– Donc, si je comprends bien, vous êtes le petit-fils de Phil Thompson ?

– C'est exact petit, mais je trouve bizarre de la part de jeunes gars comme vous l'intérêt que vous semblez porter envers Phil et Edge. Et puis, comment se fait-il que vous semblez les connaître, alors que vous ne me connaissez pas ?

Coincé, Thomas s'empressa de répondre en improvisant :

– C'est que c'est notre grand-père... oui, notre grand-père... voilà ! C'est notre grand-père qui l'a connu et qui nous a parlé de lui. C'est pour ça que nous le connaissons.

– Il fallait le dire avant, voyons ! s'exclama le gérant.

Bien qu'avisé, il voulut néanmoins savoir :

– Et quel est le nom de votre grand-père ?

Encore là, le débrouillard dut faire très vite. Une idée lui traversa l'esprit. Revoyant dans sa tête divers noms qui apparaissaient en gros titres sur les couvertures de différents magazines, très vif d'esprit, il lui balança :

– Dalton ! Timothy Dalton !

– Mais tout le monde l'appelle Tim ! ajouta plein de sérieux Edison.

Bénédict, qui tenait son cigare d'une main et se grattait la tête de l'autre, ne semblait guère convaincu.

Au même moment, le nouveau Düger vivant en 1987 et déguisé en Christophe Colomb arriva en trombe avec sa Shelby décapotable convertie en aérohydroglisseur.

– Mais c'est Evans Düger... Qu'est-ce qu'il peut bien me vouloir encore celui-là ?

Du tac au tac, les deux garçons s'écrièrent ensemble, croyant que c'était vraiment leur père :

– Evans Düger !

– Euh... oui ! C'est bien lui. Vous le connaissez aussi ? leur dit-il se retournant vivement et ne comprenant pas une telle réaction de leur part.

– Ce n'est rien ! C'est juste... que... dit Thomas.

– Juste quoi ! l'interrompit Bénédict en haussant le ton, agacé par leurs tergiversations.

– Il voulait juste dire que c'est un grand savant ! acheva le petit frère.

Bénédict, qui ne savait plus trop quoi penser, resta quand même sceptique. Il partit en secouant la tête et alla vers le nouveau Düger, qui venait d'entrer dans le magasin, croyant avoir affaire au même.

S'accroupissant derrière la rangée de tablettes où ils se trouvaient, ils l'observèrent.

– Qu'est-ce qu'on fait maintenant ?

– Attendons… on va voir, lui chuchota le grand frère.

Arrivé près de son client, il le salua et lui dit, content de le servir :

– Salut Evans ! Dis donc… ce déguisement te va à merveille mon vieux. Qu'est-ce que je peux faire pour toi ?

– Eh bien… j'ai perdu mes petits piquets pour ma tente. Comme je prévois m'en servir prochainement et que je passais par ici, j'ai pensé arrêter afin de m'en procurer d'autres. Seulement je peux revenir lundi, si tu es trop occupé.

– Non, non, non, j'ai le temps, je vais te les chercher tout de suite. Combien en veux-tu ?

– Huit !

– Bon, OK, attends-moi ici, je reviens.

– Et ne me fais pas de facture ! Tu mettras cela sur mon compte ! lui cria-t-il.

Les deux garçons, qui n'avaient pas bougé de l'endroit où ils étaient, se rendirent compte assez vite qu'il ne s'agissait pas de leur père, mais de son homologue qui vivait en 1987.

– Thomas, dis-moi si notre père, enfin je veux dire cet autre exemplaire de lui-même existe, pourquoi n'existons-nous pas ? lui fit remarquer son cadet, fort troublé.

– Ça c'est une très bonne question, petit frère. Nous l'éluciderons un peu plus tard, si tu le veux bien. Pour l'instant, contentons-nous de l'observer.

Revenant rapidement avec ce qu'il lui avait demandé, l'ami gérant de longue date lui dit, d'une voix essoufflée :

– Tiens, voilà tes piquets Evans… Les meilleurs à part ça !

Dans l'arrière-boutique, le vieux Edge regardait son match de football à la télévision. C'était les Bears de Chicago contre les Cowboys de Dallas. On n'entendait que la voix du commentateur sportif. « Les Bears qui traînent de l'arrière par 31 points avec ce dernier but des Cowboys n'ont plus beaucoup d'espoir à présent de l'emporter et le moral est visiblement à son plus bas de leur côté. »

– Merde ! Moi qui avais parié sur Chicago avec Victor Ashly, lâcha-t-il de sa voix claire et grincheuse juste avant la pause publicitaire.

Il prit sa pipe et la bourra. Il fouilla dans la poche de sa chemise à carreaux en flanelle rouge et noire et réalisa qu'il n'avait plus une seule allumette. Il appela son fils :

– Bénédict ! Je n'ai plus de feu. M'apporterais-tu des allumettes ?

Comme il se trouvait complètement à l'avant du magasin et que celui-ci ne l'entendait pas, il cria plus fort :

– Bénédict ! Bénédict !

N'ayant toujours pas de réponse, il décida d'aller en chercher lui-même.

Près de l'entrée, sur le point de partir, le nouveau Düger remerciait le gérant et soulignait la qualité de son service.

– Merci Bénédict. Toujours un aussi bon service. Je voyage beaucoup et je dois dire que je n'en ai pas encore rencontré d'égal ailleurs. Sois assuré que je repasserai lundi pour te payer tout ce que je te dois, ajouta-t-il en poussant la grande porte.

Sorti et monté sur son aérohydroglisseur qu'il avait stationné en face du magasin, Bénédict lui lança, curieux de savoir :

– Hé ! Evans… c'est quoi ce nouvel engin ?

– Ça, c'est mon tout nouveau véhicule récréatif… un aérohydroglisseur ! répondit le nouveau savant philanthrope, fier de le lui apprendre.

Les deux garçons, qui l'entendirent, s'exclamèrent :

– Tu as entendu Edison, il a un aérohydroglisseur, qui de plus ressemble étrangement à celui que j'avais dessiné, ajouta le grand frère.

– Ouais ! C'est papa qui va être content de l'apprendre.

Bénédict, qui les entendit, tourna la tête quelques secondes pour regarder dans leur direction et poursuivit :

– Et ça avance comment, ton aérohydroglisseur ?

– À l'hydrogène ! Il est muni d'un puissant réacteur à propulsion, et grâce à ce coussin d'air que je lui ai ajouté, il peut voler à la vitesse du son et se déplacer sur à peu près tous les types de terrains. Veux-tu monter avec moi et en faire l'essai ?

– Écoute vieux... j'irais bien avec toi, mais je ne peux laisser mon père seul et le magasin sans surveillance. Je te remercie quand même, ce sera pour une autre fois, lui répondit-il, peureux qu'il était et prétextant la responsabilité de son père.

– Bon, eh bien dans ce cas… à la prochaine !

Le saluant, il démarra le réacteur et partit en faisant vibrer toutes les vitrines du magasin. Immobile, les yeux grands comme un hibou, le cigare pendant sur la lèvre inférieure, Bénédict sortit un mouchoir de coton de la poche de son pantalon avec sa main droite, s'épongea le visage et lâcha un grand soupir de soulagement :

– Dieu du ciel... Ce fou d'Evans a failli faire éclater mes vitrines en mille miettes !

– Wow ! Tu as vu ça !

– Et il a dit que ça peut se déplacer sur à peu près tous les types de terrains et que ça peut même voler à la vitesse du son ! s'exclamèrent quant à eux Thomas et Edison, se tenant à présent debout dans l'allée.

Edge, qui durant ce temps roulait tranquillement vers l'avant du magasin, arriva au même moment juste derrière eux sans qu'ils aient le temps de s'en rendre compte. Il les avait entendus.

– Depuis que l'homme a posé le pied sur la Lune et projette d'aller sur Mars à bord d'une navette spatiale qui va dans l'espace... et qui ensuite revient sur la terre comme s'il ne s'agissait que d'un voyage New York-Los Angeles, il ne faut plus te surprendre de rien, petit.

– Jules Verne avait donc raison, rétorqua Edison en se retournant avec son grand frère, qui préféra rester muet.

– Non seulement il a eu raison, mais à mon avis c'est le plus grand visionnaire de tous les temps car, à l'époque où il vivait, qui l'aurait cru ? Aussi, de tous ses célèbres romans, celui qui me passionna le plus et que j'ai lu et relu nombre de fois est *De la Terre à la Lune*. Peut-être même vais-je vous surprendre tous les deux si je vous dis qu'après toutes ces années, Dieu que j'aurais aimé être astronaute et voyager dans l'espace. Mais des critères d'admission très élevés établis par la NASA, comme mon niveau d'études peu élevé ainsi que mon âge m'ont empêché de réaliser ce grand rêve ! C'est pourquoi ne gaspillez pas votre temps et n'hésitez pas à aller à l'université. La chance d'atteindre vos plus grandes aspirations ne passera probablement qu'une seule fois dans votre vie. Croyez-en mon expérience.

S'amenant pendant qu'il leur parlait encore et se plaçant au milieu d'eux, l'autre Thompson les regarda d'un air narquois et leur dit :

– Vous me demandiez des nouvelles d'Edge tout à l'heure. Eh bien le voilà en chair et en os devant vous, en train de vous parler de son rêve de devenir astronaute.

– Comme ça, vous êtes Edge Thompson, le fils de Phil Thompson ? lui demanda Thomas.

– C'est bien ça mon grand ! répondit Edge, surpris comme son fils de l'intérêt qu'ils semblaient avoir pour son père Phil et lui.

Bénédict clarifia :

– Ces deux jeunes garçons m'ont dit tout à l'heure que leur grand-père, un nommé Timothy Dalton, vous connaissait. Mais avant d'aller plus loin, vous n'étiez pas en train de regarder votre match de football à la télévision ? Habituellement vous ne voulez rien perdre de la partie et vous ne voulez pas être dérangé.

– C'est simple ! répliqua le père d'un ton aigri, je n'avais plus de feu pour allumer ma pipe et je t'ai appelé trois ou quatre fois. Mais comme tu ne me répondais pas, j'ai décidé d'aller m'en chercher moi-même. Puis, au milieu de je ne sais plus trop quel vacarme qui a secoué tout le magasin, j'ai aperçu au bout de l'allée ces deux gamins. Je me suis donc approché d'eux pour bavarder, c'est tout !

Se voyant déjà pris au piège, l'aîné voulut étouffer tout soupçon en fournissant à ses deux interlocuteurs une explication plausible.

– Peut-être vous connaissait-il sans que vous le connaissiez ? dit-il au vieux Edge, en parlant de son grand-père.

Le moment ne pouvait tomber mieux pour lui, puisque celui-ci n'en pouvait plus d'attendre et leur cracha, impatient de fumer :

– De toute façon, qu'il me connaisse sans que je le connaisse, ça n'a plus beaucoup d'importance à présent, surtout à l'âge que j'ai !

Arrêtant son regard sur son fils Bénédict, exaspéré par son inertie :

– Non mais, qu'est-ce que tu attends pour me donner du feu, hein !

– Excusez-moi père, réalisa le fils, qui sortit aussitôt un carton d'allumettes pour lui donner du feu.

– Tenez, voilà.

Le vieillard invalide pompa. Dès qu'elle fut bien prise, il regarda les deux garçons et il leur dit, tout en fumant, essayant de se rappeler :

– C'est bizarre, car même si je ne connais pas votre grand-père, j'ai eu l'impression en entendant vos voix que je vous ai déjà rencontrés quelque part, mais je ne sais plus où...

Thomas, regardant son cadet, voulut lui faire savoir que ses appréhensions n'étaient pas si exagérées, finalement.

Le fils, qui les trouva plutôt songeurs, reprit :

– Maintenant qu'on sait votre nom, il faudrait peut-être savoir également vos deux prénoms respectifs, c'est la moindre des choses, je crois.

À nouveau, revoyant en un éclair les couvertures de quelques bandes dessinées et très content de sa trouvaille, il leur lança :

– Moi c'est Tom, et lui c'est Jerry !

– Comme le chat et la souris de la bande dessinée ! dit Bénédict, qui éclata de rire avec son père.

La rigolade s'estompant, les deux compères reprirent leur sérieux.

– Or donc, si je comprends bien, vous vous appelez Tom et Jerry Dalton. C'est bien ça ? leur demanda Edge.

– C'est exact Monsieur ! lui dirent l'un après l'autre Thomas et Edison.

Resté sceptique, il tint à leur rappeler :

– En tout cas, j'espère que vous n'avez pas de lien de parenté avec ces quatre fameux bandits, les frères Dalton, qui semèrent la terreur pendant un sacré bout de temps dans tout l'Ouest des États-Unis.

Le plus petit bout d'homme, qui n'avait pas apprécié cette réflexion d'Edge, lui répondit avec sa franchise et sa pertinence qu'on lui connaissait.

– Non Monsieur, nous n'avons aucun lien avec eux. Au contraire, nous sommes d'honnêtes citoyens tout comme vous. Nous sommes venus ici parce que nous avons des économies que nous voudrions dépenser comme bon nous semble.

Haussant le ton, il ajouta, encore plus cinglant :

– Vous nous croyez paumés, c'est ça, hein ! Eh bien attendez de voir !

Comme c'était Thomas qui avait sur lui la grosse pièce d'or que leur ami Jack Rabbit leur avait donnée, il se tourna vers lui et leur balança :

– Montre-leur maintenant qu'on a de quoi payer, Tom !

Le grand frère, pris par surprise et visiblement embarrassé, demanda à se retirer pour en discuter avec lui.

– Veuillez nous excuser, leur dit-il, comme il s'agit de toutes nos économies et que je ne veux pas qu'il y ait de malentendu, il faudrait que nous en parlions avant.

Les deux hommes les regardèrent avec un petit sourire narquois. Puis Bénédict, bien qu'il ne les prenait pas au sérieux, accepta de jouer leur petit jeu.

– Je comprends ça. Il n'y a pas de problème mon grand. Et si tu es comme moi, les affaires, c'est les affaires. Aussi si vous voulez en discuter, soyez à votre aise. Vous pouvez même vous installer dans mon bureau au fond là-bas, leur proposa-t-il ironiquement.

– Merci, c'est vraiment chic de votre part.

Cachant difficilement sa frustration, il prit Edison par l'épaule.

– Viens, il faut en discuter à présent.

Le véritable Evans F. Düger, qui avait finalement choisi de faire une halte au Billy's Café, entra au milieu de la pièce musicale *It's now or never* d'Elvis Presley. Billy Karoussos en était toujours le propriétaire et veillait à ce que l'endroit conserve son cachet rétro des années 50 et 60. Par conséquent, tout y était demeuré inchangé, tant la disposition de ses deux grandes allées en angle avec vue sur les rues qui les longeaient et son comptoir lunch au centre que sa décoration, mariant le rouge et le vert.

Le savant debout dans l'allée ne lésina pas longtemps sur son choix et se dirigea vers la banquette du fond qu'il préférait, la même qu'il avait prise lorsqu'il avait intervenu en 1962. Cette place face au grand miroir sur le mur du fond permettait de voir tous ceux qui faisaient leur entrée sans être repéré. Cette fois, la place habituelle allait être d'un précieux secours pour l'un de ceux-là et d'une importance capitale pour lui-même.

Il venait de s'asseoir, lorsqu'il aperçut l'heure sur le cadran.

– Grand Dieu ! Il est déjà 12 h 13 ! Il faut absolument que j'arrive à communiquer avec Handy. Mais comment ? Je ne tiens pas non plus à ce qu'il devienne fou. Quoiqu'il semble maintenant ne plus se douter de ma présence... Si seulement j'avais du papier pour écrire !

Saisissant le napperon de papier sur sa table, il le tourna à l'envers du côté non imprimé.

– Tiens, voilà qui devrait faire l'affaire. Il ne me manque plus qu'un crayon. Et ça, habituellement j'en garde toujours un sur moi, ajouta-t-il en fouillant toutes les poches de son long manteau de maréchal-ferrant.

– Malheur ! où l'ai-je mis ? Normalement il devrait être ici dans cette poche !

Pendant qu'il cherchait et sans qu'il ait eu le temps de la voir, la serveuse déguisée en troll était déjà plantée à côté de sa table et attendait.

Elle lui signala sa présence en se dérhumant.

– Hum ! hum ! aujourd'hui Monsieur je ne prends pas seulement votre commande, je peux également exaucer tous vos souhaits, lui dit-elle de sa petite voix claire et parlant sur le bout de la langue.

Il la prit au mot, la regarda et lui formula sans attendre :

– Eh bien disons que ce qui ferait mon bonheur pour l'instant... serait d'avoir un crayon ou un stylo pour écrire.

– Abracadabra le voilà ! Seulement il faudra me le remettre avant de partir. À part cela, qu'est-ce que je vous sers, Monsieur ?

– Un grand chocolat chaud, s'il vous plaît.

Juste avant qu'elle ne parte, très curieux, il voulut savoir :

– Pardon Mademoiselle, question d'enrichir davantage mes connaissances, c'est quoi au juste ce déguisement ?

– C'est ce qu'on appelle un troll. Une espèce de gnome ou de petit génie nain chez les peuples scandinaves. Mais votre costume est très bien vous savez. Le Far West... j'aime bien aussi.

– Drôle de coïncidence en rapport avec le voyage que je veux faire, murmura-t-il en se retournant vers la table.

– Qu'avez-vous dit ? lui demanda la serveuse en revenant sur ses pas.

– Ce n'est rien, il m'arrive de me parler à voix haute.

Elle haussa les épaules et alla chercher son breuvage. Il commença à écrire : « Cher Handy, tu n'as pas eu d'hallucination ce matin à la bibliothèque. C'est bien moi. Je suis de retour... »

Dans le bureau de Bénédict Thompson, ses deux fils avaient une franche discussion.

– Mais tu es devenu complètement dingue ! s'écria le grand frère frustré, il s'en est fallu de peu qu'il nous jette dehors comme de malheureux voleurs !

Edison n'osait plus rien dire, baissait les yeux, tournait et chiffonnait sa casquette avec ses deux mains. Rompant le silence il lui dit, attristé, regrettant son comportement impulsif :

— Pardonne-moi Thomas, c'est juste que je n'aime pas qu'on me prenne pour un paumé. Je pensais seulement à ce que le vieux Jack Rabbit nous avait dit en nous remettant sa pièce porte-bonheur. « Je ne vous interdis pas de l'échanger contre quelque chose que vous aimeriez vous payer un jour, car je sais ce que c'est que d'être jeune. Au contraire, offrez-vous cette chose en souvenir de votre vieil ami Jack Rabbit. » C'est pourquoi je n'ai pas hésité à tout leur balancer. Il y a tellement plein de belles choses dans ce magasin. Ne pourrions-nous pas justement en profiter pour se payer l'une d'elles et du même coup leur montrer que nous ne sommes pas des paumés et que nous ne *bluffons* pas ?

— Bon, ce n'est pas grave, tu as sans doute raison. Mais la prochaine fois que tu voudras faire une proposition de ce genre dans une affaire qui nous lie tous les deux, j'aimerais mieux que tu m'en parles avant, compris ? lui expliqua-t-il, oubliant tout et de nouveau prêt à faire équipe avec lui.

— Compris Thomas !

Les yeux pétillant d'assurance, ils se tapèrent dans la main.

— Un pour tous !

— Tous pour un !

Après, le grand frère lança, plus déterminé que jamais :

— Maintenant, mettons-en leur plein la vue !

— Ouais... À notre tour de nous amuser un peu, compléta le cadet avec un petit sourire malicieux.

Ils sortirent du bureau en allant tout droit vers les deux compères qui les attendaient à présent près de la caisse.

— Les revoilà ! Faisons comme si rien n'était, chuchota le fils à l'oreille de son père.

Les mains dans les poches, sifflotant la *Ole Miss Marching Band*, ils s'arrêtèrent brusquement devant eux.

Bénédict, sûr de lui et un peu agacé par leur petit spectacle, leur dit :

— OK, eh bien à en juger ce petit air joyeux que vous venez de nous siffloter, on dirait bien que vous avez finalement réussi à vous mettre d'accord ?

— Exact Messieurs ! répondit Thomas d'un ton qui montrait déjà que les choses avaient effectivement pris une autre tournure.

Il s'avança, sortit de la poche intérieure de sa veste l'étui en peau de daim qu'il tourna ensuite lentement à l'envers au-dessus du comptoir afin de laisser tomber la grosse pièce d'or. Il créa ainsi une plus vive impression sur les deux hommes qui la regardèrent tourbillonner, le souffle coupé et les yeux ronds comme des pièces de 25 cents.

La prenant de sa main droite, il la gratta fortement avec une des clés de son trousseau qu'il tenait de son autre main et dit, le jaune du précieux métal miroitant dans ses pupilles, radin qu'il était :

– Mais c'est de l'or !

Ne voulant pas s'y méprendre, il la remit à Edge qui lui, après l'avoir serrée entre ses dents, le confirma :

– Il n'y a aucun doute. C'est de l'or pur à 100 % !

Pendant que son père continuait de l'examiner, Bénédict, encore sous le coup de la surprise, s'empressa de leur demander, fort curieux et voulant connaître son origine :

– Où avez-vous eu une telle pièce d'or ? Car vous comprendrez j'espère que ce n'est pas quelque chose que l'on trouve régulièrement sur le bord du trottoir comme une capsule de Pepsi !

– C'est un ami, un vieux chercheur d'or que l'on a connu qui nous l'a donnée comme gage d'amitié entre nous, répondit Edison, fier de le lui dire.

Le vieux Edge, s'arrêtant brusquement, fixa les deux garçons tout en continuant de la retourner entre ses doigts tremblotants. Il leur fit remarquer très justement :

– Elle est très spéciale en effet... Il y a longtemps que je n'ai pas vu une pièce d'or d'une telle dimension et d'un tel poids... D'ailleurs, l'inscription sur un côté, « Colorado 1880 », justifie bien cela. Mais c'est la tête de lapin gravée sur l'autre côté de la pièce qui m'intrigue le plus !

– C'est que ce vieux chercheur d'or était aussi un excellent trappeur. Ceux qui l'ont vu se déplacer en forêt sur la neige avec sa paire de raquettes disent qu'il était rapide comme un lapin sur la neige. De là ce surnom de « Jack Rabbit » et cette tête de lapin gravée sur sa pièce d'or, expliqua Thomas d'un ton dégourdi.

Bénédict voulut voir à son tour.

– Faites-moi voir, dit-il en tendant la main à son père.

Il la lui remit, devint soudainement très jongleur, puis la mémoire revint.

– C'est curieux... j'ai déjà entendu parler de ce type-là par mon père... Je crois même qu'il est venu acheter au magasin une ou deux fois, mais on ne l'a plus revu après ! ajouta le vieil homme en les regardant.

Comme la tête de lapin gravée ressemblait étrangement à celle représentant le symbole Playboy, le fils fit tout de suite le rapprochement et ne put s'empêcher d'y aller d'une plaisanterie à double sens. Il reluqua d'abord son père en lui montrant le côté de la tête de lapin, lui fit un clin d'œil, s'arrêta tout en retournant la pièce d'or entre ses doigts et leur lança en se tordant de rire :

– Comme ça il était rapide ! Hi ! hi ! comme un lapin ! C'est ce qu'on disait de lui en plus ! Hi ! hi !

– Ouais, parfaitement ! C'est ce qu'on disait de lui, répliqua d'une façon ingénue le plus petit bout d'homme.

L'entendant, les deux Thompson éclatèrent de rire.

– Ha ! ha ! ha !

Gêné par toute cette rigolade, il tira le bras de son grand frère.

– Je crois qu'ils se moquent de nous. Reprenons notre pièce d'or et allons-nous-en d'ici.

– Tu as raison, ils n'ont pas l'air très sérieux ! dit-il en haussant la voix afin qu'ils puissent l'entendre.

Riant toujours, il répéta plus fort, survolté :

– Ça suffit ! Assez rigolé maintenant ! Rendez-nous notre pièce d'or !

Face à un ordre aussi impérieux, ils n'eurent d'autre choix que d'obtempérer et ils cessèrent de rire.

Réalisant qu'ils avaient peut-être été trop loin et les voyant reprendre leur pièce d'or, Bénédict s'empressa de s'excuser et devint subitement plein d'égards à leur endroit.

– Non attendez ! Neee... partez pas... co...comm...comme ça voyons, bégaya-t-il, on s'excuse et on oublie tout ça. Que voulez-vous, nous avons une énorme différence d'âge. C'est normal que nous ne pensions pas tout à fait pareil. Enfin, vous comprenez. Et puis il y a la fatigue. Cette semaine on s'est tapé tout l'inventaire du magasin et on s'est couché très tard.

Mettant la main sur l'épaule de son père, il lui dit en le secouant légèrement :

– Pas vrai Edge... car de nos jours, plus on est gros, plus il faut s'occuper de sa *business*.

Prenant quelques friandises sur les tablettes à l'avant du comptoir, il les leur donna et leur dit, pour les amadouer :

– Maintenant, si on parlait affaires ? Que désirez-vous acheter avec votre pièce d'or, hein ?

Thomas se dirigea aussitôt vers le petit baladeur Sony qu'il avait vu à l'entrée du magasin.

– Moi, c'est ce que je veux, lui dit-il en le prenant dans ses mains.

– Tu as fait le bon choix. Tous les jeunes d'aujourd'hui rêvent d'en posséder un. Tiens, voilà le casque d'écoute. En prime, étant donné que vous payez comptant, je te donne des piles ainsi que la cassette contenant les meilleurs succès rock and roll de 1956 à 1968. Tu sais... *Johnny B.*

Goode de Chuck Berry, *Great Balls of Fire* de Jerry Lee Lewis, *Twist and Shout* des Beatles... lui défila-t-il.

Mais comme il croyait qu'ils étaient des gosses qui vivaient en 1987 et que Thomas n'arrivait pas à lui cacher qu'il n'y comprenait rien dans tous ces noms il ajouta, voulant le lui vendre à tout prix :

– Bon, je te le concède, ce n'est pas de la musique de ton temps, mais tu l'aimeras j'en suis sûr. Peut-être es-tu trop jeune encore pour ce genre de truc...

– Non, c'est ce que je voulais. Je prends tout.

Revenus avec l'appareil au comptoir où Edge et Edison étaient restés, observant la vente, il demanda à l'autre, désireux de connaître son choix, comparativement à celui de Thomas qu'il présumait déjà :

– Et toi, que désires-tu te payer avec la pièce d'or ? As-tu fait ton choix ?

Il resta muet quelques secondes, jeta un regard autour de lui, fit quelques pas en direction de l'arrière-boutique du magasin, et revint à sa place initiale pour lui répondre :

– Moi, eh bien... je voudrais une grosse boîte de vos plus beaux feux d'artifice !

– Comment sais-tu petit que je peux t'offrir des feux d'artifice, puisque tu ne les a pas vus et que je ne t'en ai même pas parlé ?

– Disons que je sais que vous en avez toujours une grosse boîte en stock à l'arrière du magasin.

Hésitant encore à avaler une telle affirmation, le grand frère balança en catastrophe :

– C'est qu'il a un sixième sens ! Il sent les choses, voyez-vous. Il a l'instinct des affaires. On n'y peut rien. C'est comme ça.

Réalisant qu'il avait peut-être vendu la peau de l'ours avant de l'avoir tué et ne sachant plus trop quoi penser, il se passa la main dans le visage, puis revint à la charge avec des mots dissimulant mal son désir de le voir renoncer à cette idée assez onéreuse. À partir de cet instant, il craignit la transaction.

– Hum… et je suppose que c'est ce que tu aimerais avoir ?

– C'est exact Monsieur Thompson. J'ai toujours rêvé de me faire les plus beaux feux d'artifice un jour, réitéra Edison, inébranlable.

Le voyant changer d'air et devinant tout le casse-tête que cela lui causait, il voulut pousser l'ironie plus loin.

– Dites-moi Monsieur Thompson, qu'est-ce qui vous chiffonne, tout d'un coup ? Vous semblez fort inquiet !

– Heuuu... eh bienn.... c'est queee... c'est...

– C'est qu'il va falloir peser ta pièce d'or, et calculer combien elle vaut aujourd'hui sur le marché international, l'interrompit Edge, inquiet des proportions que prenait l'affaire. Il y en a sûrement pour plusieurs centaines de dollars dans cette boîte... tu comprends ?

– J'ignorais que ça pouvait coûter si cher. Il n'y a pas de problème, Monsieur !

Il tira le journal replié qu'il avait dans la poche droite de son fauteuil roulant et le feuilleta jusqu'à la page des indices boursiers.

– Bénédict, prends la pièce d'or et pèse-la !

Ce dernier alla promptement vers la balance au bout du comptoir en prenant bien soin de la déposer à plat au centre, et pendant qu'il observait l'aiguille osciller, Edge, qui faisait les colonnes de la page de son doigt tremblotant, s'arrêta subitement sur la valeur exacte du métal précieux.

– Je l'ai trouvé ! lança-t-il avec vivacité, écris-le sur un bout de papier. Aujourd'hui, le prix de l'or sur les marchés internationaux est de 617 dollars américains l'once !

Il l'écrivit aussitôt. Apercevant l'aiguille qui venait de s'arrêter, il s'écria :

– Et elle pèse 5 onces !

Prenant une petite calculatrice, il continua et murmura, tous attendant anxieusement le résultat final.

– Donc, 5 fois 617 dollars est égal à...

N'en croyant pas ses yeux et refaisant rapidement le calcul une seconde fois il s'arrêta, enleva son gros cigare de sa bouche puis, fixant son père, il lui dit :

– Elle vaut exactement 3 085 dollars américains Edge !

Thomas et Edison, qui étaient demeurés impassibles et regardaient les deux Thompson depuis un bon moment se démener comme des diables dans l'eau bénite, bondirent de joie en entendant le chiffre.

– Wow ! Notre pièce d'or vaut plus de 3 000 dollars !

– Ouais, c'est tout un cadeau que Jack nous a fait là, hein !

À la fois soulagé d'en connaître la valeur et un peu confus, le vieux Edge lui fit cette réflexion pour le moins envieuse.

– Tu as de la veine petit... c'est vraiment plus que je ne le croyais.

S'adressant à son fils et visiblement contrarié du fait qu'il croyait s'en mettre dans les poches, il lui commanda d'un ton sec :

– Va chercher la boîte !

Complètement dans la lune et ne réagissant pas il dut lui répéter, au comble de l'exaspération :

– Non mais qu'est-ce que tu attends... Noël ? Va chercher la boîte que je t'ai dit !

– OK, OK, j'ai compris, j'y vais !

Il partit en marchant à grands pas vers l'arrière du magasin et revint avec la boîte sur un chariot. Il arracha la liste de prix qui y était brochée et commença le compte de tout ce qu'ils avaient acheté.

– Bon... ceux-là sont à 7,95 $ chacun. Et il y en a cinquante au total, ce qui fait exactement 397,50 $. Ceux-ci sont à 12,95 $ chacun et il y en a…

Additionnant en tout dernier le baladeur et voyant les chiffres qui apparaissaient, il avala difficilement son amère déception.

– Ce qui fait exactement 3 028 dollars et 69 cents ! leur dit-il lentement en les regardant.

Voyant qu'il restait encore un peu d'argent, ils n'hésitèrent pas à mettre les deux radins à l'épreuve.

– Il nous faudrait également cette voiturette là-bas afin de pouvoir transporter tout, lui dit Thomas en la montrant.

– Et comme nous avons très faim, enchaîna Edison, nous aimerions prendre un bon repas avec ça.

Il alla aussitôt vers l'avant du magasin en marmonnant. Il ramena la voiturette et cracha :

– Tiens, la voilà ta voiturette !

Se rendant bien compte qu'il était sur le bord d'éclater, l'aîné fit exprès et poussa l'audace jusqu'à lui dire avec beaucoup de nonchalance :

– Ouais... ça ira.

Edge ne tarda pas à se délier la langue.

– Et vous voulez prendre un repas avec ça si j'ai bien compris ? OK, je vais vous arranger ça tout de suite, leur dit-il en se dirigeant vers le téléphone fixé au mur derrière le comptoir.

Décrochant le combiné, il composa le numéro du Billy's Café. La sonnerie se faisant entendre, Billy Karoussos répondit :

– Restaurant Billy's Café bonjour ! Billy Karoussos à l'appareil. Que puis-je faire pour vous ?

– Billy, c'est Edge Thompson. Dis-moi, tu as toujours ton spécial du midi à 2,95 $ tout compris ?

– Ouais, j'ai toujours ça Edge. Pourquoi ?

– Parce que j'ai deux gosses ici qui voudraient prendre un bon repas. Tu leur donneras donc ton spécial du midi que tu mettras sur mon compte. Je te les envoie.

Le restaurateur, voyant qu'il allait raccrocher sans qu'il ait eu le temps de lui répondre quoi que ce soit, s'empressa de lui dire, survolté :

– Ho ! attends un peu voyons ! C'est l'Halloween aujourd'hui et il y a plein de monde ici tu comprends ! Aussi, afin d'éviter toute confusion, j'aimerais avoir au moins leurs noms.

– Dalton ! Tom et Jerry Dalton ! Ça te va comme ça ?

– C'est tout ce que je voulais savoir Edge, répondit-il calmement.

Raccrochant sans aucun merci, il s'exclama, très frustré :

– Ah ! ce qu'il peut être de mauvais poil parfois celui-là. C'est à se demander s'il n'a pas le diable au corps aujourd'hui !

Au magasin, Edge, à présent aussi exaspéré que son fils, se tourna dans sa direction pour lui lancer :

– Bon, combien tout cela fait-il à présent, hein !

Additionnant le prix de la voiturette avec les deux repas du restaurant, Edge fixa son regard sur les deux garçons et la désillusion fut complète.

– Cela fait exactement 3 084 dollars et 32 cents... dit le fils avec une tête d'enterrement.

– Quoi ! Mais comment se fait-il... s'écria Edge, confus et ayant du mal à admettre qu'ils se soient retrouvés au bout du compte avec un aussi ridicule bénéfice.

Complètement abasourdi il resta muet, la tête appuyée sur une main ; l'autre retournait entre ses doigts son crayon à mine de plomb. Le hasard avait bien fait les choses et les deux jeunes louveteaux en étaient très conscients. Très fiers d'eux et forts d'un si beau résultat, ils ne purent s'empêcher de l'exprimer, sachant bien que ce serait la goutte qui allait faire déborder le vase. Ainsi, tout en se dirigeant à reculons vers la sortie avec leur voiturette bien remplie, chacun y alla de sa petite remarque. Thomas le premier, eut un peu de mal à dissimuler la moquerie malgré tout le sérieux qu'il y mit.

– Eh bien… leur dit-il, je crois que finalement, le compte est bon. Mon père dit toujours que « de vrais gentlemen devraient toujours laisser un pourboire pour un service rendu ». Aussi, vous pouvez garder la monnaie. Vous le méritez bien. Je dois même dire que ce fut un réel plaisir de traiter avec vous.

Edison, qui reculait au même pas, était celui tout désigné qui allait faire déborder le vase. Il fixa son regard sur Bénédict resté derrière le comptoir et lui cita, d'un ton de petit bourgeois érudit, cette leçon tirée de la fable « Le Renard et le Corbeau », de Lafontaine :

– « Mon bon monsieur, apprenez que tout flatteur vit aux dépens de celui qui l'écoute. Cette leçon vaut bien un fromage, sans doute » dit le renard au corbeau.

Fronçant les sourcils et prenant un ton plus grave, il compléta :

– Et Lafontaine conclut : « Le corbeau, honteux et confus, jura, mais un peu tard, qu'on ne l'y prendrait plus... »

Puis, s'immobilisant le sourire fendu jusqu'aux oreilles, il leur cria :

– Autrement dit, les esprits fins que nous sommes ont eu raison des esprits radins que vous êtes !

– Vous devriez voir la tête que vous faites en ce moment, ajouta le grand frère en riant.

– Nous sommes les meilleurs ! Nous sommes les meilleurs ! Nous sommes les meilleurs ! leur chanta Edison.

Bénédict, les deux mains sur le comptoir et bondissant de colère, leur dit :

– Petits morveux... attendez que je vous attrape et que je vous jette dehors à ma façon !

Passant de l'autre côté du comptoir, il fonça vers eux sous les encouragements et les rires acerbes d'Edge.

– Allez, vas-y ! Hi ! hi ! Attrape-moi ces deux malappris et donne-leur une bonne leçon ! Hi ! hi ! Rira bien qui rira le dernier !

– Viens, fichons le camp d'ici ! pressa Thomas.

Courant dans la grande allée vers la sortie, ils furent retardés par la voiturette trop chargée qui avait du mal à passer la porte, qui se rabattait continuellement. Faisant des pieds et des mains pour la sortir, ils le virent se rapprocher de plus en plus.

–Vite ! Il arrive !

Agrippant la voiturette d'une main au moment où ils étaient parvenus à la dégager, il crut les tenir.

– Voilà que je vous tiens à présent, leur dit-il.

– Mais pas pour longtemps je crois ! répliqua Edison, voyant la grande porte vitrée se rabattre sur son autre main qui tenait le cadrage métallique.

– Ouch ! hurla-t-il, se tordant et grimaçant de douleur.

Descendant sur le trottoir, tenant sa main blessée avec l'autre main, il se contenta de les regarder fuir avec la voiturette.

– Sales gosses...

Au Billy's Café, Düger venait de terminer d'écrire sa lettre à Handy et cherchait un moyen de la lui remettre le plus discrètement possible, tout en buvant son chocolat chaud. Aussi, anxieux et désirant réussir à tout prix il murmura : « À présent, il faut absolument que je la lui remette… bien entendu la chose serait peut-être plus facile si c'était des mains de Jessica Randall ! »

Prenant sa tasse de chocolat chaud et ingurgitant d'une seule gorgée ce qui y restait, il aperçut celle dont il venait tout juste de prononcer le nom. Elle faisait son entrée déguisée en comtesse, ombrelle fermée d'une main et éventail de l'autre.

Cela ne pouvait tomber mieux. À la fois surpris et content, il s'écria, sans qu'elle l'entende :

– Grand Dieu ! Jessica Randall, en plein la personne qu'il me fallait. Ça ne pouvait pas tomber mieux !

Juste après elle se trouvaient Peekles et son gang, des punks, les emmerdeurs du coin. S'avançant près de la jeune fille, il regarda ses copains, pour leur dire d'un ton railleur :

– Hé, les gars... vous avez vu ça... il y a même de vraies poupées qui se trimballent aujourd'hui et qui ne demandent pas mieux que de se faire peloter je crois !

La prenant par la taille il la pressa contre lui, et lui dit, les yeux fixés sur sa poitrine :

– Dis donc... c'est que tu as de beaux nichons, avec ce corsage bien ficelé...

– Lâche-moi Peekles ! Laisse-moi tranquille ! lui dit-elle, mal à l'aise et cherchant à se défaire de ses bras tentaculaires.

Le restaurateur, qui s'était planté dans l'embrasure de la porte séparant la cuisine du comptoir lunch, s'en mêla.

– Lâche cette fille tout de suite Peekles ! Sinon j'appelle la police, tu entends ? lui ordonna-t-il avec force.

Il voulut pousser l'effronterie plus loin, ne lâcha pas prise pour autant et se mit à la harceler. Düger, qui s'était levé et se tenait maintenant debout dans l'allée, ses deux Colt automatiques en main, causa une vive surprise.

– Tu es sourd ou quoi ? Il vient de te dire de la lâcher !

Ce fut le silence dans tout le restaurant. Puis il s'avança et s'arrêta à quelques pieds du punk qu'il connaissait bien. Jessica, qui l'avait vu habillé le matin en Christophe Colomb et ne sachant pas qu'il s'agissait du véritable docteur Evans F. Düger, lui demanda, stupéfaite de le revoir à présent habillé en maréchal-ferrant du Far West :

– Docteur Evans... c'est bien vous ?

Celui-ci, devinant qu'elle croyait parler à l'autre, voulut profiter de sa double personnalité pour parvenir à ses fins. Il lui sourit, se fit des plus rassurant, et lui répondit, nullement gêné :

– Oui, c'est bien moi.

Peekles, quant à lui, n'eut aucun doute sur la personnalité du savant et ne manqua pas de le tourner en dérision.

– Tu te demandes si c'est bien lui... pour ma part je ne crois pas qu'il y ait sur cette planète un scientifique qui soit aussi fou et excentrique que ce cher Evanoff !

À cette remarque, les trois membres du gang éclatèrent de rire et voulurent en rajouter.

– Hé ! Einstein, tu en avais assez de te promener sur ta « Batmobile » gonflable et tu as finalement décidé de te joindre à nous déguisé en maréchal-ferrant du Far West avec de gros pétards en main... Sacrée différence toutefois, vous ne trouvez pas les gars ?

– Je suppose que ton cheval est très racé et qu'il se nourrit de plutonium !

– En tout cas... j'espère que son crottin n'est pas radioactif !

Düger, qui était resté impassible, visa les pieds de Peekles et lui tira une balle sur le bout de chacune de ses bottes de cuir. Mais comme c'était l'Halloween et que tout le monde croyait qu'il bluffait, ce fut la consternation dans tout le restaurant. Il lâcha Jessica, se mit à sautiller avec ses bottes effritées et fumantes, se plaignant et gémissant.

– Mais c'est que tu es devenu complètement parano ! Tu aurais pu me blesser ! ajouta-t-il s'arrêtant brusquement, humilié, furieux, les yeux sortis de la tête.

La panique s'emparant du gang, Kass, un des membres du gang, lança aux deux autres, restés complètement interdits :

– Il doit être gelé... Il y a à peine quelques jours il était du genre pacifiste et prônait le désarmement... vite ! Sortons d'ici les gars !

Le chef du gang les voyant tous filer, il les suivit en marchant sur les talons de ses bottes, se retourna sur le seuil et vociféra au scientifique :

– Je vais porter plainte ! Je ferai signer une pétition s'il le faut ! Et je te ferai interner !

Puis il sortit. Düger remit les pistolets dans leur étui, regarda la jeune fille, Billy ainsi que tous ceux qui se trouvaient là et leur dit :

– Je suis navré. Je n'avais pas l'intention de troubler la fête. Mais comme il me restait une balle dans chacun de mes pistolets et que cette espèce de névrosé ne la lâchait pas... j'ai cru qu'il n'y avait plus que ce moyen pour lui faire entendre raison.

En l'entendant, le restaurateur s'empressa de le rassurer, en bons amis qu'ils étaient.

– Ne t'en fais pas avec ça Evans... tout le monde a compris que c'est tout ce qu'il méritait.

S'adressant à tous, il ajouta :

– Vous avez compris vous autres... si un policier vient ici et nous interroge on leur répond qu'on ne sait pas de quoi il parle !

Le consensus ne fut pas difficile à obtenir. La sympathie se traduisit aussitôt par de bons mots à l'égard du savant jouissant d'une grande estime auprès de la petite communauté de Rusty Valley.

Ainsi, Sam Elroy, un routier dans la cinquantaine, Mélodie Durand, la jeune fille du bureau de poste déguisée pour l'occasion en infirmière et Jordan Kutcher, le livreur du restaurant déguisé en clown s'écrièrent :

– Il n'y a pas de problème !

– Tu peux compter sur nous Billy !

– Tout à fait ! Le docteur Evans est un type trop bien !

Ému d'une telle solidarité, toujours en face de Jessica, il lui confia, tout en pliant les rebords de son grand chapeau qu'il avait enlevé, la boule dans l'estomac et le trémolo dans la voix :

– Mon Dieu... je ne croyais pas que les gens de Rusty Valley m'estimaient à ce point !

Elle lui sourit, l'embrassa sur la joue et lui dit :

– Merci Docteur Evans, vous êtes vraiment quelqu'un sur qui l'on peut compter en tout temps. Cependant je dois dire que j'ignorais que vous saviez vous servir de pistolets comme ça, c'est même la dernière chose que nous aurions pensé de vous, à vous entendre ce matin. Où avez-vous appris à tirer avec tant de précision ? lui demanda-t-elle, visiblement confuse.

– Eh biennn... jeee... jee... je me suis pratiqué seul… le matin... très tôt le matin… non loin d'ici, balbutia-t-il, fort embarrassé.

Il reprit avec plus d'assurance, jouant sur les mots :

– À vrai dire, je cherchais plutôt un moyen de « tuer le temps » en trouvant quelqu'un qui puisse remettre cette lettre à Handy, tu vois. C'est que j'ai de gros ennuis mécaniques avec mon véhicule, et je dois les résoudre avant ce soir. Quand je t'ai aperçue, je me suis dit « voilà ma solution ».

– Mais c'est la moindre des choses, Docteur Evans. J'y vais de ce pas et la lui remettrai moi-même. N'ayez crainte, lui dit-elle, ravie de pouvoir l'aider à son tour.

Puis elle partit.

Faisant de même, il préféra sortir par la porte de la cour arrière. Arrivé à l'extérieur, il jeta un dernier regard tout autour de lui et murmura seul :

– Il ne me reste plus qu'à retourner à l'ancienne minoterie et l'attendre... en espérant qu'il viendra !

À une minute près et sans qu'ils aient pu se croiser ni même se voir, ses deux fils firent leur entrée, se dirigèrent tout droit au comptoir, prirent place sur les tabourets pivotants et enlevèrent leur casquette.

Les ayant vite remarqués, Billy s'approcha d'eux en les regardant avec de grands yeux et leur dit, un peu surpris :

– Ça par exemple… c'est que vous devez avoir des parents qui ont drôlement le souci de la politesse. Je ne rencontre pas souvent de gosses de votre âge qui enlèvent leur casquette lorsqu'ils entrent dans un restaurant, encore moins lorsqu'ils s'assoient pour manger !

– C'est juste, Monsieur, répondit Edison.

Le restaurateur poursuivit, voulant les connaître davantage.

– C'est la première fois que je vous vois. Comment vous appelez-vous ?

– Nous sommes Tom et Jerry Dalton. Moi c'est Tom, lui c'est Jerry, répondit Thomas en pivotant vers son petit frère.

– Ah ! OK, je vois, s'exclama Billy. Vous êtes les deux gosses que le vieux Edge Thompson m'envoie et à qui je dois servir un spécial du midi. Il est un peu tard, mais il m'en reste encore. Aujourd'hui c'est un « hamburger steak » qui est au menu avec breuvage, soupe et dessert.

Ne comprenant rien de ce mot, ils se regardèrent et haussèrent les épaules, pour finalement lui demander d'une seule voix :

– Et c'est quoi un « hamburger steak » ?

– Eh bien là je dois dire que vous me surprenez un peu, leur dit-il étonné. C'est du bœuf haché servi avec de la sauce, des patates en purée et des betteraves. Cela répond à votre question ?

– Ça répond à la question !

– Et vous prendrez quoi comme breuvage ? enchaîna Billy.

– Nous prendrons chacun un grand verre de lait, dit Thomas, qui commanda le repas.

– Je vous sers une soupe aux légumes maison avec ça ?

– Nous prendrons la soupe également.

– Je vous l'apporte tout de suite !

– Et le dessert ? demanda Edison juste avant qu'il ne parte.

– Une pointe de tarte aux pommes, petit.

– Chouette alors ! C'est celle que je préfère.

Pendant qu'il allait chercher leur soupe, Thomas prit une profonde respiration puis la relâcha.

– Dieu que ça sent bon ici... surtout quand on a l'estomac dans les talons.

Edison trouva que le moment était venu d'obtenir une réponse à leur question existentielle et lui en fit part, tel que convenu.

– Hé, je crois que c'est le moment d'en savoir un peu plus sur l'existence de cet homologue de notre père et sur ce que nous sommes devenus. C'est vrai, qu'en penses-tu ?

Apercevant Billy qui revenait, il lui murmura rapidement :

– Attention ! le voilà qui revient.

Arrivé au comptoir, il leur remit chacun un bol de soupe et retourna à la cuisine.

Leur question existentielle laissée en suspens, ailleurs, chez les McGowan, le spectre de la réponse allait bientôt s'agiter pour Handy.

Toute sa famille, y compris leur valet Stiff Tyken, avait les yeux rivés sur le petit écran. Le film d'horreur *Le cauchemar insolite de Wes Craven* jouait. Le rocker qui s'était endormi sur le fauteuil se fit alors brutalement réveiller par tout ce monde qui, tellement embarqué dans le film, se mit à gémir et à crier au moment où Freddy s'apprêtait à embrocher une de ses victimes avec ses longs doigts en forme de pics à glace.

– Non ! crièrent-ils tous en chœur.

– Ah ! hurla par ricochet Handy, bondissant du fauteuil.

Reprenant quelque peu ses esprits mais encore sous l'émoi, il leur dit :

– Misère... quel film d'horreur et quelle Halloween ! Si ça continue, je vais faire une syncope avant le bal de ce soir.

Après, les regardant tous, il jeta un coup d'œil sur sa montre.

– Merde ! Il est 13 h 38. Il faut que j'y aille. Je dois retourner voir le type du magasin de location de costumes d'Halloween. Il devait rétrécir mon chapeau. Il ferme à 16 h, aujourd'hui.

Toutefois, au moment où il s'apprêtait à sortir de la maison, sa mère Alice arriva avec empressement pour lui communiquer :

– Oh ! j'allais oublier, Jessica Randall a téléphoné pendant que tu sommeillais. Elle m'a priée de te dire qu'elle avait une lettre très importante à te remettre avant le bal de ce soir. Et qu'elle serait au... 1280, rue Salem appartement 56 jusqu'à 20 heures. Des gens du magazine *Évasion,* qui l'ont rencontrée cet après-midi, l'ont retenue pour une séance de photographies.

– Une lettre ! s'écria-t-il, complètement abasourdi par la nouvelle.

– Oui, une lettre… c'est ce qu'elle m'a priée de te dire.

Comme il demeurait muet, elle reprit, inquiète :

– Ça va Handy ?

– Ça va, répondit le fils qui préféra lui cacher ce qui le perturbait profondément.

– Tu es sûr ?

– Non ça va... ce n'est rien... ne t'inquiète pas.

S'avançant, il l'embrassa sur la joue, sortit, courut jusqu'à sa camionnette et partit.

Rendu à une intersection où le feu de circulation changea au rouge, il aperçut Peekles, qui venait de son côté sur le trottoir, marchant sur les talons de ses bottes d'un train d'enfer. Remarquant assez vite qu'elles avaient les bouts effrités, il baissa sa vitre et ne put s'empêcher de se moquer de son rival.

– Hé ! Peekles, qu'est-ce que tu as fait à tes bottes ? Tu as décidé de te déguiser en ramoneur de cheminées ou quoi ? C'est pour ça que tu les as transformées en brosses à ramoner ?

Il revint sur ses pas et, s'appuyant d'une main sur un poteau de feux de circulation, il lui cria, reprenant son souffle :

– C'est ton copain, cette espèce de savant fou de Doogie, qui m'a fait ça ! Il m'a tiré dessus et a failli m'arracher les deux pieds, mais ça ne restera pas là ! Il va me le payer !

Ne comprenant rien de tout ce charabia, il présuma qu'il devait encore être sous l'effet de la drogue ou de l'alcool et objecta en riant :

– Voyons Peekles… tu n'es pas sans savoir que Doug est un philanthrope pacifique qui n'a certainement plus d'arme à feu chez lui, même pas un pistolet à eau. Il faudrait que tu cesses de doubler tes rations de cocaïne, mon vieux. Tu dois être sous l'effet d'une trop forte dose, ce n'est pas possible.

– Ah ouais ! Ce connard se promène déguisé en maréchal-ferrant du Far West avec deux longs Colt chargés. Mais toi, je ne comprends pas, tu es normalement celui qui devrait le savoir déjà ? lui répliqua-t-il.

Resté bouche bée, le feu changeant au vert et les automobilistes derrière lui s'impatientant et klaxonnant à répétition, il s'écria :

– Argh ! Ça va ! respirez par le nez, on est samedi quand même !

Accélérant, il poursuivit, se parlant à lui-même : « Donc c'était bien vrai, je n'hallucinais pas à la bibliothèque... Il y avait vraiment un autre Düger déguisé en maréchal-ferrant du Far West. Peekles l'a vu lui aussi. Même si tout ça semble complètement irréel, quelque chose me dit que je vais bientôt en découvrir l'explication ! »

Le punk traversant la rue aperçut le sergent Fielmans faisant sa ronde habituelle en voiture et se précipita dans sa direction, au milieu des voitures qui circulaient, s'agitant et répétant sans cesse :

– Ohé, Sergent Fielmans ! Sergent Fielmans ! ohé, Sergent Fielmans !

Le policier, le voyant ainsi venir vers lui, se rangea à droite, immobilisa son véhicule et, n'en revenant tout simplement pas, murmura :

– Qu'est-ce qu'il peut bien me vouloir celui-là, c'est bien la première fois que cet énergumène réclame l'aide de la police. Habituellement, c'est pour s'en débarrasser que les gens nous appellent.

Descendant et se cambrant sur le trottoir, il lui lança sans gêne :

– Qu'est-ce qui t'arrive Peekles, tes *boss* de la drogue ne te font plus confiance et veulent à présent te liquider ? Dur dur le métier de trafiquant, hein ?

– Eh bien, désolé de vous décevoir, mais c'est plutôt à cause de ce détraqué de Düger qui tourne là-bas sur son coussin gonflable et qui vient justement vers nous, lui dit-il tout en le montrant. Il est armé et dangereux. Il faut absolument l'arrêter ! Tout à l'heure, alors que je ne faisais que causer avec une belle poule au Billy's Café, il s'est présenté devant moi déguisé en maréchal-ferrant du Far West, et pour je ne sais plus trop quoi... il m'a tiré sur le bout des bottes avec deux longs Colt, voyez ! C'est qu'il aurait pu me blesser ou m'arracher les deux pieds. Sa place est à l'asile. Il doit être devenu complètement dingue à force de se creuser les méninges dans sa demi-lune en plexiglas.

Le sergent se plaça aussitôt en travers de la rue afin d'intercepter le prétendu criminel, qui arrivait à bord de son aérohydroglisseur. Sans que Peekles l'ait encore vu, il était déguisé en Christophe Colomb, et il lui fit signe de se ranger sur la droite. Le nouveau Düger, croyant qu'il ne s'agissait là que d'une inspection de routine, obtempéra, sauta d'un seul bond hors de l'engin et lui demanda sans attendre :

– Qu'y a-t-il, Sergent ?

– Vos papiers, Docteur Düger !

– Tenez, Sergent Fielmans, répondit le savant. Ce véhicule et moi sommes totalement en règle, ajouta-t-il, n'ayant rien à se reprocher.

Silencieusement, il examina ses papiers, leva les yeux, le regarda, fit une inspection rapide du véhicule récréatif et revint.

– Vous êtes bien le docteur Evans F. Düger ? voulut s'assurer le représentant de l'ordre.

– Bien sûr ! Que se passe-t-il ?

– Eh bien voilà… et vous m'en voyez navré Docteur Düger… vous pouvez me croire.

Montrant de la tête Peekles, qui se tenait juste à côté de lui, il poursuivit :

– Ce type affirme que tout à l'heure vous vous êtes présenté au Billy's Café déguisé en maréchal-ferrant du Far West avec deux longs Colt en main, et que vous avez failli lui arracher les deux pieds en lui tirant une balle sur le bout de chacune de ses bottes alors qu'il ne faisait que causer avec une fille !

– Voyons Sergent il y a sûrement erreur sur la personne… voyez par vous-même ! Voyez mon déguisement !

Le punk de lui balancer, frustré :

– Bien sûr, Monsieur a eu tout le temps voulu pour changer de costume et tout le monde va le croire !

– Tais-toi Peekles ! Je ne t'ai pas encore sonné ! lui commanda avec force l'officier de police.

Se tournant vers le savant, il reprit très posément :

– Continuez Docteur Düger, je vous écoute.

130

– Voilà, je disais donc qu'il y a sûrement erreur sur la personne. J'ai ce costume sur moi depuis ce matin. Ensuite, je n'ai même pas mis les pieds au Billy's Café durant tout ce temps. Tout le monde vous le dira. Je ne crains rien là-dessus. Même qu'il y a à peine une heure, j'étais à la quincaillerie Thompson. De plus vous me connaissez, je suis pacifiste. Je prône le désarmement et je fais même partie d'une ligue antinucléaire. Et pour compte, je n'ai ni arme chez moi ou sur moi et je sais encore moins comment m'en servir. Alors il se trouvera bien quelques témoins qui vous diront que tout ceci est complètement faux.

Heureuse coïncidence, « Smug le babacool », le hippie de Rusty Valley, se trouvait justement au restaurant lors de l'incident. Il passait lentement de l'autre côté de la rue sur le trottoir en fumant un joint de marijuana, nullement intimidé par tout ce qui passait autour de lui, à moitié *stone*.

Le punk était son principal fournisseur, comme bien d'autres mineurs qu'il avait entraînés à une telle dépendance, et les tenait sous sa tyrannie. Sûr de lui, il crut que son témoignage était déjà dans la poche.

– Ah oui, voilà justement Smug qui passe de l'autre côté, leur dit-il. Il était là. Il a tout vu. Interrogez-le, il vous le dira.

Le sergent l'interpella.

– Hé, toi là-bas ! Viens ici !

– Mo-mo-moi ! bégaya le hippie rachitique aux cheveux longs.

– Oui toi !

Il traversa aussitôt et vint vers eux en tenant son joint d'une main, entre le pouce et l'index. Arrivé en face du policier, ce dernier lui demanda en tout premier lieu, nullement impressionné par la chose :

– Quel est ton vrai nom, et quel âge as-tu petit ?

– Je m'appelle Brian Slyter Sergent... et je viens d'avoir mes 17 ans, répondit lentement le garçon, la tête un peu dans les nuages.

Sachant à présent qu'il était mineur et surtout, paraissant bien plus victime que trafiquant, il voulut le mettre en confiance et lui dit, tout en lui enlevant doucement le joint fumant :

– Hé, sais-tu que ce n'est pas de la camelote que tu as là, Brian ?

– C'est exact, Sergent Fielmans.

Le voyant si bien disposé à collaborer avec la police, il voulut en savoir davantage.

– Et peux-tu me dire qui te la procure ?

Il pointa Peekles juste en face de lui.

– C'est lui, Sergent Fielmans. Et je suis à peu près sûr qu'il a encore un de ces petits sacs de poudre blanche dans la poche intérieure de sa veste, ajouta-t-il, le dénonçant.

– Tiens, tiens, tiens, intéressant ! dit-il, un brin de malice dans la voix.

Le punk venait de perdre sa place d'accusateur pour prendre celle de l'accusé.

Celui-ci, éclatant de rage, saisit Smug par la gorge et, tout en le secouant violemment, lui cria :

– Espèce de sale rat je vais te tuer !

Le policier intervint aussitôt pour l'aider à se libérer.

– Lâche-le tout de suite Peekles ! Tu entends ce que je te dis ?

Après, en le fouillant, il découvrit effectivement un petit sac d'environ 200 grammes de cocaïne.

– Eh bien, possession et trafic de drogue, corruption de mineurs, voyons maintenant si ta langue est aussi blanche que cette poudre.

Reprenant avec son délateur, il lui demanda :

– Connais-tu bien le docteur Evans Düger, Brian ? Parce que ton copain dit que tout à l'heure, au Billy's Café, celui-ci était déguisé en maréchal-ferrant du Far West. Il lui aurait tiré dessus en visant le bout de chacune de ses bottes, et il serait à ses yeux devenu fou dangereux.

Ne se limitant plus à la seule consigne de Billy, il voulut lui faire payer tout ce qu'il avait enduré. Il couvrit d'éloges le savant, mais se fit des plus dur envers son fournisseur.

– Bien sûr que je le connais, dit-il plein d'égards, c'est l'un des plus grands chercheurs et éminent cerveau de notre pays. Rusty Valley en est très fier, Sergent Fielmans. De plus, ce n'est pas seulement un citoyen que tout le monde respecte ici et dont l'honnêteté n'est plus à faire, mais c'est aussi un être charmant et d'une extrême gentillesse qui, tout comme moi, prône la paix et l'amour ! Pour tout vous dire, j'étais au Billy's Café et je peux vous certifier que je ne sais vraiment pas de quoi il parle.

Pointant du doigt Peekles, il changea de ton pour lui dire avec rancœur, le dépeignant comme un monstre et lui faisant porter tout le blâme :

– Quant à lui Sergent, c'est un être sans scrupule et méprisable qui attire les jeunes gens comme moi dans ses filets en leur prêtant d'abord un peu d'argent afin de leur permettre de sortir et s'amuser. Ensuite, il les habitue tout doucement, devenus dépendants de la chose, à en faire une consommation presque régulière. C'est la pure vérité.

N'en pouvant plus de l'entendre, la tête bouillonnante, il l'interrompit et chercha désespérément à convaincre le policier :

– Vous n'allez tout de même pas croire sur parole tout ce que cette petite limace raconte ! Vous voyez bien qu'il ment !

Le sergent le regarda, puis fit signe à l'autre de poursuivre.

Se voyant gratifié de cette façon, il se fit des plus flatteur à l'endroit du policier et prit plaisir à en mettre encore plus sur le dos du punk.

– Merci Sergent Fielmans ! Lorsqu'il les a suffisamment sous son emprise, continua Smug, il les tyrannise sans relâche et les menace même de leur casser les deux jambes, ou tout simplement de les tuer comme des chiens. En un mot, c'est un véritable fléau qui afflige maintenant un tas de gens de notre ville. À cause de lui, j'ai perdu beaucoup de mon temps à l'école, j'ai été recalé lors de mon dernier examen, et je devrai sans doute recommencer ma quatrième année du secondaire. C'est tout mon avenir qui risque à présent d'être compromis, Sergent Fielmans ! termina-t-il.

Touché par ces dernières paroles, il tint à le rassurer :

– Je suis vraiment désolé pour toi, Brian. Toutefois, comme tu as bien voulu collaborer avec la police et que tu es par surcroît mineur, je ne t'embarquerai pas et je veillerai personnellement à ce qu'aucune charge ne soit retenue contre toi.

Peekles, le voyant s'en tirer aussi facilement, s'écria :

– Quoi ? Vous le laissez partir comme ça ?

Ne s'en occupant même pas, il reprit :

– Ne t'inquiète pas, à partir de maintenant, tu es sous la protection de la police. Tu es un ange du bien à présent, ajouta-t-il en lui mettant la main sur l'épaule.

– Merci de votre bienveillance, Sergent Fielmans !

L'autre, au bord de l'éclatement, se contenta de faire le perroquet.

– Merci de votre bienveillance, Sergent Fielmans !

Avant de l'embarquer, ce dernier s'excusa d'abord auprès du savant :

– Toutes mes excuses Docteur Düger de vous avoir ainsi soupçonné. Je savais bien que cette tête de boule à aiguilles me racontait encore des salades. Mais que voulez-vous, la loi doit être la même pour tous. Même moi je ne pourrais m'y soustraire.

– Ce n'est pas grave, Sergent, dit le philanthrope, disons que tout ceci était dans la normale des choses et que tout le monde peut se tromper. Il n'y a rien là. Vous n'avez fait que votre travail.

Au hippie qui l'avait disculpé par son témoignage :

– Merci mon garçon. Je te suis très reconnaissant.

Il lui remit une carte de membre de sa ligue antinucléaire.

– Tiens, pour cela te voilà désormais membre actif de la plus grande association internationale pour la paix et l'amour.

– Cool, Docteur !

Le policier passa les menottes au punk, qui ne s'attendait pas à un tel revirement de situation.

– Hé ! ce n'est pas sérieux voyons ! Vous commettez une grossière erreur ! C'est lui qu'il faut emmener ! Il est dangereux et il m'a tiré dessus, que je vous dis ! cria-t-il en haussant progressivement le ton.

L'empoignant par le bras, il ouvrit la porte arrière du véhicule et lui répliqua, tout en l'embarquant :

– Eh bien tu diras ça au juge !

La panique s'emparant de lui, il s'agrippa des deux mains aux rebords du toit et hurla succinctement, hystérique :

– Il faut fermer tous les accès à la ville ! Toute la ville doit être ensorcelée ! Il va y avoir un esprit frappeur ! Il faut me croire !

La tête hors du véhicule, il reprit :

– Vous ne m'aurez pas comme ça ! J'ai des droits comme vous ! Je vais médiatiser la chose ! J'alerterai le Pentagone et le ministère de la Défense nationale ! Vous devez être des extraterrestres qui sont en train de nous envahir en se dissimulant sous une copie conforme de chacun de nous comme dans *Les Envahisseurs* avec David Vincent !

Le savant, qui le regarda s'éloigner peu à peu dans la voiture de police, n'en revint tout simplement pas.

– Bonté divine ! Il doit être complètement siphonné, le pauvre. Qui voudra croire pareille histoire ?

– Ouais ! Tout à fait, dit Smug, qui voudra croire pareil canular ? Non mais là ça m'éclate ! ajouta-t-il en riant.

Puis il se tourna vers le savant, ne sachant pas qu'il y avait deux Düger et croyant qu'il s'était vraiment déguisé en maréchal-ferrant du Far West.

– En tout cas c'était vraiment un bon coup, même le meilleur que j'ai vu de toutes les fêtes d'Halloween que j'ai connues !

À peine venait-il de lui dire cela que quelques-uns de ses copains — des hippies comme lui — passèrent par là dans une Econoline rose placardée de dessins psychédéliques ainsi que d'un gigantesque symbole *peace and love*. Ils vinrent vers lui et s'arrêtèrent pour lui offrir de monter avec eux. Le chauffeur surnommé « Potty » lui lança, de sa vitre baissée :

– Hé ! ne reste pas à végéter ici sur le trottoir et viens plutôt te balader avec nous, Smug !

Il monta. Le savant philanthrope était bouche bée, préoccupé par ses derniers propos. Il eut tout juste le temps de lui dire à travers le bruyant jeu d'un silencieux défoncé et d'une radio aux décibels à leur maximum :

– Hé ! mais je ne comprends pas ! Il faudrait que tu m'expliques !

Le hippie, sourire aux lèvres, fit le signe de *peace and love* avec les deux doigts, croyant qu'il plaisantait. Il lui dit :

– *Peace* Docteur Düger. Ciao !

La fourgonnette partit. Il resta sur le trottoir quelques instants, les regardant s'éloigner. Soudain, il fut pris d'un étrange malaise. Il sentit tout son corps s'engourdir. Ses mains se mirent à trembler. Figé de panique, il s'écria :

— Mon Dieu, mais qu'est-ce qui m'arrive ?

Cela ne dura que l'espace d'une minute. Il monta aussitôt après dans son aérohydroglisseur et quitta les lieux à son tour. Bien que Smug ne lui ait pas signalé la présence de l'autre Düger, le vrai, involontairement et sans le savoir, venait d'enclencher son processus de désintégration. C'était le premier avertissement qu'il ignorait. Seulement, sa disparition complète et instantanée restait conditionnelle à certains événements subséquents.

Les fils de Düger allaient être les premiers à agir en ce sens. Mangeant chacun leurs généreuses pointes de tarte aux pommes et Billy devant eux, les deux bras croisés et le dos appuyé sur le mur, attendant patiemment qu'ils aient terminé, Thomas amorça la conversation :

— Dites-moi… une question nous chicote depuis que nous sommes arrivés ici, dit-il en savourant sa tarte.

— Vas-y, je t'écoute, répondit le restaurateur.

— C'est au sujet de ce savant que tout le monde semble connaître et qui se promène sur un aérohydroglisseur.

— Tu veux parler d'Evans Düger ?

— C'est ça oui !

Entendant l'annonceur radio du poste CKBB, exclusivement consacré à la musique rétro des années 1955 à 1970, il coupa la conversation pour lui dire plutôt, grand fan du rock and roll qu'il était :

— Attends un peu petit ! Je veux entendre ce qu'il va présenter. Il écouta : « Maintenant, chers auditeurs, en ce jour de l'Halloween à CKBB… voici une pièce musicale qui devrait non seulement rappeler de bons souvenirs à tous les *baby-boomers* de la Californie, mais aussi les dégourdir en moins de deux. Comme l'avait si bien dit l'un des membres de cette révolutionnaire formation lors de leur spectacle devant la reine d'Angleterre et toute sa suite royale : "Levez-vous, et secouez les bijoux !" Mesdames, Mesdemoiselles, Messieurs, voici The Beatles et leur inoubliable *Twist and Shout* ! »

— Monte le son Billy ! cria le routier toujours assis sur sa banquette.

Billy s'avança précipitamment vers la radio installée sur une tablette derrière le comptoir lunch tout au fond, tourna le bouton du volume et revint vers ses deux jeunes clients claquant des doigts, se déhanchant, le rythme dans le corps et leur disant :

— Ce *Twist and Shout*… on arriverait à faire danser les peuples les plus barbares là-dessus. Vous n'avez qu'à tourner comme ça, ajouta-t-il en le leur montrant.

— Même les Vikings ? demanda Thomas.

– Même les Vikings ! répondit Billy du tac au tac, déjà tout en sueur, *twistant* toujours.

Toutefois, la question primordiale demeurant incomplète, Edison rappliqua à la place du grand frère pour la seconde partie :

– Et pour revenir à ce Evans Düger... Savez-vous s'il y a deux de ses proches parents du nom de Thomas et Edison qui habitent ou qui ont habité Rusty Valley ?

Cessant de danser, il leur répondit en reprenant son souffle :

– Non... je n'en connais qu'un de ce nom à Rusty Valley... et pas d'autre... désolé !

Il se tourna pour se verser du café tout en continuant de leur parler. Les deux garçons en profitèrent pour se défiler.

– Exceptionnellement, il était ici juste avant que vous n'arriviez, à quelques minutes près, je dirais...

Et, se retournant tasse et soucoupe à la main :

– Et croyez-moi que... oh ! mais où sont-ils passés ? dit-il, regardant tout autour et ne les voyant plus.

Thomas et Edison, qui s'en allaient en poussant et tirant leur voiturette, s'arrêtèrent quelques instants sur un banc dans le Courthouse Square Park, la grande horloge indiquant 14 h 26, afin de convenir de ce qu'ils devaient faire à présent. Le cadet s'assit, regarda son grand frère et, encore troublé par la réponse de Billy, lui posa la terrible question :

– Thomas… s'il n'y a pas d'autre Düger à Rusty Valley, que nous est-il arrivé ?

– Eh bien, rien que d'y penser me donne la chair de poule Edison, répondit froidement le grand frère. Donc le seul moyen d'en avoir le cœur net, c'est d'aller au cimetière de Rusty Valley voir si nous y sommes enterrés en vérifiant les noms sur les épitaphes.

Se levant debout, il ajouta :

– Ne perdons plus de temps si nous ne voulons pas revenir à la vieille minoterie dans la grande noirceur. Allons-y !

Malheureusement, ce qu'ils ne savaient pas par rapport à leur père, c'est que, l'emplacement dont disposait l'église St. Patrick pour enterrer leurs morts jugé trop petit, il avait été décidé de le réaménager sur un plus vaste terrain situé en bordure de la ville, à l'opposé de la direction qu'ils venaient de prendre.

Deux heures plus tard, Handy, qui était passé au magasin de location de costumes d'Halloween reprendre son chapeau de Zorro, arriva au 1280, rue Salem sous l'orage qui s'annonçait. Après avoir stationné sa camionnette, il fonça vers la porte d'entrée de l'édifice où se trouvait Jessica, en prenant bien soin de ne pas passer sous une échelle restée sur le trottoir. Il se dirigea aussitôt vers l'ascenseur qui, juste au moment où il s'apprêtait à presser sur le bouton, tomba en panne, plus personne au rez-de-chaussée. « Voilà qui commence bien. »

Handy, qui pourtant s'était toujours moqué des gens superstitieux, avait par un drôle de sort rejoint assez vite leur rang. Tout brave qu'on le connaissait, la peur l'avait gagné et l'habitait. La lettre représentait peut-être une lueur d'espoir et un soulagement pour lui face au mystérieux phénomène. Cette fois, il avait deviné juste. Empruntant l'escalier juste à côté, il monta en courant jusqu'au septième étage et se dirigea à l'appartement 56. Entrant en coup de vent, il se rendit à grands pas vers le bureau de la réceptionniste, Yun Tsé-Ki, qui lui demanda de son petit accent asiatique :

– Oui Monsieur, que puis-je faire pour vous ?

– C'est bien ici qu'a lieu la séance de photographies pour le magazine *Évasion* ?

– Exact !

– Est-ce que mademoiselle Jessica Randall est toujours là ?

– Oui. Mais d'abord, qui êtes-vous ? Et que lui voulez-vous ? J'ai ordre de ne laisser entrer personne. Ils sont en pleine séance de photos, lui répondit-elle d'un ton plutôt tranchant.

Face à une réponse aussi implacable, il n'eut d'autre choix que de se faire astucieux.

– Eh bien, c'est que nous sommes fiancés et nous allons bientôt nous marier. Je dois la voir absolument. Elle a une lettre de la plus haute importance à me remettre. Il s'agit d'un emploi pour lequel je fonde beaucoup d'espoir. C'est donc là peut-être tout notre avenir qui est en jeu. Enfin, vous voyez ce que je veux dire, surtout si vous avez vous-même un copain avec lequel vous envisagez de vous unir pour la vie... Mettez-vous à sa place ! ajouta-t-il, très persuasif.

Agacée par son insistance et ne voulant pas être responsable de quoi que ce soit entre eux, il obtint vite gain de cause.

– Ça va ! Qui dois-je annoncer ?

Comblé, il lui répondit tout souriant :

– Handy McGowan.

Elle se leva et se dirigea sans plus tarder vers le studio. Elle ouvrit doucement la porte et entra au milieu des flashs qui pleuvaient de partout et alla voir le directeur du magazine, monsieur Brizt. Elle se pencha pour lui chuchoter délicatement, connaissant son irritabilité :

– Pardonnez-moi Monsieur Britz. Il y a un nommé Handy McGowan qui est ici, et il insiste pour voir absolument mademoiselle Randall.

Mais avec l'orage de plus en plus menaçant et la panne d'électricité qui risquait de compromettre cette longue séance de photographies, le moment ne pouvait être plus mal choisi pour faire pareille demande. Aussi, au milieu des baisses de courant de plus en plus fréquentes et d'un personnel de plus en plus survolté, la friction fut inévitable.

– Il me semble vous avoir dit que je ne voulais être dérangé par personne ! répondit le directeur horripilé.

Elle tenta de le calmer en lui faisant valoir, nerveuse, fort mal à l'aise :

– Je sais mais comme il s'agissait de son fiancé et que ça me semblait d'une importance capitale, je n'ai pu résister.

Puis il y eut une panne de courant. Les lampes de sécurité s'allumèrent. La surcharge fut trop forte pour l'homme, qui péta les plombs.

– Satisfaite maintenant ? En insistant un peu, le ciel t'a finalement exaucée, je crois ! dit-il, bondissant de son fauteuil capitonné.

Il secoua la tête et s'épongea la figure avec son mouchoir au milieu des lumières qui s'allumaient et s'éteignaient. Il ajouta, des étincelles de frustration dans les yeux :

– Sale journée !

Aussitôt après le photographe, un Italien aux cheveux noirs bouclés à la Barzotti, Perpiko, vint vers lui pour demander ce qu'il comptait faire face à la situation hors contrôle.

– Qu'est-ce qu'on fait maintenant patron ? Il nous faudrait une génératrice d'urgence. Où allons-nous en trouver une à cette heure-ci un samedi ?

Le directeur, les dents serrées, toisa Yun Tsé-Ki qui elle, n'osant plus formuler le moindre mot, haussa les épaules.

– C'est inutile, on reprendra la séance lundi matin. Que tout le monde soit là pour dix heures ! leur dit-il, haussant la voix.

Tout le personnel ramassa ses effets personnels et quitta les lieux tour à tour, la réceptionniste s'approcha de la jolie comtesse restée assise sur le canapé de style Régence Louis XV.

– Mademoiselle Randall… votre fiancé est là. Il voulait vous voir absolument, lui dit-elle en le montrant d'un signe de tête.

Se tournant, elle le vit dans l'embrasure de la porte, qui la contemplait et lui envoyait la main.

Elle se leva avec empressement, accourut vers son chevalier en soulevant sa robe à crinoline et s'arrêta d'un seul coup pour lui dire :

– Ta mère t'a bien fait le message sinon tu ne serais pas venu ici, et nous ne nous serions revus qu'au bal ce soir !

138

Elle fit quelques pas en avant, Handy la trouvant amusante à voir. Elle le regarda droit dans les yeux et ajouta lentement, se faisant très enjôleuse :

– N'est-ce pas, Monsieur McGowan ?

Le rocker, qui n'avait pas dit un seul mot, se fit prendre à son propre jeu lorsqu'il lança à la blague et sans savoir ce qui avait justement été la cause de l'altercation entre son ami le docteur Evans et Peekles au Billy's Café, c'est-à-dire elle. Imaginant la chose et croyant qu'elle n'en savait rien encore, il lui dit :

– C'est comme on dit « en plein dans le mille », Jessica. Mais avant, laisse-moi deviner. Je te parierais un gros *sundae* aux fraises que tu as rencontré Doug déguisé en maréchal-ferrant au Billy's Café, qu'il a ensuite obligé Peekles à te lâcher en lui envoyant une balle dans le bout de chacune de ses bottes, et finalement t'a demandé par ce heureux hasard si tu ne pouvais pas lui rendre service en me remettant une lettre.

Bien que surprise, elle ne se laissa pas berner et crut tout simplement qu'il en avait été informé entre-temps. Elle prit donc un malin plaisir à le faire marcher à son tour et le piégea.

– Eh bien disons que pour un devin qui en est à ses débuts, je dois reconnaître que c'était pas mal réussi. Quoique je doute fort que ce soit là le seul fruit d'un tel pouvoir, et qu'il ne s'agit là que d'un merveilleux mélange de calculs et de projections…

S'arrêtant quelques secondes tout en continuant de le fixer droit dans les yeux, elle se gratta d'abord la bouche avec le bout de son éventail, devint subitement plus sérieuse et ajouta :

– ... puisqu'il manque une chose très importante dans cette merveilleuse mosaïque... je n'ai jamais eu de lettre à te remettre de la part de qui que ce soit, ni même de Doug.

Il mordit à l'hameçon.

– Quoi ?

Troublé et l'estomac presque noué, il poursuivit, en bégayant :

– Heu, mais... mais... je... je... je ne comprends pas… mam... mam… maman… m'avait pourtant bien dit que tu... que tu…, s'arrêta-t-il, dérouté.

La jolie femme, qui continuait de le regarder, n'en pouvait plus de se retenir. Elle lui sourit, puis tira de son corsage la fameuse lettre.

– Tiens ! Cette fois je t'ai bien eu Handy, lança-t-elle en riant.

Soulagé il décompressa, lâcha un grand soupir et s'exclama :

– Ah la vache ! C'est le pied !

Handy la prit en lui laissant croire qu'il ne se doutait de rien. De sorte que même si elle ne lui avait pas encore dit que la lettre venait effectivement de Doug, il le présuma à partir de tout ce qu'il savait déjà, lui permettant de croire que le véritable docteur Evans F. Düger était maintenant de retour. Cette lettre était sans l'ombre d'un doute l'explication à l'étrange phénomène qui se produisait depuis quelques jours. Il voulut donc s'amuser à son tour.

– Voyons maintenant ce qu'il peut bien y avoir de si important.

Il se retira un peu à l'écart, dos à elle, déplia la lettre, ne lut des yeux que les premières lignes et s'écria :

– Je le savais ! C'était bien lui !

Heureux, il murmura lentement, resté songeur :

– Il est de retour !

– Mais qu'est-ce que tu savais ? Pourquoi tout ce mystère ? Je ne comprends pas ! dit la comtesse, curieuse de savoir.

Préférant ne rien lui révéler, il replia la lettre presque en la chiffonnant et la fourra dans la poche droite de sa veste.

– C'est que c'est une affaire assez complexe et ce serait trop long à t'expliquer... Je suis désolé Jess de te laisser comme ça, mais il faut que j'y aille, bafouilla-t-il.

Après il s'avança, l'embrassa et, tout en s'éloignant à reculons, lui dit d'une voix empreinte d'émotion :

– Je t'expliquerai plus tard. C'est promis. On se reverra au bal ! Ciao !

Elle n'insista pas davantage.

– C'est d'accord. À tout à l'heure !

Il partit en courant, repassa devant le bureau de Yun Tsé-Ki qui, le voyant filer ainsi, ne put s'empêcher d'exprimer :

– Ah, ces Américains, tous pareils. Toujours à la course. Pas de temps pour faire yoga. Très mauvais.

Arrivé à l'extérieur, la pluie commença à tomber. Passant pour la première fois sous l'échelle et le réalisant il s'arrêta, se retourna tranquillement, superstitieux.

– Merde... je viens de passer sous l'échelle !

Il ferma les yeux et, tout en secouant la tête, il repartit de plus belle vers sa camionnette au milieu des éclairs et du tonnerre, murmurant et répétant sans cesse, comme pour s'exorciser :

– Ce n'est que de la superstition. Ce n'est que de la superstition. Ce n'est que de la superstition.

Monté dedans il sortit la lettre, la déplia, alluma de son autre main la lumière du plafond et en fit la lecture complète à voix basse, l'orage s'abattant :

Cher Handy, tu n'as pas halluciné ce matin à la bibliothèque. C'est bien moi que tu as vu. Je suis de retour. Et aussi incroyable que cela puisse te paraître j'ai découvert, ou plutôt

Galiléo a fait la découverte d'un de ces trous de ver, un Portail du Temps, dont je t'ai si souvent parlé sur la vieille ligne de chemin de fer d'où je m'élançais pour la quatrième fois avec mon Boomerang. Pour preuve de cela, je suis intervenu dans le temps pour ton père dans cette fâcheuse histoire de l'incendie de la bibliothèque du lycée ce soir du 30 juin 1962. Cela a normalement dû se traduire par un futur beaucoup plus beau pour toi et toute ta famille, du moins si j'en crois ce qu'est devenu Stiff Tyken, que j'ai croisé ce matin sur la route. Par la suite, je suis reparti pour le 5 août 1883. Je suis demeuré bloqué là-bas pendant plus de douze ans en raison d'une panne d'essence causée par un accident lors de mon arrivée, j'ai dû me débrouiller et refaire ma vie. Depuis, je suis marié à une biochimiste, Cybril Baxton, qui m'a donné deux merveilleux fils, Thomas et Edison. L'un est inventeur et bricoleur dans l'âme ; l'autre est un passionné d'histoire et de littérature.

Hormis l'existence de cet autre moi-même en 1987 que je n'arrive pas à comprendre, là n'est pas la raison de ma venue. En effet, de gros nuages ont assombri le ciel et menacent à présent la paix et le bonheur de ma famille. Ce malheur qui pèse sur la famille Baxton, et plus particulièrement sur le père de Cybril, Wilmor Baxton, l'afflige bien entendu au plus haut point. Il va sans dire que ce qui l'afflige m'afflige également. Le malheur est d'autant plus pénible qu'il est doublé d'une infâme perfidie. Aussi, s'il y a une chose qui n'a pas de prix pour tout homme vivant sur cette terre et que Dieu lui-même ne saurait interdire de défendre, c'est bien sa réputation et son honneur. Je t'explique. Dernièrement, mon beau-père est venu nous rendre visite à la maison et a raconté une histoire aux enfants qui me paraissait somme toute invraisemblable. Toutefois, après avoir questionné et entendu le récit détaillé de toute cette histoire de la bouche même de Cybril, et même si j'ignorais jusque-là ces choses sur elle, je me suis toujours demandé depuis que je l'ai vue pour la première fois, pourquoi cette femme avait-elle des traits de caractère si empreints de noblesse, comme si elle venait d'un rang beaucoup plus élevé que moi ?

Eh bien j'ai maintenant la réponse à cette question. Des documents historiques qui auraient disparu lors d'une invasion des Vikings au XIe siècle feraient d'elle la seule héritière, après son père bien entendu, de son ancêtre le grand-duc d'Édimbourg, Charles-Philippe Baxton. Seulement le baron

John-Lee Cromwell revendique toujours le château qui appartenait au grand-duc, ainsi que tous les titres s'y rattachant, acquis d'une manière frauduleuse par son ancêtre le comte d'Oxford, Robert Cromwell. À ce moment-là, lui, profitant de la mort de Charles-Philippe et de sa femme Katherina et de la région alors dévastée, y substitua de faux documents. Cela empêcha dès lors sa fille unique Amély, ainsi que toute sa descendance, d'en être les véritables héritiers légaux. Et le baron John-Lee Cromwell dans un saloon de Garbaine City a réussi à piquer l'honneur de Wilmor lors d'une violente dispute et à l'entraîner devant des témoins dans un duel dont il sait être le vainqueur, du fait que Wilmor est atteint de myopie.

Comme tout ceci l'attriste et la rendra irrémédiablement malheureuse, j'ai donc décidé d'intervenir et de retourner cette fois très loin dans le passé au Moyen Âge, vers le début du XIe siècle, en l'an 1015 en Écosse, pour sauver la vie de son père et pour l'amour de Cybril.

Cependant, comme si ce n'était pas assez, un léger imprévu est venu compliquer ce très ardu voyage spatio-temporel mais l'a peut-être aussi finalement réglé. Voilà, j'aurais besoin de ton aide. Viens me rejoindre ce soir à 22 heures pile à l'ancienne minoterie des frères Parisch. Je t'expliquerai tout. Je crois avoir la solution entre les mains. Il n'en dépend que de toi à présent.

Ton ami dans le temps,
Docteur Evans F. Düger

Handy, que la lecture de la lettre avait rendu nostalgique, s'arrêta et murmura, renversé :

– Doug voyage à travers le temps à bord d'une Ford Shelby 1969, vit au XIXe siècle, s'est marié, a deux gosses avec ça et veux aller au Moyen Âge ! Ça par exemple, je dois être en plein délire ! ajouta-t-il en riant.

Apercevant l'affichage numérique de l'heure sur la radio et empruntant les paroles de son inséparable ami, il s'exclama :

– Par tous les capitaines Nemo de la terre, il est déjà 21 h 18 !

Il démarra et partit au milieu de l'orage qui s'intensifiait. Franchissant le muret de briques portant l'inscription *Rosen Estates,* il se retrouva sur la grande route. N'ayant roulé qu'à peine un kilomètre et demi, il aperçut des gyrophares de voitures de police placées en travers à environ 300 mètres. Un policier lui faisait signe de faire demi-tour. Même s'il était stressé par le temps, il dut obtempérer et ralentir bon gré mal gré.

– Ah non ! Ce n'est pas vrai ! Bien entendu un autre aurait passé sous cette échelle et il ne lui serait rien arrivé. Mais parce que c'est moi, voilà que tout va se mettre à aller de travers !

Arrivé près du barrage, il immobilisa la camionnette et descendit sa vitre pendant que le policier s'amenait vers lui, vêtu d'un imperméable noir à bandes fluorescentes, une torche à la main.

– Hé ! qu'est-ce qui se passe ? demanda le rocker, j'ai une affaire importante à régler. Il faut absolument que j'emprunte cette route. Je dois être là pour 22 heures, ajouta-t-il.

L'homme s'avança, lui braqua sa torche sur le visage et l'aveugla momentanément. Puis il se pencha et lui dit d'une voix forte, au milieu des éclairs et des coups de tonnerre qui se succédaient :

– Désolé mon gars... même si tu étais le gouverneur de l'État, personne ne passe. La foudre a tombé sur un arbre presque centenaire qui s'est ensuite écrasé sur la route, entraînant avec lui poteaux et fils électriques sur une distance d'environ un kilomètre. Une équipe a été dépêchée et lorsqu'elle sera là, il faudra sans doute de trois à quatre heures pour dégager tout ce bordel. Alors si tu veux mon avis, il vaut mieux faire demi-tour, rentrer tranquillement chez toi et attendre que ce sale temps soit passé.

Abattu et remarquant du même coup l'inscription ANTX-666 sur l'aile arrière du véhicule juste en face de lui, il murmura :

– Le chiffre de la Bête... il ne manquait plus que ça...

– Qu'est-ce que tu dis ? répliqua le policier, qui n'avait pas bien compris.

Résigné, il lui répondit :

– Tout compte fait, vous avez raison, il vaut mieux ne pas tenter le diable et faire demi-tour.

Le policier se retira et le regarda partir, le trouvant assez bizarre.

Après quelques minutes, Handy s'arrêta au croisement d'un chemin et lut sur le panneau :

– Glenn Quarry Road... Ouais ! s'écria-t-il en frappant le volant. C'est bien trop vrai. Le chemin de la Glenn Quarry. Comment n'y ai-je pas pensé avant ? Il y a un sentier de petit bois qui s'y rend.

Insérant une cassette dans le lecteur il ajouta, requinqué :

– Et rien de tel que ce bon vieux rock de CCR pour chasser ses idées noires. Montant le volume, il repartit sous la pièce musicale *Hey Tonight* de Creedence Clearwater Revival et arriva en face du raccourci qui bifurquait et menait à la minoterie abandonnée.

– OK, ce ne sera pas du gâteau, mais je n'ai pas d'autre choix, c'est la seule solution, dit-il, réfléchissant tout haut.

Puis il s'engagea sur le sentier tortueux au plus fort de l'orage et dans l'obscurité totale. Malgré les phares additionnels dont disposait la camionnette sur son toit, il avait du mal à voir les obstacles tellement l'eau déferlait sur le pare-brise.

Les essuie-glaces fonctionnaient à plein régime. Aussi, toute cette eau qui se mélangeait avec la terre allait rendre le sol très boueux et le chemin de plus en plus impraticable. Handy, qui ne voulait en aucun cas capituler, se devait d'éviter de ralentir, et encore moins d'arrêter pour ne pas s'y enliser fatalement. Toutefois, à ce rythme d'enfer et tout en franchissant une butte, la camionnette s'envola et retomba sur une énorme roche entre les deux sillons du sentier que l'eau et le passage répété des tracteurs de ferme et des camions lourds avaient fini par déterrer, et cessa systématiquement d'avancer. Il essaya en marche arrière, puis repassa en première vitesse. Rien à faire, la transmission ne répondait plus. Ouvrant la portière, il aperçut à travers la brillance que projetait la lumière de sa torche dans l'eau coulant sur le sol le mélange fluide de l'huile rouge.

– Merde ! s'écria-t-il, j'ai bousillé la transmission. Il va falloir que je fasse le reste du trajet à pied, maintenant.

Regardant l'heure :

– Zut ! Il est 21 h 57 ! Je ne serai jamais là pour 22 heures. Enfin, il vaut mieux tard que jamais. Seulement cette fois il faudra patienter un peu ! ajouta-t-il en pensant à son ami.

Agrippant une paire de bottes de caoutchouc qu'il avait emportée, il enleva ses Nike, mit les bottes, descendit de la camionnette, glissa en posant le pied sur le sol et faillit se retrouver sur le derrière dans la boue, n'eut été le miroir extérieur sur lequel il avait pu s'accrocher. Il alla ensuite à l'arrière du véhicule, monta dans la boîte et déverrouilla le cadenas d'un grand coffre de rangement en plastique qui contenait une tente. Il l'ouvrit, fouilla un peu et sortit la toile imperméable servant de toiture. S'en recouvrant, il partit ainsi accoutré, torche à la main, à la rencontre du savant qui, à l'intérieur du vieux bâtiment, voyant qu'il n'arrivait pas, marchait de long en large, nerveux, tracassé.

– Grand Dieu ! Il est 22 h 4 et il n'est pas encore là, dit-il en regardant sa montre. Il est sûrement arrivé quelque chose... Handy ne m'abandonnerait pas comme ça !

Saisissant un vieux fanal au kérosène qu'il avait allumé et accroché à une poutre afin de s'éclairer, il se dirigea vers la porte et sortit sous l'orage dans la cour extérieure, lanterne à la main. Il fit quelques mètres en avant, pivota brusquement et alla vers la gauche en prenant le même sentier battu que Handy, ce qui n'allait pas manquer de semer l'épouvante chez ce dernier.

En effet, comme l'illustre savant marchait à grandes enjambées et qu'il ne prenait pas le temps de voir les obstacles se trouvant sur son passage, il trébucha en s'accrochant le pied sur une longue racine d'arbre et tomba à plat ventre dans une mare d'eau. Il se releva péniblement, le visage et les vêtements couverts de vase, sans se rendre compte tout de suite que son fanal qui s'était cassé sur une pierre avait mis le feu à son long manteau de maréchal-ferrant. Seulement, l'odeur du tissu brûlé ne tarda pas à l'en avertir.

– Non ! Le feu est pris à mon manteau ! cria-t-il, se frappant à grands coups avec ses mains.

N'y parvenant pas il paniqua, se leva rapidement et repartit en hurlant.

Arrivant face à face avec Handy qui venait en sens inverse, celui-ci fut plus effrayé que lui, parce qu'il crut sur le coup voir la figure de Freddy, personnage du film d'horreur qu'il avait entrevu juste auparavant à la télévision.

Düger, qui ne s'était pas pour autant arrêté et se débattait toujours debout avec le feu, regarda le rocker qui, le derrière dans l'eau et la boue, continuait de l'aveugler, effrayé.

– Voyons Handy, c'est moi ! Cesse de m'aveugler avec cette torche et aide-moi plutôt à éteindre le feu sur mon manteau avant qu'il soit tout consumé !

Reconnaissant sa voix, il répondit, étonné :

– Doug !

Puis il se leva, ramassa la toile imperméable dont il s'était revêtu et se mit à lui frapper dessus. Le feu éteint, il le regarda, très content de le revoir, et lui dit :

– Je suis vraiment désolé, Doug. C'est que vous m'avez fichu une de ces trouilles avec votre visage couvert de boue et votre long manteau en feu. Combiné avec cet orage et l'éblouissement causé par la lumière de ma torche, je vous ai pris pour ce personnage d'un film d'horreur que j'avais vu juste auparavant à la télé, Freddy. Il ne vous manquait plus que ses longs doigts en pics à glace pour que la ressemblance soit complète. Et ce matin à la bibliothèque en plus... mettez-vous à ma place !

– Eh bien je te remercie pour la ressemblance, rétorqua le savant, sauf qu'il va falloir que je me trouve un autre manteau. Celui-là n'est maintenant bon qu'à habiller un épouvantail de champ de maïs !

Handy tint à le rassurer.

– Ne vous en faites pas, Doug. J'en trouverai bien un qui lui ressemble. Ce genre de manteau long est encore très à la mode aujourd'hui, vous savez.

Celui-ci, tirant un trait sur l'incident, l'invita à entrer :

– Bof, l'important c'est que tu sois là Handy, dit-il avec un large sourire. Viens, allons nous faire sécher à l'intérieur. Il y a un vieux poêle à bois que j'ai allumé. On bavardera de tout ça en buvant une bonne tasse de café chaud.

Après avoir étendu leur linge sur une corde fixée entre deux poutres au-dessus du poêle à bois, ils prirent place sur deux chaudières qu'ils avaient retournées à l'envers, en bavardant et en délibérant de la situation devant laquelle ils se trouvaient. Cependant, compte tenu du peu de temps dont ils disposaient, surtout pour Handy qui avait un rendez-vous avec Jessica à minuit, ils durent convenir rapidement de ce qu'ils devaient faire. Düger résuma et exposa brièvement l'impasse dans laquelle il se trouvait ainsi que la solution qu'il envisageait.

– Voici, l'ordre chronologique des derniers événements est celui-ci. Le duel aura lieu le vendredi 25 octobre 1895 à 15 h tapant à Garbaine City. Je suis parti de Rusty Valley à bord de la Shelby le samedi 19 octobre 1895 à 23 h 47. Cela veut dire qu'il ne me reste plus que cinq jours pour remonter le temps jusqu'au XIᵉ siècle en Écosse au début de l'été de l'an 1015 de notre ère où, d'après des informations que j'ai pu recueillir ce matin à la bibliothèque, les Vikings auraient tout mis à feu et à sang sur ce passage qu'ils firent à Édimbourg. Ils ont détruit le document historique muni du sceau du duché d'Édimbourg qui faisait de Cybril, de son père ainsi que de toute sa descendance les seuls véritables héritiers du château et de tous les titres s'y rattachant. Pour le reste, en ce qui a trait à la raison et aux autres explications historiques qui m'amènent jusqu'ici, je crois t'avoir suffisamment donné de détails dans ma lettre. Maintenant, si tu as d'autres questions ou objections, vas-y, je t'écoute.

– Oui en effet, cela fait beaucoup à digérer pour mon petit cerveau en l'espace de quatre jours.

Puis il reprit :

– Vous dites avoir trouvé un Portail du Temps ?

– Tout à fait ! répliqua le savant. C'était lundi soir, et il était un peu plus de 20 heures je crois. J'avais remis le Boomerang sur la remorque et je m'apprêtais à repartir lorsque Galiléo se mit à aboyer sans arrêt. Je l'ai appelé, mais rien à faire. J'ai donc descendu torche à la main en prenant soin d'emporter ma paire de lunettes à infrarouge. Arrivé près de lui, il a cessé d'aboyer et il s'est mis à avancer. Croyant qu'il s'agissait peut-être de quelque chose de plus important qu'une simple bestiole, comme le cadavre de ce Jismond Ladurantaye que la police cherche toujours, j'ai

146

accepté de le suivre. S'arrêtant à nouveau un peu plus loin à la hauteur du large panneau orange fluorescent, branlant la queue et lâchant quelques aboiements comme pour m'indiquer sa trouvaille, j'ai mis l'appareil sur mes yeux et j'ai fait la plus grande découverte jamais réalisée par l'homme, un énorme cercle rouge, un Portail du Temps reposant entre les deux rails, s'ouvrant à intervalle de dix jours, selon ce que j'ai par la suite observé. Je n'étais tout simplement pas encore tombé dessus. Les chiens peuvent sentir la présence du phénomène, comme un orage par exemple, que nous les hommes ne voyons pas toujours venir à l'horizon.

– Wow ! Méga découverte, s'exclama le rocker, jusque-là je ne vois pas où est le problème, Doug. On n'a qu'à aller faire cette petite balade au Moyen Âge récupérer le fameux document dont vous parlez et ensuite revenir, c'est tout. Hormis bien sûr cet autre vous-même qui se promène avec sa Shelby décapotable convertie en aérohydroglisseur, je dirais que tout va très bien ! ajouta-t-il ironiquement.

Düger en profita pour lui signifier :

– Jusque-là c'était vrai. Seulement voilà, je ne pouvais prévoir que les rails qui devaient pourtant être ici dans cette minoterie avaient été malencontreusement enlevés. Conséquence de cela, le véhicule spatio-temporel s'est lourdement écrasé sur le sol et l'essieu arrière a été tordu sous le choc. C'est dire que même si on voyage à travers le temps, il y aura toujours de l'imprévisible.

– Oui, mais vous auriez pu la remettre sur votre remorque avec le treuil, non ?

– Eh bien, encore là pas de chance. J'ai oublié d'éteindre les feux de positionnement sur la camionnette avant de partir, je suis donc pour ainsi dire coincé.

– Ouais c'est pas le pied, répondit le rocker, sympathisant avec lui.

– Cependant, enchaîna le savant, je crois non seulement avoir trouvé la solution à ce problème, mais également la solution à tout le problème. Le Boomerang tel que je l'avais conçu ne représentait pas le véhicule approprié pour aller dans le Moyen Âge, du fait qu'il n'y a pas de ligne de chemin de fer. Je devrais donc lui apporter d'importantes modifications, et c'est là que tu deviens indispensable. J'ai vu ce merveilleux appareil que cet homologue de moi-même possède, un aérohydroglisseur, et même si je ne comprends pas encore son existence, tu te rends compte, c'est en plein le véhicule qu'il faut. Bon, tout cela est bien étrange, je le reconnais. Théoriquement, je ne peux exister en 1987, je suis parti. Mais je n'ai pas le temps de chercher de midi à quatorze heures tu comprends, le temps presse. Et il ne faut en aucun moment que nous nous voyions, c'est là le plus grand danger, ajouta-t-il nerveux, gesticulant.

– Oh là ! s'exclama Handy, se levant à son tour, je vous vois venir, et ce n'est pas que je ne veux pas vous aider, seulement la chose ne sera peut-être pas aussi facile. Vous avez changé. Vous n'êtes plus le même scientifique, Doug.

À la fois troublé et captivé par ce que venait de lui apprendre son indéfectible ami, il le regarda, stupéfait, pour finalement lui demander :

– Et quelle sorte de scientifique suis-je devenu, Handy ?

– Ce que je veux dire, c'est que vous vous intéressez toujours à la science, mais que vous semblez maintenant préoccupé par des choses... des choses...

Le doigt sur la bouche, il s'arrêta pour trouver le mot qu'il avait déjà oublié.

– ... plus philanthropiques ! C'est ça, vous êtes un philanthrope !

– Et quelles sont ces choses philanthropiques auxquelles je m'adonne ? Je veux dire cet autre moi-même ? Pourrais-tu me le préciser ? insista le savant, curieux de connaître davantage cette nouvelle personnalité.

Il hésita encore un peu, puis lui récita son curriculum vitæ :

– Par exemple, vous militez en faveur du désarmement. Même que vous faites partie d'une ligue antinucléaire. Vous vous intéressez beaucoup à tout ce qui touche l'environnement, la pollution de l'air, de l'eau, et plus particulièrement à ce nouveau phénomène du réchauffement de la planète appelé aussi « effet de serre ». Vous possédez maintenant une très grande variété de plantes exotiques et tropicales dans une gigantesque sphère biotique en plexiglas que vous avez vous-même fabriquée, où vous passez la majeure partie de votre temps avec divers animaux allant de l'oie blanche Pénélope jusqu'à Victor l'iguane, sauf Galiléo qui n'est plus là, sans autre remplaçant. Et ne me demandez pas pourquoi.

– Grand Dieu ! Je suis vraiment comme ça ?

– Oh mais attendez ce n'est pas tout, reprit Handy, et là je n'en reviens pas. Vous vous êtes... vous vous êtes même porté à la défense et à la reconnaissance des homosexuels dans les Forces armées américaines... et vous êtes également en faveur de la légalisation de la marijuana, ajouta-t-il fort embarrassé, encore sous le choc lui-même.

À ces mots, il tomba presque à la renverse et lui répondit, survolté, incrédule :

– Quoi ! Mais ça ne se peut pas voyons Handy ! J'ai toujours été contre !

Baissant le ton il compléta, pensif :

– Il s'est sûrement passé quelque chose, quelque chose qui a modifié complètement tout mon futur, ce n'est pas possible !

– Hé ! ne vous en faites pas, je suis tout aussi perdu que vous. C'est vous qui m'avez toujours chanté que le futur n'est jamais écrit d'avance. Alors, on ne retrouve plus ses notes, professeur ? y alla le jeune lycéen, un peu sarcastique.

– Argh ! Je sais que le futur n'est jamais écrit d'avance ! Mais là ça n'a pas de sens voyons ! Que je m'intéresse à l'environnement et à tout ce qui pourrait affecter l'écosystème de la planète, jusque-là c'est subjectivement plausible. Seulement que je sois devenu un espèce de savant rose... c'est impossible ! Je ne peux pas être comme ça !

Face à son incrédulité il secoua la tête, puis se vida le cœur.

– Désolé, mais c'est ce que vous êtes à présent. Et si vous n'étiez pas revenu, je n'aurais jamais pu comprendre ce qui vous a fait basculer comme ça. Enfin là Doug, j'aimerais bien que vous m'expliquiez ce qui se passe. Avec ce cauchemar de la nuit dernière qui m'avait complètement retourné en plus... vous auriez dû me voir. Parce que votre homologue, comme vous dites, parle comme si les voyages dans le temps ne l'intéressaient plus. Je dirais même comme si rien ne s'était passé. Malgré cela, et c'est ce qui est le plus bizarre, c'est qu'on est toujours bons copains et que vous êtes toujours aussi sympathique, là-dessus rien n'a changé. Même qu'on dirait qu'on s'amuse plus qu'avant. Vous êtes moins solitaire et vous draguez les filles à part ça. En fait, c'est comme s'il y avait deux docteurs Evans dans le même. L'un qui n'aurait pas changé ses habitudes de vie, et l'autre qui, en plus d'être totalement différent, est d'une originalité tellement à vous couper en deux que je n'arrive pas à y croire encore. C'est dingue hein ?

– Oui c'est dingue et ça s'appelle « l'Embobryo circonstanciel du Temps », rétorqua Düger, visiblement contrarié par le phénomène qu'il avait toujours sous-estimé jusqu'ici.

– Vous voulez dire un paradoxe ? demanda-t-il, se perdant un peu dans ce langage de théoriciens relativistes.

Le savant, que la question ne manqua pas de survolter à nouveau, lui fit une courte synthèse.

– Non Handy ! Pire que ça ! Les voyages dans le temps n'empêchent pas les naissances de se réaliser, tu sais. La vie et la mort se rencontrant d'une façon trop juxtaposée peuvent parfois produire une réalité de type conjectural. À la différence qu'il se produit dans ce cas-ci un peu des deux, un mélange de vrai et de faux, de qualités et de défauts, un « embobryo » que j'ai bien dit. Mais là, comment cela a-t-il pu survenir ? Il a fallu un événement drôlement important pour créer une telle distorsion. Mes fils auraient-ils malencontreusement fait connaissance avec mon père ou ma mère ? Ou les deux même ? Ou pire encore, ma mère me portait déjà dans son sein ? J'imagine l'onde de choc ! Je savais qu'il y avait des risques que cela puisse se produire un jour, mais je refusais d'y croire. Je ne sais pas tout, voilà ce qui arrive. J'ai tout simplement foutu le bordel dans mon propre avenir et là, c'est le cas de le dire, c'est pas le pied !

– Donc, si je comprends bien, enchaîna Handy, à cause de cela vous existeriez toujours en 1987 mais vous auriez une double personnalité en vous, une vraie et une fausse.

– En conséquence, l'un de nous deux devra forcément disparaître de la réalité. Soit moi à la date précise de ma naissance, ou cet embobryo de moi-même, en commençant par savoir ce qui a bien pu en être la cause principale. Et moi qui devais aller au Moyen Âge pour tirer mon beau-père d'un mauvais pas, je ne peux même pas me tirer avant, je n'ai plus assez de temps ! dit Doug, accablé.

– Je m'excuse Doug ! Ce n'est pas ce que je voulais dire, regretta aussitôt Handy en lui mettant la main sur l'épaule.

Le désespoir le gagna malgré tout.

– Bah, ce n'est pas grave, il nous faut tous disparaître un jour ou l'autre de toute façon !

Ne pouvant supporter de le voir ainsi, il essaya de lui remonter le moral.

– Hé, attendez… Il ne faut pas déprimer comme ça Doug. Il doit bien y avoir une solution. Remarquez que je peux très bien vivre avec ça vous savez. Sauf que si c'est là un « embobryo » comme vous dites, ou une malheureuse tangente prise au détriment de ce qui aurait dû être beaucoup plus beau pour vous, votre femme, et vos gosses…

S'arrêtant, il reprit pour lui demander très curieusement :

– Au fait Doug, vous ne les avez pas emmenés avec vous ?

– Non, je ne voulais pas. C'est une affaire entre Cromwell et moi. Peut-être que j'aurais dû. Mes fils sont assez intelligents et débrouillards pour ça tu sais ! Tu devrais les voir. Je suis vraiment fier d'eux. J'espère juste maintenant que je les reverrai tous ! ajouta-t-il mélancolique, pensant à eux.

– Eh bien vous ne resterez pas coincé ici Doug, j'irai voir votre homologue de 1987 et je m'arrangerai pour qu'il me prête l'aérohydro-glisseur. Puis nous partirons au XIe siècle en Écosse récupérer ce manuscrit. Ainsi, vous serez en mesure de dénoncer toute cette affaire. Cromwell sera confondu. Votre beau-père Wilmor ne se fera pas descendre, Cybril ne sera pas irrémédiablement malheureuse, et vos fils auront un bel avenir. On dit que le passé est garant de l'avenir. Cette fois Doug, je veux être garant de votre avenir. Vous l'avez fait pour mon père et pour toute ma famille. À mon tour de le faire pour la vôtre. Ce sera un juste retour des choses.

150

Le savant, qui l'écoutait et ne disait plus un mot, ne s'attendait pas à un tel engagement.

– J'avais bien dit à Cybril que je pouvais compter encore sur toi, dit-il la voix chargée d'émotion, mais je ne m'attendais pas à un engagement aussi volontaire et spontané de ta part. Ça me bouleverse ! Rien ne t'oblige à venir avec moi jusque-là. Et je ne t'en voudrais pas pour le moins du monde. Seulement m'aider à avoir l'aérohydroglisseur serait suffisant. Pour ce qui est du Transfuseur temporel, ce sera un vrai jeu d'enfant. Je prendrai celui du Boomerang et le brancherai dans l'autre.

Il n'en démordit pas et insista pour être du voyage :

– Non Doug ! Je vous dois bien ça. Je me rendrai au bal de l'Halloween de Rusty Valley où comme prévu nous devions tous nous revoir. Là j'expliquerai à l'autre Doug, enfin je veux dire, à votre homologue de 1987, que je voudrais aller plus tôt que prévu cette année à Pampelo Bay au chalet de mon oncle Jeffry observer certaines espèces d'oiseaux migrateurs qui se tiennent surtout sur les bancs de sable de petits îlots non loin de là. Et pour cela, s'il le veut bien, j'aurais besoin de son appareil. Son seul souci étant la préservation de la planète, il ne me le refusera pas c'est sûr !

– Oui, c'est un bon plan de match ! s'écria Düger, nous nous retrouverons sur le grand stationnement de la Promenade Tocomac. Ensuite, nous filerons tout droit ici !

L'objectif retrouvé, Handy le regarda avec un petit sourire en coin pour lui demander :

– Et cette Cybril, elle est comment ? C'est nouveau ça, hein ?

– Tout à fait adorable ! J'en suis tombé follement amoureux dans une foire à Kansas City où nos chemins se sont croisés pour la première fois. Elle alliait la beauté féminine avec une incroyable intelligence. Un vrai génie sorti d'une lampe qui comblait tous mes désirs ! Alors je n'ai pas hésité une seconde et j'ai fait le grand saut. Depuis, je suis heureux comme un roi.

– La perle rare quoi ! Je vous l'avais bien dit que ça vous arriverait un jour. Sacré Doug, lança-t-il en riant. À part ça, que faites-vous mainte-nant en 1895 de plus particulier ? Parce que si je me fie à vos vêtements, dit-il moqueur, vous ne semblez guère avoir évolué depuis, j'oserais même dire que vous vous êtes retrouvé sur le plancher des vaches.

– Si, j'ai évolué depuis tout ce temps voyons ! rétorqua le savant. Je tenais à venir dans cette tenue que je garde et porte encore chez moi à l'occasion, très justement en raison de l'Halloween, afin de mieux me dissimuler. Mais j'en ai d'autres plus élégants et à la mode, plus tenue de ville ne t'en fais pas. Je voyage beaucoup, enfin pas dans le temps que je veux dire, mais en train normal bien sûr. L'année dernière par exemple, j'ai rencontré nul autre que sir Thomas Edison lui-même dans une exposition au New Jersey. Puis un peu plus tard, Alexander Graham Bell.

— Vous avez rencontré monsieur Lumière et Alex Bell en personne... Wow !

— Rien de plus vrai ! Je projette même d'aller à l'inauguration de la première usine d'assemblage automobile de Henry Ford. Je ne veux pas manquer ça. Pour cela, j'ai déjà commencé à m'ajuster à tous ces changements en diversifiant un peu mon métier de maréchal-ferrant.

Je fabrique à présent des éoliennes, en majeure partie pour les fermiers de l'Ouest. Je songe même à faire un agrandissement à mon hangar d'ici peu. Sans compter que je contribuerai sans doute largement à établir le réseau téléphonique dans la région. Donc, comme tu peux voir, je n'ai aucune difficulté à suivre le cours du temps. J'ai même l'avantage d'avoir plus de facilité que les autres à m'y adapter tu vois ! Il m'arrive aussi de remplacer à pied levé le télégraphiste de Rusty Valley. Finalement, je gagne bien ma vie et je ne manque de rien. Je suis heureux comme un roi.

— Bon eh bien... je suis content que tout aille comme sur des roulettes pour vous Doug, mis à part cette affaire entre votre beau-père et ce Cromwell. Seulement pour la dissimulation, c'est du réussi. Surtout avec les deux balles que vous avez envoyées sur le bout des bottes de Peekles au Billy's Café... La chose s'est répandue comme une traînée de poudre dans toute la ville. Il y a de cela environ une heure, tout le monde semblait être au courant de l'événement, à part moi.

— Hum, j'ai peut-être fait trop de bruit, tu as raison, reconnut Düger. Cependant je n'avais pas le choix. Ce dépravé harcelait Jessica et ne voulait plus la lâcher. Je voulais venir ici sans faire d'histoires. J'espère que je n'ai rien engendré de néfaste dans mon futur ! ajouta-t-il, songeur.

— Non, je ne crois pas. Mais il s'en souviendra le reste de sa vie. Pour cela, c'est sûr. Au pire, c'est lui qui se retrouvera interné, surtout s'il maintient de pareils comportements après un tel avertissement. Allez, ne vous en faites plus, je voulais juste vous signaler la chose, c'est tout. Il a eu ce qu'il méritait et je n'aurais pas fait mieux, croyez-moi. Sinon que je lui en aurais probablement envoyé une dans chacune des jambes. Non, beau boulot ! Vous n'avez fait que protéger Jessie. Et ça, c'est très cool… merci Doug, dit-il en se versant une autre tasse de café.

Puis il reprit :

— Ah oui, une question me chiffonne depuis tout à l'heure. Même si vous aviez échoué et que vous étiez resté coincé quelque part dans le temps, il reste toujours Thomas et Edison, non ? Dans ce cas, que sont-ils devenus ? Vous ne semblez toujours pas avoir de descendance en 1987.

152

Je ne suis peut-être pas scientifique, mais je sais ce qui est logique ou non.

Sonné par la troublante question de son ami, il s'exclama :

— Argh ! C'est que tu as le don de poser toujours les vraies questions toi Handy !

— Hé, c'est juste une question qui m'est venue comme ça Doug… juste une question. On n'est pas obligés d'élucider ce mystère.

Se rasseyant, il ajouta :

— Je n'aurais pas dû vous la poser celle-là… pas plus que d'aller vérifier la chose au cime...

— Le cimetière de Rusty Valley bien sûr ! l'interrompit son mentor, en se dépêchant un peu nous pourrons le vérifier avant de nous rendre au bal.

— Sauf qu'il y a un autre pépin et non le moindre, c'est que j'ai bousillé la transmission de ma camionnette en voulant prendre un sentier battu par le chemin de la Glenn Quarry, et qu'à pas moins d'une heure et demie de marche d'ici à la ville… je serai en retard à mon rendez-vous avec Jessica !

— Dans ce cas, nous emprunterons la camionnette GMC du vieux Spitzel. Si je me souviens bien, Salomon, son fils, l'entretient et l'astique toujours soigneusement et la sort à l'occasion pour son plaisir ou pour des expositions de voitures anciennes. D'autant plus que nous ne sommes pas très loin de chez lui.

Il s'avança vers la porte, jeta un coup d'œil à l'extérieur et regarda sa montre.

— La pluie a cessé, et il est déjà 23 h 22. Alors allons-y ! On n'a plus une minute à perdre !

— C'est vous le doc, Doug.

Se levant, ils remirent leurs vêtements et s'y rendirent sans plus tarder.

— 11 —

APRÈS VINGT MINUTES DE MARCHE RAPIDE, ils arrivèrent sur la ferme du vieux Spitzel. Handy s'introduisit aussitôt dans le hangar en passant par une fenêtre et alla ouvrir les deux grandes portes verrouillées de l'intérieur par un madrier.

Düger, qui l'entendit forcer et frapper dessus de l'extérieur, trouva qu'il y mettait trop de temps.

– Ça viens Handy ?

– Ça y est presque Doug, seulement croyez-moi que depuis qu'un ovni s'est posé dans son champ de maïs, il a dû craindre que les envahisseurs reviennent !

Le madrier bougeant, il s'écria :

– OK ! Je l'ai ! On peut les ouvrir !

Poussant sur les grandes portes et voyant Doug qui riait seul, il lui demanda avec beaucoup de sérieux :

– Qu'est-ce qu'il y a de si drôle ?

Le savant, cessant de rire, lui fit la révélation de ce qu'il savait au sujet de la fameuse histoire de Spitzel.

– Il n'y a jamais eu de soucoupe volante dans son champ de maïs !

– Quoi ! Mais de qui tenez-vous cela ?

– De moi-même.

– Je ne comprends toujours pas !

– Tu sais tout comme moi que c'est arrivé le matin du même jour que ton père a été arrêté.

– Oui, je sais ça.

– Eh bien imagine-toi donc que lorsque je suis intervenu dans le temps pour ton père ce 30 juin 1962, j'ai dû camoufler le Boomerang tout près d'ici, à l'entrée d'un bois, et j'ai fait de l'auto-stop pour me rendre jusqu'à la ville. Ce matin-là, de bonne heure, je marchais toujours, et je vis dans la courbe de la route juste à côté du champ de Spitzel un semi-remorque. Celui-ci avait perdu sous la pression du virage un énorme silo à grain en acier galvanisé qui s'est mis à rouler sur lui-même en rond pour finalement se stabiliser à l'intérieur de l'énorme forme circulaire tracée sous son poids, sans en sortir. Comme le semi-remorque était doté d'une grue, les deux employés n'ont eu qu'à le repêcher en le soulevant à l'aide d'un câble. Ils sont repartis sans rien dire à personne, quelques

154

heures avant que le fermier découvre la chose. Voilà pourquoi je comprends que les enquêteurs qui se sont creusé les méninges pendant des années ont fermé le dossier sans pouvoir donner une explication plus plausible que celle de Spitzel. Non mais tu te rends compte... Qui voudra me croire ? Je suis le seul qui peut en témoigner sans preuve d'aucune sorte. Seulement c'est la pure vérité ! ajouta-t-il, transporté par le sujet.

– Ah la vache ! En effet, qui voudra vous croire à part moi ? Par contre, vous venez de me donner une sacrée bonne idée pour m'amuser un peu en ce jour d'Halloween, ajouta-t-il avec un sourire narquois.

– Tant mieux si cela peut te permettre de tirer ton épingle du jeu, mais là il faut que je tire la mienne, dit Düger tout en avançant vers la camionnette GMC.

En montant dans la camionnette, il reprit en lui rappelant :

– J'en ai déjà eu un exactement comme celle-là tu sais... Je l'aimais... Dans ce temps-là, ils faisaient du robuste.

– Oui je me souviens, quand j'étais gosse je m'amusais à simuler de la conduire chez le marchand de ferraille Todd Bresner. Sauf que là Doug, on n'a pas les clés, et j'espère juste que vous saurez la faire démarrer.

– Rien de plus simple Handy, tu vas voir.

Il se pencha, allongea le bras sous le tableau de bord, agrippa les deux fils reliés au contact puis, après les avoir débranchés, les dénuda à l'aide d'un petit canif qu'il avait, et les toucha ensemble. Le moteur démarra, il sortit la camionnette, s'arrêta et, à travers la fenêtre de la portière, lui lança à voix basse :

– Allez viens, monte ! Il faut y aller, à présent !

– J'arrive Doug ! répondit Handy du fond du hangar, donnez-moi seulement quelques secondes encore, ajouta-t-il.

C'était la bonne idée ou plutôt la bonne blague qu'il ne voulait pas manquer de faire à Salomon Spitzel avant de quitter les lieux. Il écrivit avec de la peinture rouge sur l'endos d'un grand carton jauni qu'il avait agrafé à un clou sur le fond du mur intérieur du bâtiment :

NOUS SOMMES DE RETOUR...

LES MUTANTS

Content de sa farce, il monta et ils filèrent tout droit au cimetière.

— 12 —

Au bal de l'Halloween, tout le monde dansait déjà et virevoltait sous la meilleure musique disco des années 80, envoûtés par le rythme et le synchronisme des stroboscopes et du son que l'on pouvait qualifier d'ensorcelants, surtout avec les jets de fumée au niveau du plancher. Son non moins endiablé DJ, déguisé en comte Dracula, parvenait presque à recréer l'ambiance de ses sorties nocturnes. Cela n'augurait cependant rien de bon pour la belle comtesse qui attendait toujours à l'extérieur son fringant chevalier qui ne s'était pas présenté à l'heure pourtant convenue. Il était maintenant passé minuit.

Visiblement inquiète, elle se promenait de long en large sur le trottoir en faisant tournoyer son ombrelle sur son épaule. Stiff arriva alors sur le carrosse de Cendrillon tiré par quatre chevaux blancs, tel que commandé par Handy le matin. Il s'arrêta et descendit de son siège de cocher, excité et fier d'avoir déniché ce petit bijou. Il vint vers elle en s'empressant de s'excuser pour son retard. Jessica, immobile, était complètement transportée à la vue du flamboyant carrosse et des quatre superbes chevaux blancs.

– Mam'zelle Randall ! Mam'zelle Randall ! lui dit-il, il est beau n'est-ce pas ? Désolé pour l'heure, j'ai dû attendre que l'orage soit passé, vous comprenez ?

Celle-ci de lui répondre, l'excusant, extasiée :
– Ce n'est pas grave... Il est tout à fait magnifique Stiff !

S'approchant des chevaux, elle ajouta en les caressant de la main :
– Et avec ces chevaux blancs en plus ! Ils sont superbes !

Puis, se tournant vers le valet, elle voulut savoir :
– Mais où as-tu dégoté tout cela, Stiff ?

– Je l'ai loué à Disneyland. Monsieur McGowan a tout payé avec sa carte de crédit.

– Tu veux dire que ce carrosse est le carrosse de Cendrillon de Disneyland ?

– C'est exact, Mam'zelle Randall.

– Stiff, tu n'aurais pas vu Handy, par hasard ?

– Vous m'en voyez surpris, Mam'zelle Randall... Je le croyais déjà ici avec vous. Personne n'était à la maison, j'ai donc cru que tout le monde était au bal. C'est pour ça que je suis là avec le carrosse, il voulait vous en faire la surprise en vous ramenant après le bal, dit-il un peu confus.

Encore éblouie, elle répondit, touchée par ce qu'il n'avait pas hésité à faire :

– Ce n'est pas croyable, on dirait un vrai conte de fée, et s'il a déployé tout cela pour moi, c'est qu'il viendra sûrement. Nous l'attendrons donc, Stiff.

– Très bien, Mam'zelle Randall. Vos désirs sont des ordres.

Il se dirigea ensuite vers le coffre arrière du carrosse, l'ouvrit et sortit une cruche remplie d'un punch aux fruits alcoolisé de sa propre fabrication ainsi qu'un ensemble de six coupes. Il revint vers elle, déposa le tout sur un banc de parc juste à côté d'eux et lui en versa.

– Tenez, c'est un punch de ma propre fabrication. Goûtez-y !

Elle en prit un peu et savoura.

– Il est tout à fait délicieux, Stiff. Il faudra que tu donnes ta recette à ma mère, ajouta-t-elle.

– Je n'y manquerai pas. Vous pouvez compter sur moi.

Ingurgitant le reste d'un seul coup, elle lui en redemanda. Le cafard la gagnant peu à peu parce que Handy ne se pointait toujours pas, elle en prit une troisième coupe, puis une autre… Se laissant aller, elle se soûla sous la musique de *With or Without You* de U2 qui jouait.

À l'extrémité de la ville, au cimetière, les deux hommes arrivaient. L'orage passé et la pluie ayant cessé, un épais brouillard recouvrait tout l'endroit éclairé par la pleine lune.

Ce n'était pas pour rien que Handy n'avait pas terminé ce dernier mot lorsqu'il avait dit au savant : « Je n'aurais pas dû vous la poser celle-là pas plus que d'aller vérifier la chose au cime... » Notre pimpant jeune rocker, malgré son apparence de dur à cuire et à cause de toutes les histoires de revenants racontées par son grand-père depuis sa tendre enfance, était resté avec la peur d'aller voir un mort, même un proche parent décédé, et de pénétrer dans le lieu sacré de leur repos. C'était là sa petite faiblesse que quelques-uns connaissaient, entre autres son meilleur ami. Aussi, avec ce paysage londonien à la Hitchcock qui se dressait devant eux, sa hantise n'allait pas manquer de refaire surface et il fut très vite le premier à vouloir reconsidérer la visite.

– Tout bien considéré Doug, on perd du temps à venir ici et on se donne peut-être beaucoup de mal pour rien vous savez. Après tout, sans vouloir vous offenser et au point où vous en êtes, ça servira à quoi d'en savoir davantage, hein ? De toute évidence, il faut que vous alliez là-bas coûte que coûte. Ce n'est peut-être pas bien de venir dans ce lieu uniquement dans des intérêts temporels ? D'autant plus qu'après-demain, nous serons le 2 novembre, jour des Morts... Il vaut mieux les laisser reposer en paix, non ? Qu'en dites-vous ?

– Vas-tu cesser tes jérémiades Handy ? répondit le savant se retournant vivement, agacé par sa litanie. Quand on pose une question à la science, celle-ci doit donner une réponse. Nous trouverons donc une explication à tout ceci, j'en suis sûr. Et puis, nous ne venons ici que pour des buts scientifiques et non pour saccager et profaner le cimetière comme des vandales, si tu vois ce que je veux dire. Les Düger sont catholiques, voyons !

La question réglée et pénétrant dans le sanctuaire des défunts, il s'arrêta pour convenir de la marche à suivre.

– OK, voici... afin d'accélérer nos recherches nous sillonnerons le cimetière en partant de ses extrémités en avançant vers le centre. Là, nous nous rejoindrons, compris ?

– Compris Doug.

Ce dernier avait à peine fait quelques pas que son ami, qui avait de plus en plus la trouille, voulut lui confier :

– Heu ! Dou-Dou-Doug !

– Quoi encore !

– Est-ce que vous...

Devinant, il l'interrompit, exaspéré :

– Croyez aux fantômes ! C'est ça que tu veux dire ?

Handy baissant la tête silencieusement, il éclata :

– Argh ! Je t'ai déjà dit mille fois que les fantômes n'existent pas, c'est rationnellement impossible. Quand nous sommes morts, nous sommes morts, un point c'est tout ! La vie est ainsi faite. On ne pourra jamais rien y changer. Je crois à l'immortalité de l'âme bien sûr, mais pas à toutes ces histoires d'épouvante inventées par le cinéma ou venant de ton grand-père. Alors concentrons-nous sur ce que nous sommes venus faire ici et il n'arrivera rien ! C'est d'ailleurs une excellente occasion pour te guérir de tes peurs.

– Bon, ça va, j'ai compris Doug, répondit avec nonchalance le rocker.

Ils repartirent chacun de leur côté. Handy avança en tenant fermement sa torche, toujours angoissé, parfois en faisant un pas vers l'avant et deux vers l'arrière en parlant à voix haute, s'adressant aux morts comme pour se donner du courage :

– Vous l'avez entendu... inutile de vous manifester... nous ne sommes ici que dans l'intérêt de la science...

Se retournant, il reprit, en marchant à reculons :

– Je crois en Dieu... je le prie tous les jours... enfin presque... et je vais encore à la messe le dimanche vous savez...

158

Comme il ne prenait pas le temps de regarder où il mettait les pieds, il s'accrocha le talon sur le coin d'une vieille pierre tombale tombée à plat sur le sol au fond d'une rangée et trébucha sur le dos. Il se retourna en se lamentant et braqua la lumière de sa torche sur la pierre tombale afin d'y lire l'inscription. N'y parvenant pas parce que la tourbe et la mousse avaient fini par la recouvrir sur presque toute sa surface il l'enleva, la gratta pour finalement n'y lire que les quatre premiers mots, s'arrêter et crier à tout rompre :

– Thomas et Edison Düger ! Doug ! Doug !

– J'arrive Handy !

Accourant, il arriva en lui disant :

– Ne crie pas comme ça voyons, tu vas finir par réveiller les morts !

– Eh bien c'est tout comme, Doug… regardez !

Braquant sa torche sur la pierre tombale, il lut : « Thomas et Edison Düger, fils de M. et Mme Evans F. Düger. Décédés lors du naufrage du Titanic le 15 avril 1912...

Frappé de plein fouet par la nouvelle, il s'écria :

– Mon Dieu ! Mais qu'est-ce qui a bien pu arriver pour qu'ils se retrouvent à bord du Titanic et meurent d'une façon aussi effroyable ? Je ne comprends pas, ajouta-t-il, atterré.

Pour l'un comme pour l'autre, leur nuit d'épouvante venait de commencer. Les deux fils de Düger, pour découvrir ce qu'ils étaient devenus et après s'être réfugiés dans l'église St. Patrick le temps de l'orage, allaient maintenant se manifester. Leur père et Handy, qui jusqu'ici ignoraient tout de leur présence, seraient fort surpris de cette apparition.

Arrivés sur les entrefaites de la découverte et tout en apercevant à travers la lumière de leurs torches la silhouette de deux personnes se parlant entre elles, ils se cachèrent aussitôt derrière des arbustes. Le cadet, qui crut bien reconnaître la voix de leur paternel, chuchota au grand frère :

– Tu as entendu ça, on aurait dit la voix de papa !

– Oui c'est pareil pour moi, répondit Thomas, seulement qu'est-ce qu'il peut bien faire ici ? Et qui est cet étranger avec qui il converse ?

Le grand frère décida d'élucider cette mystérieuse affaire.

– Voilà ce que nous allons faire, proposa-t-il, nous allons suivre cette haie qui longe tout le cimetière. Arrivés vers le milieu de celle-ci, nous marcherons accroupis en nous cachant derrière les pierres tombales, jusqu'à ce que nous soyons rendus assez près d'eux. Là, nous les épierons et nous serons alors plus en mesure de savoir ce qu'ils sont venus faire ici. Pigé ?

Il lui fit signe que oui, mais il voulut prévoir le pire :

– Et s'ils nous découvrent, qu'est-ce qu'on fait ?

– Dans ce cas, nous n'aurons d'autre choix que de tout lui expliquer, dit-il en parlant de leur père. De toute façon, c'est quelque chose qu'il faudra sans doute faire tôt ou tard. Maintenant, assez bavardé. Je compte jusqu'à trois, et à trois on y va... un... deux... et trois !

Partis en longeant la haie, ils s'arrêtèrent comme entendu vers le milieu de celle-ci, se faufilèrent et se cachèrent derrière les pierres tombales. Ils parvinrent à se fixer derrière celle qui leur sembla être la meilleure pour les épier.

Malheur ou bonheur pour eux, une branche sèche se retrouvant sous le pied du cadet craqua et réduisit à néant le tableau d'espionnage bien planifié.

Le bruit ne pouvait pas échapper aux oreilles des deux hommes. D'un mouvement très vif, le savant se retourna, pointa sa torche dans la direction du bruit et s'arrêta pour dire d'une voix forte :

– Hé ! Qui est là ? Il y a quelqu'un ? Qui êtes-vous, et que nous voulez-vous ?

N'ayant aucune réponse, il s'avança en balayant les alentours de sa torche.

Handy, qui était déjà mort de trouille, marchait presque sur ses talons. Thomas et Edison ne bougeaient plus. Le père se rapprocha de plus en plus d'eux et, leur découverte à présent inévitable, ils firent ce qui leur semblait être le mieux pour eux, sans réaliser un seul instant la scène d'épouvante qu'ils allaient créer.

– On n'a plus le choix à présent, murmura Thomas, il faut tout balancer.

– J'espère juste qu'il ne sera pas trop fâché contre nous et qu'on pourra quand même aller au Moyen Âge avec lui récupérer le manuscrit, ajouta l'autre.

Le grand frère de le rassurer :

– Ne t'inquiète pas Edison, papa comprendra, et on ira avec lui. Maintenant levons-nous tranquillement et avançons vers lui sans dire un seul mot, afin de lui montrer que nous regrettons ce que nous avons fait, dit-il.

Leur père, qui les vit apparaître et venir vers eux à travers le brouillard qui se dissipait lentement, figea comme une statue de sel. Son visage devint plus pâle que la lune, puis il tourna légèrement la tête en arrière pour dire :

– Handy ? Vois-tu ce que je vois ?

Même s'il ne le voyait que trop bien et qu'il en avait des sueurs froides, il comprit mal que celui qui juste auparavant avait affirmé que les fantômes n'existaient pas lui pose pareille question.

– Eh bien qu-qu-quoi Doug ? Ce ne sont pas vos fils ? Parce qu'on-on-on dirait qu'ils vous ont bien reconnu, eux !

Face à ces derniers qui avançaient toujours silencieusement et, tout en commençant à marcher à reculons sans trop regarder, la peur les dominant, il dut admettre que c'était là leur véritable apparence :

– C'est exact, sauf que… sauf que… ça ne se peut pas, puisqu'ils sont morts... Ce serait par conséquent leurs fantômes !

Handy, qui reculait en suivant le même tempo que son mentor, voulut lui rappeler ce qu'il avait pourtant déclaré à ce sujet :

– Pourtant tout à l'heure, Doug…

– Oui mais ça Handy, l'interrompit le savant, c'était tout à l'heure !

Thomas et Edison, les entendant parler de la sorte, relevèrent la tête et, se rendant compte qu'ils étaient en train de fuir, décidèrent de foncer vers eux en hurlant :

– Papa ! Papa ! Reviens voyons ! On va tout t'expliquer !

Celui-ci, les voyant foncer vers eux de cette façon, augmenta la cadence. Il hurla à Handy :

– Tu avais raison Handy ! Ils sont revenus d'outre-tombe pour me hanter ! Je n'ai pas été un bon père, voilà pourquoi tout ceci m'arrive !

Blanc comme du lait de chèvre et arrivant mal à suivre le pas, il trébucha. Il se releva aussi vite qu'il était tombé pour perdre pied et finalement basculer avec Düger tête la première dans une fosse déjà creusée.

Ses deux fils, arrivés sur le bord de la fosse, s'empressèrent de lui dire :

– Papa, pourquoi nous fuyez-vous ? Vous n'avez rien de cassé, j'espère ? demanda l'aîné.

– Laissez-nous vous expliquer ! ajouta Edison.

Il refusa de les croire et leur répondit, se remettant debout et se plaçant dos à eux :

– Non ! Je ne peux pas vous croire ! C'est impossible ! Vous ne pouvez pas être à la fois morts et enterrés et être ici en train de me parler !

Handy, qui avait été le premier à manifester sa peur, n'en revint pas de voir Düger encore plus mort de trouille.

– Finalement, ils n'ont pas l'air si méchants… et si on ne veut pas passer la nuit dans ce trou, on ne perd rien à entendre ce qu'ils ont à nous dire. Sinon, je vais finir par croire que je suis avec le vieil avare Ebenezer Scrooge de Charles Dickens. Non mais… regardez-vous !

Düger regarda Handy, puis leva lentement la tête pour les apercevoir sur le bord de la fosse, attendant une réponse de sa part et, trouvant qu'il avait raison, leur dit :

– À bien y penser… Je crois que la suggestion de Handy est pleine de bon sens. Cela aura servi à quoi de se bouder toute la nuit sans avoir essayé auparavant de se comprendre ? C'est en s'enfermant dans ce refus de trouver des réponses aux questions les plus banales que l'obscurantisme de l'homme du Moyen Âge s'est inutilement perpétué. Pour cela, Albert Einstein a bien dit : « La religion sans la science est aveugle ; mais la science sans la religion est insensée. » Dans ce cas, je me dois de faire les présentations. Voici Handy McGowan, mon meilleur ami dont je vous ai si souvent parlé, ajouta-t-il.

– Salut Handy ! lui dirent familièrement l'un après l'autre les deux garçons, ravis de faire sa connaissance.

– En attendant la preuve que c'est bien eux, ce qui ne devrait pas tarder à se concrétiser, Handy, voici mes deux fils Thomas et Edison, dit-il en les pointant.

– Salut les garçons !

Düger, maintenant plus réceptif, leur lança :

– Allez-y maintenant, je vous écoute.

L'aîné prit la parole :

– D'abord, Edison et moi tenons à nous excuser pour tout l'effroi causé. Comme on voulait depuis fort longtemps faire un voyage dans le temps avec vous et qu'en plus il s'agissait de sauver la vie de grand-père, nous avons donc convenu ensemble de vous accompagner dans ce périple au Moyen Âge. Nous avons donc monté clandestinement dans le même train que vous, dans un wagon transportant du blé. Rendus à Rusty Valley, nous vous avons discrètement suivi jusqu'à la maison. Après, nous nous sommes faufilés dans le coffre arrière du Boomerang pendant que vous en faisiez l'inspection. Nous sommes donc venus avec vous à votre insu. Nous le regrettons sincèrement même si nous ne voulions vous accompagner que pour vous seconder et nous instruire. Vous dites souvent que les voyages vous ont beaucoup appris.

La plaidoirie terminée, une question de première instance vint aussitôt à l'esprit du père.

– Votre mère est-elle au courant ? demanda-t-il très inquiet.

– Nous avons laissé une lettre à maman dans laquelle nous lui expliquons tout, répondit candidement Edison.

– Content de l'apprendre. Parce qu'à l'heure qu'il est… j'espère que vous savez qu'elle doit être morte d'inquiétude pour vous.

– Oui mais disons qu'elle a au moins l'assurance de savoir que nous sommes bel et bien partis avec vous, ajouta l'aîné.

162

– Tout ceci semble bien vrai et je veux bien vous croire, reprit le père, mais comment expliquez-vous dans ce cas que sur une pierre tombale que Handy et moi avons trouvée à plat sur le sol il soit inscrit : « Thomas et Edison Düger, fils de M. et Mme Evans F. Düger. Décédés lors du naufrage du Titanic le 15 avril 1912. » Comment donc pouvez-vous être devant moi en train de jaser, hein ? Vous pouvez aller vérifier, elle est juste à gauche devant vous. Tenez, prenez cette torche et allez voir !

Troublés, sans prononcer un seul mot, ils se rendirent voir.

– Hé, pourquoi leur faire subir pareille épreuve, Doug ? Ça me paraît assez évident qu'ils sont vos fils, non ? lui chuchota Handy.

– Attends, ce n'est pas grave. Il faut bien s'amuser un peu à notre tour, répondit le savant, qui lui fit un clin d'œil.

L'ayant trouvée, ils ne virent que les deux premières lignes. Le reste s'était effacé.

– « Thomas et Edison Düger, fils de M. et Mme Evans F. Düger. » lut le grand frère en éclairant la pierre tombale.

Retournant à la fosse, ils arrivèrent en leur disant :

– Il n'y a que les deux premières lignes sur cette pierre tombale, papa, dit Edison.

Les regardant avec un sourire qui en disait long, il leur dit :

– Ça veut dire que vous êtes vraiment les fils du docteur Evans F. Düger. Comme vous vous êtes retrouvés ici en 1987 avec votre père, à modifier votre futur, c'est pour cela que tout le reste, enfin ce qui aurait dû vous arriver, s'est effacé.

– Ouf ! Vous nous avez fiché une de ces trouilles, avoua l'aîné en regardant son petit frère.

– Eh bien c'est bien peu en comparaison de celle que vous nous avez fait vivre pendant un bon moment ! compléta le père en riant.

– Et maintenant que vous semblez avoir compris que nous ne sommes pas des fantômes ou des esprits revenus d'outre-tombe, reprit Thomas, pourrait-on savoir en quoi notre futur a été modifié ?

– Et aussi, qu'est-ce qui s'est effacé ? Parce que si nous sommes venus dans ce cimetière, c'était précisément pour savoir ce que nous étions devenus, tint à préciser le plus petit bout d'homme.

Content, très fier de ses deux fils et en bon scientifique qu'il était, il leur fit une courte synthèse de ce qui était survenu :

– Je vous explique. Tout à l'heure, avant que vous n'arriviez dans ce cimetière, il était inscrit sur votre pierre tombale : « Thomas et Edison Düger, fils de M. et Mme Evans F. Düger. Décédés lors du naufrage du Titanic le 15 avril 1912. » Mais voilà, comme vous êtes venus avec moi en 1987 et que nous sommes finalement entrés en contact, dès cet instant, votre futur s'est alors modifié. Donc, comme vous me l'avez souligné, une partie de l'inscription s'est effacée. J'en viens à la question qui me chicote et à laquelle j'aimerais bien que vous répondiez. Comment vous êtes-vous retrouvés à bord de ce gigantesque et luxueux paquebot, dont l'effroyable naufrage restera à jamais gravé dans toutes les mémoires ?

Les deux garçons se regardèrent quelques secondes. À la suite de l'explication donnée par leur père, Thomas lui avoua ce qu'ils avaient projeté de faire ensemble :

– Eh bien, dit-il timidement, Edison et moi avions déjà projeté de nous rendre en Angleterre dès que nous aurions atteint notre majorité pour compléter nos études dans une université de renom là-bas. Nous aurions pu y effectuer des recherches qui nous auraient permis de démontrer hors de tout doute que grand-père et maman sont les seuls véritables héritiers de Charles-Philippe Baxton, duc d'Édimbourg, et de tous les titres s'y rattachant.

Son cadet, le relayant, compléta :

– Mais quand vous nous avez annoncé que vous étiez déterminé à en finir avec le baron Cromwell en vous rendant dans le Moyen Âge avec la Shelby, nous avons alors adopté votre idée, et nous avons choisi d'aller dans cette direction nous aussi. Seulement maintenant qu'on sait ce qui nous serait arrivé, désormais, on ne pourra plus dire que la première idée est toujours la bonne, ajouta-t-il en haussant les épaules.

– Tout est à présent réglé pour cette première étape, dit le savant. Il ne nous reste plus qu'à voir si nous pourrons compléter la deuxième étape, qui n'est pas chose faite. J'espère que vous savez qu'aller au XIe siècle en Écosse au beau milieu d'une invasion de Vikings est de loin la plus périlleuse expérience spatio-temporelle jamais entreprise jusqu'à présent, même par moi. Mais comme vous êtes là et que le plus grand des malheurs serait à mon avis de nous retrouver séparés dans trois époques différentes, je ne peux vous laisser ici. Vous serez donc du voyage. J'espère seulement que tout ira bien et qu'on récupérera le manuscrit qui nous permettra de sauver la vie de votre grand-père.

Levant la tête et visant plus particulièrement ses fils, il ajouta :

– Là vous êtes contents, j'espère ?

– Ouais ! On est prêts à tout papa ! Nous serons à la hauteur ! répondirent vivement Thomas et Edison.

Handy, qui jusqu'ici ne faisait que les écouter, leur fit valoir, les pressant tous :

– Hé, ce n'est pas que je veux briser ces belles retrouvailles, seulement je vous signale qu'il faudrait peut-être penser à sortir de ce trou humide si on veut que les choses avancent. Il y a plus de trois quarts d'heure que je devrais être au bal avec Jessica. Nous passerons donc avant chez moi chercher mon déguisement et nous filerons ensuite tout droit au lycée. Après m'être excusé et avoir dansé un peu avec Jessica, je lui expliquerai ce qui arrive et j'irai voir votre homologue de 1987 pour lui emprunter son aérohydroglisseur. J'espère juste qu'elle ne sera pas trop fâchée contre moi ! ajouta-t-il, appréhendant le pire.

— Il a raison, enchaîna Düger, on a trop perdu de temps. Et les femmes n'aiment pas qu'on les fasse attendre. Alors sortons d'ici !

Après être sortis du cimetière, ils se dirigèrent tous vers la camionnette. Juste avant de repartir, il ne put s'empêcher de dire, très soucieux mais plein de résignation à la pensée de sa bien-aimée :

— J'aimerais bien pouvoir aller te retrouver quelques instants pour te réconforter et te dire que Thomas et Edison sont avec moi, et que tout s'annonce très bien à présent. Seulement ce n'est hélas pas possible !

Puis il démarra et fonça tout droit au lycée où se tenait le bal, s'arrêtant seulement au passage chez Handy, le temps qu'il enfile son costume de Zorro.

— 13 —

En 1895, à Garbaine City… Cybril, arrivée seule avec Newton chez ses parents et consciente qu'elle allait devoir fournir une bonne explication à sa mère Béatrice, voulut d'abord l'aider à convaincre son père d'abandonner l'idée de se battre en duel. Face à sa porte de chambre, elles le pressèrent d'ouvrir, l'interpellant :

– Wilmor ! Wilmor ! dit l'épouse très fâchée, ta fille est ici, cesse de te comporter comme un gamin et viens la voir !

Rien à faire, le vieil homme, assis sur son lit, resta muet comme une carpe.

Béatrice se tourna alors vers sa fille pour lui dire :

– Tu vois, il est comme ça depuis que ce damné baron l'a entraîné dans ce duel stupide !

S'arrêtant, les yeux pleins d'eau et sur le bord de l'éclatement, elle reprit avec beaucoup de peine, l'émotion étant trop forte :

– J'ai tout fait pour le faire revenir sur sa décision. Mais rien à faire, une vraie bourrique ! Il préfère se faire tuer ! termina-t-elle en éclatant en sanglots.

Les larmes aux yeux elle aussi, la fille réconforta sa mère. Après l'avoir serrée contre elle, elle la regarda avec douceur, les deux mains de chaque côté de ses épaules comme pour la soutenir, elle lui murmura :

– Calmez-vous maman, nous sommes venus à Garbaine City pour vous aider. Evans est parti chercher des documents historiques qui vont débouter le baron Cromwell et empêcher ce duel. Evans m'aime et il faut lui faire confiance. Maintenant, je vais parler à papa. Laissez-moi faire. Vous allez voir. Il n'a tout de même pas perdu la raison, quand même. Et si je n'arrive pas à l'en dissuader, j'arriverai sûrement à le faire sortir de sa chambre pour prendre le thé avec nous. Enfin, j'espère… ajouta-t-elle, sachant très bien que la partie était loin d'être gagnée.

Elle s'avança donc à son tour, mit une oreille contre la porte, cogna légèrement et lui dit d'une voix posée :

– Papa, c'est Cybril. Evans est parti chercher des documents capables de prouver hors de tout doute que nous sommes les véritables héritiers de Charles-Philippe Baxton, duc d'Édimbourg…

S'arrêtant, elle n'eut pas à attendre trop longtemps pour connaître son avis.

– C'est impossible, Cybril ! s'écria-t-il, il ne trouvera pas un tel document et tu le sais bien. Si tu veux mon avis, je crois qu'Evans vient de se mettre dans de beaux draps cette fois. Raison de plus pour moi d'avoir relevé ce duel, finalement. Comme tu peux le voir, ce n'est pas de la folie, ajouta le père, aigri.

Bien qu'elle eût l'impression d'avoir tout simplement jeté de l'huile sur le feu, elle avait malgré tout réussi à le faire parler. Elle essaya de le prendre autrement, espérant de cette petite victoire arriver à le faire sortir de sa chambre et, de fil en aiguille, de son carcan intérieur.

– De toute façon, fit-elle valoir, quelle importance que nous les retrouvions ou non ? Tout ça m'est bien égal. Je suis très heureuse comme je suis. J'ai un bon mari, savant en plus, ainsi que de beaux enfants intelligents et débrouillards, qui font déjà l'admiration de tous...

Très irritable, il ne put rester muet à ce qu'elle venait de déclarer et lui dit, en colère :

– Eh bien pas moi ! Ce n'est pas seulement une question de richesse. C'est avant tout et surtout une question d'honneur, tu sauras. Et de l'honneur je regrette, moi j'en ai. Je ne veux pas que mes petits-fils aient à porter toute leur vie le souvenir d'un grand-père qui a la « pétoche ».

Après une aussi éclatante confession de la part de Wilmor, Béatrice mit à son tour sa main sur l'épaule de sa fille et lui dit :

– Tu vois, je te l'avais bien dit, il est pire qu'une vieille bourrique. Laissons-le et allons jaser ensemble dans le salon en prenant une bonne tasse de thé. Ça nous remontera. J'ai de bons biscuits au gingembre que je viens tout juste de sortir du four.

Cybril se retourna et regarda sa mère. Elle lui sourit tout en lui faisant un clin d'œil et lui répondit, de façon à ce que son père puisse comprendre qu'elles étaient indifférentes. Mais c'était le contraire ; il ne s'agissait que d'une ultime tactique par laquelle Cybril escomptait le faire capituler.

– C'est ça, allons prendre le thé ensemble !

La tête et l'oreille de nouveau collées contre sa porte, elle ajouta, usant de finesse :

– Dois-je vous rappeler que si ce duel avec Cromwell vous tenaille jusque dans vos tripes, il vaudrait mieux que vous me battiez d'abord en terminant la partie d'échecs que nous avions commencée l'autre jour. Ce serait déjà faire preuve d'habileté et de sagesse, vous ne trouvez pas ? N'est-ce pas ce que vous m'avez inculqué dès mon jeune âge, réussir d'abord dans les petites choses, si on veut réussir ensuite dans les plus grandes ?

Ces dernières paroles de Cybril ravivèrent la mémoire du père, qui jusque-là était demeuré stoïque, et lui allèrent droit au cœur. Même s'il ne disait rien, Wilmor, le cœur serré et la boule dans l'estomac, ne put s'empêcher de verser une larme pendant que les deux femmes battaient en retraite. L'une se dirigea vers la cuisine et l'autre vers le salon.

Se retrouvant dans la pièce où Cybril avait déjà pris place sur la causeuse, sa mère entra avec le service à thé et les biscuits, puis s'assit juste à côté d'elle. Visiblement intriguée, elle entama la conversation :

– Cybril, tu m'excuseras, dit la mère d'un ton grave, mais il y a quelque chose qui m'échappe dans ce que tu as dit tout à l'heure à ton père. Je sais bien que nous voulons le tirer de ce mauvais pas, et je n'en doute pas non plus, sauf que... comment Evans va-t-il pouvoir trouver un tel document alors que nous savons que cela est impossible ? Il lui faudrait pour cela aller en Écosse en ne disposant que d'une semaine, hormis le temps qu'il prendrait pour faire des recherches une fois rendu là-bas. Où est-il allé ? Thomas et Edison ne sont pas non plus avec toi ? C'est bizarre ! Que me caches-tu ? Je suis peut-être rendue vieille, mais je ne suis pas stupide.

Prise entre l'arbre et l'écorce, Cybril dut surmonter ses propres angoisses tout en calmant celles de sa mère en évitant de lui dire toute la vérité.

– Bon, c'est vrai, j'en suis consciente, et lui aussi j'en suis sûre. Mais il faut lui faire confiance. Evans n'est pas seulement maréchal-ferrant, c'est avant tout un scientifique, un grand savant un peu en avance sur son temps, vous savez... Pour moi, il est surtout un homme au grand cœur, capable de dépassement, qui remuerait ciel et terre pour me rendre heureuse. C'est d'ailleurs ce que j'ai vu en lui dès la première fois que nos chemins se sont croisés...

C'était à la foire de Kansas City un beau soir de juillet... Je m'en souviendrai toute ma vie, il y avait foule comme jamais auparavant. Je ne trouvais plus la sortie et je m'étais égarée dans une rue qui ne menait nulle part. En me retournant, des brigands armés de couteaux me dérobèrent mon sac à main. Je me mis à crier : « Au voleur ! Au voleur ! On m'a volé mon sac à main ! » Soudain, tel un comte de Monte-Cristo ou un Jean Valjean, un homme de grande taille sortit de l'ombre. D'un seul coup de fouet qu'il maniait avec grande habileté, il le reprit en les bloquant sur son passage. C'était lui, mon amour prédestiné. Les voleurs, n'ayant pas opposé de résistance, s'enfuirent. Il s'approcha et me remit mon sac à main avec une telle gentillesse... Après avoir échangé quelques mots de courtoisie, j'ai accepté de l'accompagner pour le reste de cette soirée inoubliable ! termina-t-elle, transportée.

Puis, elle se dirigea vers le phonographe, s'arrêta, se retourna vers sa mère, lâcha un grand soupir, et elle ajouta, encore ravie :

– Et donc... avec Evans... tout est possible !

168

Elle revint lentement vers la causeuse pour s'asseoir et poursuivit :

– Je ne peux toutefois pas vous en dire plus pour l'instant. Par contre, en ce qui concerne Thomas et Edison, ils devaient être avec moi. Pour tout dire, s'arrêta-t-elle quelques instants, ils ont fait une fugue !

La mère, qui l'écoutait religieusement depuis le début, bondit et s'écria, atterrée :

– Quoi ? As-tu signalé leur disparition à la police ?

– Non, ce n'est plus nécessaire, maman. Ils m'ont laissé une lettre dans laquelle ils me disent qu'ils sont partis avec leur père. Ils ne nous reste plus qu'une chose à faire à présent, c'est attendre et prier, répondit-elle, résignée.

– Et cela ne t'inquiète pas plus que ça ? répliqua Béatrice.

– Bien sûr, seulement de savoir qu'ils sont avec leur père est tout de même moins pire que de ne pas savoir où ils sont du tout.

Reluquant Newton couché sur le ventre, les pattes étendues près de la cuisinière au bois, elle ajouta, songeuse :

– Il n'y a finalement que Newton, avec moi...

— 14 —

EN 1987... DÜGER, HANDY, Thomas et Edison arrivaient à bord de la camionnette, non loin du lycée où se tenait le bal d'Halloween. Là, il s'arrêta un angle de rue plus loin et se gara en bordure du côté le moins éclairé. Éteignant le moteur, il leur dit, s'adressant au rocker en costume de Zorro :

– À toi de jouer Handy. Rendez-vous sur le grand stationnement de la Promenade Tocomac. Bonne chance, Zorro ! ajouta-t-il en riant.

Ouvrant la portière et descendant aussitôt, il lui répondit à travers la vitre baissée, tenant à le rassurer :

– Ne vous inquiétez pas, tout ira bien. À part Jessica qui sera un peu fâchée contre moi et cela se comprend, avec tout ce retard ! Bon, OK, j'y vais. À tout à l'heure tout le monde, leur dit-il juste avant de s'élancer en courant.

Arrivant aux abords du lycée, il ralentit et continua en marchant. Apercevant le fabuleux carrosse tiré par un bel attelage de chevaux blancs tel que commandé, il murmura :

– OK, Stiff a bien livré la commande... il y a au moins déjà ça de rassurant.

Puis, se rapprochant de l'endroit, il entendit la musique de *Thriller* de Michael Jackson, qui se répercutait jusqu'à l'extérieur. Les deux grandes portes du lycée étaient ouvertes et la fête battait son plein. Des rires lui semblant être ceux de Jessica lui vinrent aux oreilles. Il l'aperçut et, tout en se rapprochant de la beauté, il ajouta, confiant de voir qu'elle riait et semblait bien s'amuser :

– Ouf ! Pour une fois que j'ai de la chance ! Finalement, elle n'a pas l'air trop fâchée.

Chance ou malchance, celle-ci allait être bien différente de ce qu'il avait imaginé. Il la trouva ivre, assise sur le banc de parc, le nouveau Düger philanthrope juste à côté. Il arriva au moment où elle était en train de dire à ce dernier :

– Comme çzza... vouuzz'êtt... hic !... le cap'hic ! taine Nemo... en chhhhair'é... hic ! en'oss ? [Comme ça... vous êtes le capitaine Nemo en chair et en os ?]

Le savant lui répondit de la même manière, étant aussi ivre qu'elle :

170

– C'eeeest exact mam'z'lle... hic ! maizzz'aaavec... hic ! tout c'que... hic ! zzz'aiazzzvalé ce soir... chhh'croizz'hic ! qu'vvvzzz'ai couler... à pic ! [C'est exact, Mademoiselle ! Mais avec tout ce que j'ai avalé ce soir, je crois que je vais couler à pic !]

Les deux éclatèrent de rire. Handy n'en revenait tout simplement pas. Se tournant vers Stiff, il lui demanda, abasourdi :

– Mais… qu'est-ce qui se passe ici, Stiff ?

– Sortilège ! Je suis désolé Handy, tout ça est de ma faute… J'ai tout gâché... mais je ne voulais pas tu sais ! J'avais apporté ce punch alcoolisé de ma fabrication, je lui ai fait goûter, elle a aimé, m'en a redemandé une seconde fois, ensuite une autre, et comme tu n'arrivais pas... Le docteur Evans est arrivé juste après et il a tombé sous le charme lui aussi. Ce sont eux qui ont insisté pour que je remplisse leurs verres. Depuis, ils ont tout bu. Il ne m'en reste même plus une seule goutte, lui expliqua-t-il.

Après, voulant se faire pardonner de la beuverie qu'il avait occasionnée, il enchaîna, en lui montrant le carrosse de Cendrillon avec ses quatre chevaux blancs :

– Néanmoins, j'ai respecté la commande ! Il est magnifique, n'est-ce pas ? Mam'zelle Jessica était extasiée devant !

En entendant son prénom, elle se leva en s'appuyant d'une main sur le dossier, titubant, pour dire avec peine à son chevalier, qu'elle avait reconnu :

– Hé... Oooowé ! mon c'zzzevalier ! hic ! c'zzzdoomaaage... hic ! t'zzétais pas là c'zzpouurr... hic !... zzzygoûtzzer... Hanzzdy ! [Hé ! Ohé ! mon chevalier ! C'est dommage, tu n'étais pas là pour y goûter Handy !]

Aussitôt, elle retomba sur le banc comme une poche de sable, et bascula lourdement sur le philanthrope pour ne plus bouger. Handy s'approcha d'elle et lui dit, l'interpellant d'une voix douce, vivement inquiet :

– Jessica ? Jessica ?

Il lui prit la main tout en lui secouant un peu l'épaule :

– Jessica ? Ça va ?

Elle était ivre morte. En se retournant vers le valet, il ajouta :

– Ça par exemple... c'est pas le pied. Que vais-je dire à ses parents ?

Stiff, le voyant dans cet état, s'empressa de lui dire en pleurnichant, presque comme un enfant :

– On-On-Onnn ! Mais qu'est-ce que j'ai fait là... je ne voulais pas que les choses tournent comme ça Handy... !

Il se jeta aux pieds du rocker et le supplia :

– Je t'en prie Handy ne le dis pas à ton père... il va me congédier c'est sûr !

Attristé et inquiet pour la comtesse de ses rêves, il constata toutefois qu'il pourrait emprunter l'aérohydroglisseur au nouveau Düger de 1987. Il le calma donc et lui dit, très décontracté :

– OK, ça va. On oublie tout ça. Seulement j'aurais un petit service à te demander en retour, Stiff.

– Je ferais n'importe quoi, Handy. Tu n'as qu'à demander.

– J'ai brisé la transmission de ma camionnette en voulant prendre un sentier dans les bois par le chemin de la Glenn Quarry et je dois m'occuper de la faire remorquer au garage. J'emprunterai l'aérohydroglisseur de Doug pour rentrer à la maison et le ramener avec moi. De ton côté, si je ne suis pas revenu d'ici une heure, tu t'occuperas de ramener Jessica avec le carrosse. Tu la coucheras sur le divan du salon avec une couverture chaude. Si son père ou sa mère téléphone, tu leur diras qu'elle s'est endormie et que j'irai la reconduire dans la matinée. Pour mes parents, tu n'auras qu'à leur dire que je leur expliquerai tout à mon retour, d'accord ?

– Eh bien je ne m'attendais pas à ça. Ce sera avec plaisir Handy. Tu me sors de beaux draps.

Le rocker s'avança près du nouveau Düger, complètement ivre, ronflant et ne bougeant plus lui aussi. Il voulut s'assurer :

– Doug ? Doug ?

Puis il se dit : « OK, il a l'air parti pour longtemps… voilà qui vient tout simplifier. »

Il le fouilla pour trouver les clés du véhicule. Apercevant du même coup sa cape et son chapeau de Christophe Colomb laissés sur le banc et pensant au véritable Düger qui en avait besoin, il les saisit et lança au valet :

– OK, j'y vais. À tout à l'heure.

– C'est bien. Et surtout ne te fais pas de souci. Je veillerai sur eux, répondit Stiff, tout en le regardant filer en courant.

Arrivant à l'aérohydroglisseur stationné en bordure d'une rue non loin de là, il murmura, l'utilisant pour la première fois :

– Voyons maintenant comment ce truc fonctionne... tiens, dit-il en pressant un bouton de la télécommande, ça doit être celui-là !

Les portes se déverrouillant et les lumières s'allumant à l'intérieur, une voix enregistrée semblable à celle des Zigoniacs se fit entendre à travers un haut-parleur intégré au miroir extérieur côté conducteur : « Opération terminée. Vous pouvez à présent prendre place à bord du véhicule. »

– Wow ! Tu parles d'un truc ! s'écria Handy, ébloui par le gadget qu'il découvrait. Il faudra que je demande à Doug de m'en bricoler un pour ma camionnette. Ça tire du génie ce porte-clés, ajouta-t-il en riant.

Ouvrant la portière, il prit place dans le véhicule. Tout en examinant le tableau de bord qui s'offrait à lui, il poursuivit, se parlant à lui-même, mettant la clé dans le contact, un peu hésitant :

– C'est presque de la chimie pour moi tous ces nouveaux cadrans… seulement ça devrait aller quand même.

Il tourna la clé et démarra. Les ceintures de sécurité glissèrent et se bouclèrent d'elles-mêmes sur lui. L'énorme coussin d'air se gonfla. Le témoin lumineux indiquant que le réacteur fonctionnait à bas régime s'alluma.

– Tout est OK, allons-y !

Puis, tirant vers lui le levier au plancher entre les deux sièges, il accéléra progressivement et partit rejoindre ses amis, qui l'attendaient sur le grand stationnement de la Promenade Tocomac. Une sculpture de quatre totems se dressait aux côtés de la grosse enseigne lumineuse TOCOMAC MALL, et venait rappeler les « esprits » qui l'habitaient encore.

Au bout de quelques minutes il se pointa et, éteignant le réacteur, il descendit pour dire à son mentor :

– Hé Doug, vous savez quoi ? Je n'ai pas eu de mal à obtenir le véhicule. Je les ai retrouvés tous les deux complètement ivres à cause du punch de Stiff. Je n'avais encore jamais vu Jessica ivre comme ça, ajouta le rocker en riant.

– Tant mieux si le hasard a bien fait les choses. Je ne poserai pas de questions, s'empressa de répondre le savant. Montons, et filons jusqu'à la vieille minoterie. Rendu là, je prendrai le Transfuseur temporel du Boomerang et le brancherai dans celui-ci, qui deviendra par la force des événements notre nouveau véhicule spatio-temporel tout désigné pour aller au Moyen Âge en Écosse ! ajouta-t-il.

– C'est quoi ce petit machin derrière entre les banquettes ? leur demanda Thomas, qui s'était avancé pour examiner le véhicule tout en l'écoutant.

Ils s'y précipitèrent. Handy, voyant la chose, leur dit :

– Ça, c'est un Wee Jet Board. Je n'avais pas encore remarqué qu'il était là. C'est une autre de ses inventions. Elle vous permet de voler et de surfer dans les airs. Je vous en ferai une démonstration un peu plus tard.

– Wow ! Une planche volante ! s'exclama Edison.

– Eh bien là, je dois dire qu'il me surpasse… Je n'en reviens pas moi-même, ajouta Düger.

– Ouais, c'est le pied, répliqua Handy.

– Tout ça est bien beau, mais il ne faudrait pas passer la nuit ici, hein ? Allez, filons maintenant !

L'aîné leur rappela qu'ils avaient une voiturette avec une grosse boîte de feux d'artifice et un baladeur qu'ils ne tenaient pas à abandonner là.

– Hé, attendez ! On n'a pas acheté tout ça pour rien quand même ! On voudrait bien les apporter avec nous, dit-il en les montrant.

– C'est vrai ! ajouta le père, un peu moqueur. Handy, aide-leur à mettre tout ça dans le coffre veux-tu !

– Tout de suite, Doug ! Venez les gars, on va tout mettre dans le coffre.

Il poursuivit en leur disant, déverrouillant le coffre et l'ouvrant pour les mettre dedans :

– Vous êtes chanceux d'avoir un père comme lui… parce qu'à votre âge le mien ne m'aurait pas permis d'acheter une telle quantité de feux d'artifice… Vous devez en avoir pour des centaines de dollars !

– À peu près, dit le cadet avec un petit sourire malicieux, tout en faisant un clin d'œil à son frère.

Handy, qui l'avait vu, reprit :

– Oh, je vois… un vrai Denis la petite peste toi, hein !

Au même instant, il vit de vieilles coupures de journaux empilées dans une boîte qui traînait au fond du coffre. Curieux, il la tira pour voir en gros titre, avec une photographie sur la première page provenant du *Daily News,* en date du 25 novembre 1958 :

– « Evans F. Düger accusé d'être un espion communiste. »

Tenant l'article entre ses mains qui se mirent à trembler, il cria :

– Doug ! Doug !

Le savant, qui examinait les divers cadrans à l'avant, se leva et vint vers lui en marchant à grands pas :

– Misère ! Mais qu'est-ce qu'il y a encore ? dit-il.

– Tenez ! dit Handy lui remettant aussitôt l'article, lisez ça !

Ne lisant que le gros titre, il s'écria :

– Grand Dieu !

Il reprit en le lisant sommairement, ébranlé mais comprenant tout sur l'existence de son homologue vivant en 1987 :

– « À la suite de la récente découverte dans le cimetière de Rusty Valley de la pierre tombale de Thomas et Edison Düger, fils de M. et Mme Evans F. Düger, et après de multiples enquêtes concernant l'affaire de la véritable identité de l'autre Evans F. Düger, le juge Alphonse Bigelow de la Cour suprême des États-Unis d'Amérique a statué que ce dernier n'est nul autre qu'un espion subversif communiste parachuté par Moscou…

Et malgré les multiples recours de ses parents, jurant sur la Bible qu'il était né en Amérique, catholique, et n'avait aucune allégeance communiste en relation avec le Kremlin, l'accusé a été condamné à purger une peine de vingt ans de prison ferme au pénitencier à sécurité maximale d'Alcatraz, dans l'État de la Californie.

Lors du procès, Gretta Düger, sa mère, profondément troublée par la sentence, fit une crise d'hystérie et dut être expulsée et internée dans un asile avant la levée de l'audience... »

– C'est donc ça... votre eeee..., comment vous l'appelez déjà ? dit Handy.

– L'Embobryo circonstanciel du Temps, la chose la plus à craindre, répondit le savant. À partir d'un simple détail comme celui de la découverte de la pierre tombale de Thomas et Edison, cela a suffi pour éveiller les soupçons de certains détectives du FBI très maccarthyste à cette époque et donc, une bifurcation du temps, une deuxième séquence de moi-même différente de sa trajectoire originale. Cela montre également le danger que représentent les voyages dans le temps.

– Hé ! Vous avez vu, s'écria Thomas en montrant la photographie du journal, la partie du bas de votre corps s'est effacée... Il ne reste que celle du haut !

– Celle de mon autre moi-même, fiston, pas la mienne. Ce qui veut dire qu'étant donné que vous êtes venus avec moi, que vous ne mourrez pas dans le naufrage du Titanic et qu'il n'aura plus de raison d'exister, il disparaîtra définitivement de la réalité dès que nous repartirons tous ensemble. Et plus vite ce sera fait, mieux ce sera. Allez ! Montons et fichons le camp d'ici si vous le voulez bien, afin de ne pas éveiller d'autres soupçons. La police peut être déjà sur les dents et à la recherche de la camionnette de Spitzel, leur dit-il en fermant le coffre et en se dirigeant du côté conducteur.

– Ah oui Doug, je lui ai emprunté sa cape et son chapeau de Christophe Colomb avec ça. Vous pourrez les mettre pour aller là-bas.

– Parfait Handy, je les mettrai juste avant de partir.

Sur ce, ils montèrent et se rendirent à la vieille ligne de chemin de fer.

— 15 —

UNE DEMI-HEURE PLUS TARD, le savant était en train de brancher le Transfuseur temporel sur l'aérohydroglisseur. Handy, l'éclairant avec une torche, lui dit :

— Finalement à la bibliothèque, avez-vous pu en apprendre davantage sur cette invasion viking à Édimbourg ? L'Écosse… mes ancêtres sont de souche irlandaise. Qui sait si je n'y rencontrerai pas un McGowan dans ce coin ? C'est juste à côté, vous savez ! lança-t-il en riant.

Düger, qui l'écoutait et le regardait, changea d'air et se redressa pour lui répondre, embarrassé :

— Il vaut mieux que tu le saches tout de suite… des manuscrits de cette époque relatant cette effroyable invasion des Vikings sur les côtes écossaises rapportent qu'un certain « Baff le Terrible » était le chef incontesté. Son seul nom, lorsqu'il débarquait sur les terres, faisait fuir toute la populace y vivant. Plus loin, il était mentionné que les Tyken, d'origine norvégienne, étaient vraisemblablement ses descendants !

En entendant son nom, Handy ne put se contenir et s'exclama, bégayant :

— Quoi ! attendez un peu... vous… vous… vous êtes en train de me dire que ce... ce « Baff le Terrible » serait l'ancêtre de Stiff ? Non mais c'est à croire que cette tache remonte jusqu'à Caïn !

— Ça me paraît plus que probable, Handy. D'ailleurs toi-même tu viens de le dire. Tes ancêtres seraient de souche irlandaise. Les siens peuvent très bien être d'origine scandinave... et même viking tu sais !

— Ah mais c'est pas vrai ! Et moi qui croyais que tout cela était de l'histoire ancienne ! Le futur augurait si bien pour tout le monde, Doug.

Ce dernier conclut en le rassurant :

— Je suis tout à fait d'accord avec toi, Handy ! Alors, tu viens ou tu ne viens pas ?

— C'est OK Doug. Je suis toujours partant.

Thomas lui demanda, curieux de savoir :

— Hé, Handy, qui est ce « Zorro », le personnage de ton déguisement ?

— C'est un héros légendaire de l'indépendance mexicaine. J'écoutais ses aventures à la télévision quand j'étais petit.

— Sauf que rendu au Moyen Âge, lui fit remarquer Düger, il vaudrait mieux que tu enlèves le masque. Les gens de cette époque, déjà très superstitieux, t'associeront très vite au diable. Sans le masque, cela te donnera plus l'air du « capitaine Blood », joué par mon acteur favori, Errol Flynn, dont j'ai vu tous les films.

– Bon OK, c'est comme si c'était fait, Doug.

Il poursuivit, nerveux, pendant que le savant complétait les dernières fixations de l'appareil à programmation :

– Hé mais Doug ? Vous croyez que ce truc volant arrivera à traverser l'Atlantique Nord ? Les eaux sont plutôt froides par là je crois, non ? Juste d'y penser me frigorifie ! L'Écosse, ce n'est pas la porte d'à côté, vous savez.

– Bien sûr, voyons ! rétorqua-t-il, ce truc volant peut voyager à la vitesse du son. As-tu vu ce cadran ? Mach 1 ! Mach 2 ! Mach 3 ! On sera là en moins de deux. Comme il n'y aura pas d'espace aérien à cette époque et que nous aurons le ciel à nous, nous filerons tout droit dans une belle diagonale en passant au-dessus du Canada vers le méridien de Greenwich à un peu moins de 2° à l'ouest, et à...

Le père se retourna et regarda le fils aîné assis sur la banquette arrière, qui compléta :

– ... 57° de latitude nord !

– Exact Thomas !

Edison lui demanda, voulant enrichir ses connaissances :

– Et c'est quoi Mach 1, Mach 2 et Mach 3 ?

– C'est une mesure de vitesse Edison. Ça veut dire une fois, deux fois et trois fois la vitesse du son !

Revenant à Handy, il lui fit valoir :

– Et en plus de ça, ce truc carbure à l'hydrogène.

– Oui je sais, votre homologue me l'avait dit.

– Il est l'élément le plus abondant de l'univers, continua le savant. Découvert par Cavendish en 1781, il a été appelé ainsi parce qu'en se combinant avec l'oxygène, il forme de l'eau. On le prépare industriellement par électrolyse de l'eau ou par décomposition catalytique des hydrocarbures par la vapeur. Tu as déjà appris cela, j'espère ?

– Hum, je crois oui... on l'utilise dans l'industrie pour de nombreuses synthèses. La synthèse de l'ammoniac, par exemple.

– Exact ! Liquide, il est employé comme combustible pour la propulsion des lanceurs spatiaux. Que de l'air et de l'eau finalement... plus de pompes à essence !

– Vous voulez dire... le carburant du futur ?

Thomas ajouta :

– Ou une synthèse qui résout tous vos problèmes, si je comprends bien ?

– Vous avez tout compris. Voilà pourquoi j'y tenais tant.

Les fixant tous, il leur lança, en sortant du véhicule :

– Et ce n'est pas tout... suivez-moi que je vous montre !

Se dirigeant vers l'arrière, il s'immobilisa pour leur montrer une petite plaque métallique fixée sur le réacteur à propulsion et leur dit :

– Regardez !

Handy lut :

– « Ian F. Düger Jet Aircraft Co. Made in West Germany... »

– Un Fritz ! Mon cousin ! s'écria le savant, fou de joie.

Handy reprit en reluquant ses fils, qui lui signifièrent qu'ils n'en savaient rien eux non plus :

– Vous avez un cousin ! Vous ne m'avez jamais parlé de ça ! dit-il, l'ayant toujours connu solitaire et semblant ne plus avoir aucune parenté.

Tout en revenant vers l'avant, il leur révéla :

– Oui, il est le fils de mon oncle, Edmutt F. Düger, un passionné de l'aéronautique. Ma tante lui a donné ce prénom parce que nous sommes nés presque en même temps. Seulement il n'est jamais venu en Amérique, précisa-t-il.

– OK. En fait ce que je tenais à porter à votre attention n'était pas tant les capacités qu'avait cette nouvelle Shelby convertie en aérohydro-glisseur par votre brillant homologue. Ne va-t-il pas plutôt se désintégrer en même temps que lui lorsque nous serons en plein vol ?

– Non Handy, il faut que tu réfléchisses en quatre dimensions. Tout ce qu'il avait créé dans ce monde parallèle disparaîtra avec lui bien sûr ! Sauf son appareil, qui ne fera plus partie de ce monde dès que nous entrerons dans ce Portail du Temps droit devant. Tiens ! Vois par toi-même ! ajouta-t-il en lui remettant ses lunettes à infrarouge qu'il avait autour du cou.

– Pas croyable ! dit le rocker. Mais vous n'aviez pas toujours soutenu que l'on ne pouvait que voyager dans le temps et non dans l'espace ? ajouta-t-il.

– En principe oui, mais pas selon ce cher Zinnerman, qui disait que de véritables tunnels se formeraient dans une telle éventualité. Ils assure-raient notre aller et notre retour. D'autant plus qu'il y a un ordinateur intégré à ce qui sera notre nouveau véhicule spatio-temporel, qui enregistrera notre trajet ainsi que notre position d'arrivée là-bas. Avec ce qui arrivera à mon beau-père si je n'y vais pas, je n'ai pas d'autre choix.

– C'est vous le doc, Doug.

Plein d'optimisme, le savant reprit en leur disant, juste avant de prendre place à bord :

– Nous amerrirons donc sur la mer du Nord et nous accosterons sur la rive, non loin d'Édimbourg. Nous ferons le reste à pied en faisant preuve de beaucoup de discrétion, sans quoi nous risquons de nous retrouver très vite sur le bûcher, si vous voyez ce que je veux dire !

Saisissant son déguisement de Christophe Colomb sur la banquette arrière, il poursuivit :

– Pour cela je vais porter cette cape et ce chapeau tout de suite. Je ne veux pas prendre de chance.

L'ayant mis et se tenant debout devant eux, il leur demanda :

– Comment me trouvez-vous ?

– Super Doug ! dit Handy.

– Eh bien, il faudra voir après si l'histoire n'a pas été modifiée, étant donné que Christophe Colomb a découvert l'Amérique par inadvertance en cherchant la route des Indes, fit remarquer en riant le cadet des fils.

– C'est bien que tu y aies pensé, Edison. Sois rassuré, il n'y aura rien de changé dans les livres d'histoire. Nous ne sommes pas des « briseurs du temps », répondit le père.

À ce dernier mot, il prit place sur le siège du conducteur, Handy sur le siège à sa droite, Thomas et Edison sur celui de la banquette arrière, et il programma le Transfuseur temporel en pianotant sur le clavier :

– Il est à présent 1 h 47, dans la nuit du 1er novembre 1987. Les archives historiques les plus crédibles rapportent que cette invasion des Vikings sur les côtes d'Écosse près d'Édimbourg a eu lieu le samedi précédant le septième dimanche après la Pentecôte. Cela voudrait dire, si mes calculs sont exacts, et selon toute vraisemblance... le 8 juillet de l'an 1015. Je programme donc notre arrivée là-bas pour 16 heures GMT le 6 juillet de l'an 1015. Cela devrait nous permettre, étant donné le décalage horaire, de bénéficier d'une bonne nuit de sommeil. Après, nous ne disposerons que de 48 heures pour intervenir et récupérer le fameux manuscrit muni du sceau du duc d'Édimbourg, Charles-Philippe Baxton, ancêtre de mon beau-père Wilmor et de sa fille Cybril. Comment y parviendrons-nous ? J'ai déjà mon plan. Je vous expliquerai tout cela une fois rendus là-bas.

Il tourna la clé et le réacteur se mit aussitôt en marche à bas régime. Il leur lança d'une voix forte :

– Tout fonctionne à merveille ! Accrochez-vous tout le monde !

Le nouveau Boomerang accéléra sur son coussin d'air en glissant sur les rails, fila et entra dans le grand cercle rouge à une vitesse jamais égalée jusqu'ici, au milieu du feu et des éclairs sous la musique *Ride of the Valkyries* de Richard Wagner. Il disparut et réapparut dans l'après-midi du 6 juillet 1015 sur la mer du Nord, à environ trois kilomètres des côtes écossaises non loin d'Édimbourg, de la même manière avec une longue traînée de feu s'estompant peu à peu.

Un pêcheur écossais, Fillan, voyant arriver l'aérohydroglisseur murmura, stupéfait :

– Un char de feu !

Ne lâchant pas des yeux l'étrange vaisseau qui se dirigea ensuite lentement sur la plage pour finalement accoster et s'arrêter, il ajouta, les portes s'ouvrant et son équipage débarquant :

– Ils sont plus que deux, ça ne peut donc pas être Hénoch et Élie... alors ce sont sûrement de faux prophètes magiciens ou sorciers que le diable nous envoie... Il faut que je prévienne tout le village.

Le pêcheur partit donc alerter les villageois. Handy, qui venait tout juste de mettre le pied sur la plage, regarda Düger et s'empressa de lui donner son appréciation des lieux :

– Wow ! C'est ça l'Écosse avec ses gros rochers en falaises ! Je trouve cet endroit lugubre et pas très rassurant. D'ailleurs en descendant, j'ai eu la nette impression qu'on nous observait, pas vous ?

– Et il y fait plus froid que chez nous, même en été, ajouta Thomas.

Agacé par leurs propos pessimistes, le savant les interrompit pour leur montrer le beau côté de leur expédition :

– Allons ! Allons ! Cessez de broyer du noir. Regardons plutôt la chose d'un œil positif. Cet endroit est magnifique. L'air pur, la mer, la nature à son état le plus sauvage n'ayant souffert encore d'aucune pollution... que demander de mieux ! Depuis le temps que je rêve de faire du camping.

– Vous avez sans doute raison. Tout ça n'est que du noir, dit le rocker.

– Pour ma part, je suis crevé ! lança le fils aîné.

– Moi aussi ! dit l'autre.

– Je trouve qu'on devrait faire une halte et se reposer un peu avant d'aller plus loin, proposa Thomas.

– Tout à fait, mon fils ! J'avais prévu cela.

Puis il convint avec eux :

– Bon voilà... si je me fie à ma boussole et à cette carte géographique que j'ai pris soin d'apporter avec moi, Édimbourg se trouve droit vers le sud, par là, à environ une heure de marche. Nous passerons donc la nuit un peu plus en amont, vers ce petit boisé. J'ai des couvertures chaudes et tout ce qu'il faut.

À l'aube, nous nous y rendrons discrètement à pied. Nous laisserons l'aérohydroglisseur ici. C'est la meilleure chose à faire si nous ne voulons pas éveiller les soupçons de ces gens. Rendus là, nous demanderons à être reçus par le duc en leur faisant valoir que nous sommes des voyageurs venus de très loin et porteurs d'un message pour lui.

Ensuite, nous lui dévoilerons le triste sort que lui réserve cette invasion de Vikings pour sa famille et lui, ainsi que pour toute sa descendance. Et cela d'ici trois jours, en en mettant un peu plus.

— Hé ! mais là Doug, on va tous se retrouver au cachot ! Sans savoir non plus si ces Vikings seront bien là dans trois jours !

— Très juste Handy, c'est ce que le duc voudra sûrement faire. Cependant, comme la chose se vérifiera très vite, et il y a tout lieu de le croire, il viendra nous libérer pour ensuite s'enfuir avec sa famille et le fameux testament olographe muni de son sceau. Cela modifiera dès lors son futur, ainsi que celui de toute sa descendance. C'est là notre seule chance. Maintenant tous à la tâche !

À Édimbourg, peu de temps après, Fillan arriva en clamant :

— Des étrangers viennent d'arriver par la mer sur un char de feu ! C'est sûrement le diable qui les envoie !

Il entra chez le tavernier Bismark, essoufflé et apeuré. Un de ceux se trouvant là, Ruben, un vieux marin ayant un œil crevé et un crochet à la place d'une main lui lança, railleur :

— Hé, Fillan... tu viens de voir un gros serpent de mer ? Tu es blanc comme du lait de chèvre !

À ces mots, tous éclatèrent de rire. Fillan, se ressaisissant, leur dit :

— Non, mais c'est la première fois que je vois ça... un char de feu arrivant sur la mer !

Le tavernier, l'entendant, rétorqua :

— C'est peut-être Hénoch et Élie... Les Saintes Écritures disent qu'ils ont été enlevés sur un char de feu.

— Non… justement ils étaient quatre. Un grand, un de taille moyenne comme moi, et deux plus petits de la taille d'un nain, précisa le pêcheur, qui exagéra un peu la taille des deux derniers.

— Dans ce cas, reprit Bismark, si des gnomes les accompagnent, tu as raison. Ce ne peut être que des magiciens ou des sorciers envoyés par Satan. Il faut les capturer et les brûler sur un bûcher avant que la malédiction de Dieu ne s'abatte sur nous. Venez vous autres ! Montre-nous le chemin Fillan !

— Attendez ! Il va bientôt faire nuit. Nous les surprendrons à l'aube. C'est plus sûr.

Le pêcheur trouva qu'il était plus sage d'agir ainsi.

— Ruben a raison, Bismark. Il vaut mieux attendre au lever du jour.

Cinquième partie

« Baff le Terrible »

— 16 —

Le lendemain, le bruit s'était répandu dans tout le village au cours de la nuit. Le peuple ameuté, rassemblé en face du tavernier très tôt avant l'aube, attendait et voulait savoir. Bismark sortit et l'un d'eux, Caleb, forgeron-armurier, lui demanda d'une voix forte, parlant au nom de tous les villageois :

— Que se passe-t-il Bismark ? On a le droit de savoir ! Ceci nous concerne tous !

Le silence se faisant, il leur fit cette déclaration enflammée :

— Peuple édimbourgeois... des magiciens accompagnés de deux gnomes viennent de débarquer sur les côtes à quelques lieues d'ici. Hier, Fillan les a vus de ses propres yeux arriver par la mer sur un char de feu. C'est sûrement Satan qui les envoie pour nous tromper et nous écarter de la droite voie. Il nous faut les capturer et les brûler sur un bûcher aujourd'hui même, sinon la malédiction de Dieu s'abattra sur nous tous. À présent, allons-y !

Ils partirent donc munis de fourches, de faux, de bâtons et de flambeaux. Arrivés près de l'endroit où ils avaient passé la nuit, ils virent qu'ils dormaient encore et ils éteignirent leurs flambeaux. Après les avoir encerclés, ils avancèrent à pas de loup, les surprirent et leur tombèrent dessus au signal de Bismark.

— Attrapons-les !

Surpris dans leur sommeil et pris au piège, Handy, en se débattant, leur cria :

— Hé ! Lâchez-nous ! Nous sommes des messagers venus de loin pour vous prévenir ! Vous commettez une grave erreur !

— Tais-toi ou je te coupe la langue, fils de Satan ! répliqua avec la même force le tavernier, l'agrippant aussitôt par le cou.

Les voyant malmener et attacher ses fils, le père, subissant le même traitement qu'eux sans égard à leur condition, dit :

— Ne leur faites pas de mal ! Ce ne sont que des enfants. C'est à moi seul de répondre de tout cela.

— Vous êtes arrivés ensemble, vous brûlerez donc ensemble ! lui cracha frénétiquement Fillan.

Les prisonniers ayant des chaînes aux pieds et aux mains, Bismark lança à la cohorte d'habitants l'ayant suivi :

– Emmenons-les à présent ! Nous les interrogerons une fois sur le bûcher !

Après avoir marché plus d'une heure en subissant les coups de bâton pour le moindre mot prononcé, nos voyageurs du temps se retrouvèrent tous attachés au même poteau, sur un bûcher déjà préparé pour eux. Düger et Handy étaient dos à dos, tout comme Thomas et Edison.

Pour le savant, même s'il était croyant, les dogmes avaient toujours paru hors de portée de son esprit, plus habitué à la rationalité des choses qu'il pouvait comprendre. Il ne se sentit jamais aussi près des flammes de l'enfer de toute sa vie. Aussi, face au plus horrible des supplices dans lequel il les avait entraînés, il voulut se confesser de ce qui lui semblait à présent un gros péché d'orgueil.

– Et moi qui croyais que la chose serait un vrai jeu d'enfant pour moi, quel poire je fais ! leur murmura-t-il, humilié.

Se retrouvant dans un procès digne du plus fanatique tribunal de l'Inquisition, ils se firent tour à tour lapider de leurs questions incisives. Ruben s'avança le premier et, le silence se faisant, leur lança :

– D'où venez-vous ?

Pointant Handy de son crochet :

– Toi ! Réponds !

Celui-ci leur répondit en indiquant l'ouest :

– De l'autre côté là-bas !

– Tu veux dire de l'Irlande ? enchaîna Caleb.

– Non ! Plus loin encore ! répliqua-t-il un peu plus fort.

Le savant lui chuchota :

– Tu n'aurais pas dû leur dire ça, Handy. Ces gens croient que la terre est plate. Tu viens de leur donner une raison de plus d'allumer ce bûcher !

– Désolé Doug, sur le coup, je n'y ai pas pensé. C'est qu'on n'est pas à Jeopardy, vous savez !

Doug avait vu juste. Sa dernière réponse venait de jeter de l'huile sur le feu, et leur curiosité piquée, Bismark les martela à son tour :

– Comment vous appelez-vous ?

Se mettant face à Düger :

– Toi ! Le plus grand !

Il répondit avec un peu de réticence, jugeant ce qui était le plus approprié à leur époque :

– Hum... Christophe Colomb !

Passant à Handy, et le surnommant ainsi à cause de son pantalon et de sa cape noire :

– Et toi, le moussaillon noir ?

L'idée du savant fit vite boule de neige.

– Heu... Flynn ! Err...Errol Flynn ! leur bégaya-t-il.

En entendant son nom, Rufius McGowan lui dit d'une voix forte tout en venant vers lui :

– Hé ! on ne serait pas cousins par hasard ? Moi je m'appelle Rufius McGowan, je suis du clan des McGowan, McGregor et McGuire. Mais ma mère est McFlynn. Et je viens de ce côté-là moi aussi... de l'Irlande ! J'habite Hill Brook. Je viens régulièrement à Édimbourg pour commercer et faire des affaires. Je suis tonnelier. Le meilleur qui soit même !

Handy qui vit là son ancêtre lui répondit de façon très conviviale, voulant l'amener à intervenir en leur faveur. Il lui parla même comme s'ils étaient proches parents :

– C'est plus que certain, Rufius. Mais tu n'as pas idée comme je suis content de te savoir là. J'ai dû louper quelques grandes réunions de famille. C'est pour cela qu'on ne se connaît pas, sans doute.

Puis, tournant la tête, il chuchota au savant, se réjouissant de la chose :

– Doug, il peut peut-être nous aider à sortir de ce guêpier !

– Selon la chronologie des événements, l'invasion viking aura lieu d'ici un jour ou deux ! Enfin, si mes calculs sont exacts. Donc, même si on ne nous brûlait pas aujourd'hui et qu'on restait attachés ici pendant deux jours... on finirait très certainement décapités par les Vikings.

– C'est le cas de le dire... nous sommes désormais entre les mains de Dieu ! confia Thomas, résigné.

– Grand-mère dit souvent que dans les pires situations, elle priait saint Laurent martyr et que celui-ci l'avait exaucée chaque fois. C'est le mieux que nous puissions faire dans ce cas je crois... Donc, à moins d'un miracle, nous finirons tous nos jours ici ! dit Edison.

Nullement gêné par leur rencontre, le tavernier reprit son interrogatoire :

– Et les deux enfants qui sont avec vous... Comment s'appellent-ils ?

– Moi c'est Marco ! dit fièrement l'aîné.

Et montrant son petit frère :

– Lui c'est Polo !

Aussitôt cette réponse de Thomas faite, Rufius McGowan s'interposa à nouveau et lança, voulant prendre leur défense :

– Pourquoi êtes-vous ici ? Vous devez avoir une bonne raison pour être venus de si loin !

Caleb, ne voulant pas leur laisser la moindre chance, lui servit cet avertissement :

– Rufius, tu n'as pas à t'en mêler ! Tu es en Écosse, donc c'est quelque chose qui nous regarde. Car si nous ne les brûlons pas, la peste, la famine et les calamités de toutes sortes vont s'abattre sur nous !

Les voyant sensibles à leur malheur et voulant profiter de la situation, le savant l'interrompit pour leur déclarer :

– Justement ! lança-t-il avec force, notre visite vous concerne, habitants d'Édimbourg. À vrai dire, nous sommes des messagers et nous devons absolument voir le duc Charles-Philippe Baxton !

Le moine Brunon, homme pieux et savant, se trouvait juste à côté de Rufius. Il lui demanda d'une voix posée :

– Êtes-vous baptisé, étranger ?

– Bien sûr ! répondit vivement Düger, se réjouissant de la présence de quelqu'un visiblement plus sensé.

– Croyez-vous en la sainte Église catholique et en l'autorité de son représentant, le pape Benoît VIII ?

– Oui nous le croyons !

– Donc vous êtes catholiques ?

– C'est exact mon père. Même que si vous le voulez, vous n'avez qu'à monter. Je porte toujours à mon cou une médaille de saint Christophe, patron des voyageurs, que ma mère m'a donnée quand j'étais enfant.

Fillan vit là une ruse. Un autre, Gontran, le barde du village, enchaîna et s'adressa à Düger, voulant le coincer :

– Ton ami a dit tout à l'heure que vous veniez de l'autre côté en pointant vers l'ouest et que c'était même plus loin que l'Irlande. Or nous savons que tous ceux qui se sont aventurés au-delà de cette terre voisine n'en sont jamais revenus et qu'ils ont péri soit en tombant dans le vide, soit dévorés par les monstres de la mer. Comment expliques-tu cela alors ?

Handy prit la parole à la place de son mentor pour répondre :

– Hé ! Jésus ne dit pas quelque part dans les Évangiles, « beaucoup viendront de l'Orient et de l'Occident » en parlant de ceux, autres que les Juifs, qui seront de son royaume ? Alors où est le problème ?

– Là dix sur dix Handy ! C'était théologique, même ! lui chuchota le savant, fier de sa réponse.

– Merci Doug. Pour une fois que j'arrive à me souvenir d'un truc comme ça sans m'embrouiller...

Le procès se corsant, successivement, des habitants y allèrent de leurs invectives et crièrent :

– Hérésie !

– Ils mentent !

– Satan parle par eux !

– Brûlez-les !

Le tonnelier voulut empêcher l'exécution en leur disant :

– Non ! Vous devriez les écouter. Vous commettez une erreur, j'en suis certain. Ce sont peut-être des messagers de Dieu venus vous prévenir d'un grand fléau comme dans la Bible.

Rien à faire, tous le regardèrent. On le bouscula. Caleb le menaça une seconde fois :

– Tu veux qu'on te mette sur le bûcher avec eux, Rufius ?

Impuissant à les secourir, le moine lui chuchota sans attendre :

– Rufius, nous ne pouvons pas en faire plus pour eux. Vite ! Cours prévenir le duc, il n'y a que lui qui pourra les en empêcher.

Il partit et revint avec ce dernier au moment où Bismark s'apprêtait à mettre le feu au bûcher. Le duc et quelques-uns de ses serviteurs, arrivant au galop, s'arrêtèrent. Le duc, sautant de sa monture, leur ordonna d'arrêter.

Ce fut le silence. Puis, voulant s'enquérir de ce qui se passait, il leur dit, d'une voix qui en faisait déjà frémir plusieurs :

– Qu'est-ce qui se passe ici ? Pourquoi voulez-vous brûler ces gens ? Quel péché ont-ils commis ?

– Dieu soit loué, murmura Düger.

– Ouais, c'est le pied, ajouta son indéfectible ami.

Bismark, prenant un tout autre ton en présence de son seigneur, lui expliqua :

– Ces gens, Votre Grâce, sont arrivés par la mer sur un char de feu. Fillan les a vus. Ils disent être des messagers venus d'une terre au-delà de l'Irlande afin de nous prévenir d'un fléau. Or, il n'y a pas d'autre terre au-delà de cet horizon, Votre Grâce.

– N'avaient-ils pas cependant demandé à voir absolument Sa Grâce le duc d'Édimbourg, Bismark ? s'empressa de faire remarquer Brunon.

Le duc regarda le tavernier qui, baissant la tête, n'osa plus dire quoi que ce soit. Ensuite, jetant un regard autour de lui, il leur dit, très courroucé que la chose se soit déroulée sans qu'il en ait été informé :

– Depuis quand, peuple édimbourgeois, exécute-t-on des gens sans m'en avoir avisé, et qui en plus demandent à me voir ?

Le peuple silencieux, il s'avança vers Düger pour lui demander, d'une voix qui montrait sa grande bonté :

– Que me veux-tu étranger, et quel est ce message que tu as à nous livrer ?

– Merci, Votre Grâce !

Fort de sa présence, il leur fit cette déclaration :

– Nous sommes des messagers venus de loin pour vous prévenir que les Vikings, ayant à leur tête « Baff le Terrible », vont bientôt débarquer dans votre région et mettront tout à feu et à sang. Ils seront un grand nombre et trop puissants pour tenter de leur résister. Pour cela, il vous faut fuir dès maintenant vers le sud avant qu'ils n'arrivent.

Puis, baissant la voix et regardant le duc il ajouta, respectueux :

– Pour le reste, Votre Grâce, c'est quelque chose qui vous concerne personnellement. Il vaudrait mieux que l'on vous parle en privé. C'est très important pour vous, pour votre famille et pour nous, également.

Le peuple attendait silencieusement la réponse de son digne représentant. Celui-ci répondit, se faisant très circonspect :

– Je ne suis pas homme à fuir devant l'ennemi étranger. Alors nous les attendrons. Si tu dis vrai, nous t'épargnerons et te laisserons partir avec tes amis. Mais si c'est le contraire, vous savez ce qui vous attend !

Puis, au moment où Düger rappliquait en tentant de lui faire comprendre qu'il leur fallait fuir :

– Mais Votre Grâce, vous devez me...

Un habitant complètement terrifié arriva en courant et clama :

– Baff le Terrible s'amène vers nous !

– Grand Dieu ! s'écria le savant, je me suis trompé d'une journée. J'avais préféré en ajouter une de plus, au cas où ! confia-t-il aux autres au milieu de la panique générale.

Thomas de lui rappeler :

– Votre premier calcul était bien le vrai, père. L'année 1015 n'est pas 1016, qui est bissextile, elle. Ni 1017, comme les tenants de la thèse des années égarées de un an ou deux le soutiennent. En tout cas, pas jusqu'ici c'est sûr ! ajouta-t-il en riant.

– Eh bien là, qui de nous s'en plaindra ? On ne fera pas une table ronde là-dessus, leur fit remarquer le rocker, se réjouissant de la tournure des événements.

Le duc, bien plus abasourdi par la justesse de la prédiction qu'apeuré par les Vikings, lança à ses serviteurs :

– Vite ! Au château, et détachez ces gens !

Après, se tournant vers eux, il ajouta, en leur offrant les montures de deux de ses serviteurs :

– Tenez ! Montez et suivez-moi !

À cheval, Handy reluqua son ancêtre et lui dit, enchanté et tenant à le remercier :

– Rufius, tu es le meilleur, sans toi on y passait tous. Salue toute la parenté pour moi en rentrant en Irlande. Bonne chance, et à un de ces jours peut-être !

– Je n'y manquerai pas, cousin. Bonne chance à toi aussi, et j'espère qu'on se reverra dans de meilleures circonstances !

Puis ils foncèrent en galopant à travers les cris et les pleurs de la populace fuyant. Ils franchirent peu de temps après l'enceinte du château, sautèrent de leurs montures, coururent et prirent les escaliers menant à la grande salle du château. Rendus là, le duc, en présence de son épouse Katherina et de sa fille unique Amély, leur demanda sans plus tarder :

– À présent, qu'est-ce qui me concerne plus particulièrement ? Expliquez-vous vite, messagers. Nous devrons bientôt résister à l'envahisseur.

Handy, prenant la parole le premier, lui dit :

– Voilà, nous venons de très loin dans le temps, Excellence... je veux dire Votre Grâce...

Düger enchaîna :

– Et aussi vrai que les Vikings viennent de débarquer, ceux-ci vous tueront et ils violeront et étrangleront sauvagement votre femme !

Edison continua :

– Votre fille unique, Amély, échappera par miracle à l'attention de ces cruels barbares en se cachant derrière la porte de votre passage secret. Ayant vu à travers une fente de la porte l'horrible scène, elle deviendra dès cet instant muette pour le restant de sa vie ! ajouta-t-il en la regardant.

– Après cela, reprit le savant, le comte d'Oxford, Robert Cromwell, profitera de ce passage des Vikings qui auront brûlé tous les manuscrits portant votre sceau et prouvant incontestablement que votre fille est la seule véritable héritière du château et de tous les titres s'y rattachant. Il se l'appropriera en y substituant de faux documents. Toute votre descendance, Votre Grâce, subira alors ce triste sort. Aussi, si je ne rapporte pas avec moi le testament rédigé de votre propre main, l'un d'eux mourra !

– C'est pour cela que nous sommes ici, compléta Thomas.

L'essentiel du message livré, le savant se fit des plus pressant à son tour et lui enjoignit :

– Vous devez donc tous fuir par votre passage secret immédiatement, en prenant bien soin d'apporter avec vous l'original de ce testament olographe avant qu'ils aient réussi à enfoncer la grande porte. Nous vous suivrons par ce passage jusqu'à l'extérieur. Là, nous nous séparerons et partirons chacun de notre côté.

– Et je devrais partir ainsi sans leur avoir offert la moindre résistance de ma part ? rétorqua le duc, sa fierté d'homme blessée.

L'épouse dut lui avouer, s'avançant :

– Charles, je ne te l'avais pas dit encore, mais cette nuit j'ai fait un rêve qui confirme ce que les messagers viennent de nous révéler. J'ai effectivement vu les Vikings envahir notre région et pénétrer dans le château après avoir enfoncé la grande porte et... je nous ai vus tous les deux gisant dans notre sang sur le sol, sauf Amély que je ne voyais plus ! termina-t-elle émue, au bord des larmes.

À ces mots, la fillette, restée à côté de sa mère, se jeta sur son père en le serrant et en lui disant, angoissée et pleurant à la simple pensée de les perdre :

– Papa écoute-les je t'en prie... je ne veux pas vous perdre !

Le père, s'accroupissant, la serra dans ses bras.

– Tu sais bien que pour rien au monde je ne vous abandonnerais maman et toi ! dit-il en lui donnant un baiser sur le front.

Après, se relevant, il les regarda tous et leur lança, plus décidé que jamais :

– Maintenant, suivez-moi !

Ils partirent et le suivirent vers le passage secret. À l'extérieur du château, les habitants affolés fuyaient. La plupart fuyaient vers le sud, d'autres vers l'est. Les Vikings mirent tout le village à feu et à sang, ne laissant que ruine et désolation derrière eux. Baff le Terrible ainsi qu'une partie de ses plus réputés pillards se dirigèrent vers le château comme prévu, enfoncèrent la grande porte, pénétrèrent dans l'enceinte et aboutirent dans la grande salle. Puis il ordonna :

– Vous autres, brûlez tout ! Imorv, Islav, Istoff, venez avec moi ! Nous ferons le tour du château par l'extérieur. Ils ont dû fuir par un passage secret. Ils ne doivent pas être bien loin. Allez ! Rattrapons-les !

Fort heureusement, le duc et sa famille ainsi que les valeureux voyageurs sortaient dans une gorge derrière une chute d'eau en pleine forêt à environ un kilomètre du château.

– C'est ici que nous devons hélas nous séparer, Votre Grâce, dit le savant.

– Tenez, voici un double de mon testament muni de mon sceau.

Ils se serrèrent la main, et Charles-Philippe les regarda tous une dernière fois. Il ajouta, Katherina et Amély à ses côtés :

– Bonne chance, « messagers du temps ». Dieu vous garde !

Le capitaine de l'équipage lui dit à son tour, parlant au nom de tous :

– Merci Votre Grâce. Vous êtes un homme d'honneur. Longue vie à votre famille et à vous.

Sur ce, ils partirent chacun de leur côté. À l'orée de la forêt, le savant s'arrêta et sortit sa boussole afin de convenir de la direction à prendre pour rejoindre le véhicule spatio-temporel.

– Avant d'aller trop loin, leur dit-il, il vaudrait mieux vérifier si nous sommes dans la bonne direction...

Handy lui fit alors remarquer :

– Oui, surtout avant qu'un de ces Vikings s'amène et fonce sur nous avec sa hache à long manche ou sa massue à vous expédier d'un seul coup tout droit en Chine !

Regardant les aiguilles de sa boussole, le savant poursuivit :

– Bon, le nord est par là, l'est ici et le château d'Édimbourg, que l'on voit encore. En marchant droit devant, nous devrions atteindre le véhicule spatio-temporel avant la tombée de la nuit. Venez !

Ils marchaient à peine depuis quelques minutes dans la forêt que Handy aperçut un Viking. C'était Islav qui ratissait les bois en venant vers eux à reculons.

– Hé ! murmura-t-il aux autres, tout en leur faisant signe de se cacher. Vous avez vu ce Viking qui s'amène vers nous ? Je savais bien qu'il nous fallait ficher le camp au plus vite. Qu'est-ce qu'on fait s'il nous découvre, Doug ?

– Pour l'instant, il est seul, mais il nous découvrira. Ça me semble inévitable, répondit le savant. Nous allons donc créer une diversion. Ça nous donnera une longueur d'avance sur lui. On n'a pas le choix. Nous nous diviserons en deux groupes. Handy et moi allons nous lever ensemble et irons temporairement vers la droite. Vu sa taille, il devrait s'essouffler assez vite. Toi et Edison, lorsque vous le verrez bien parti derrière nous, vous courrez droit devant vous jusqu'à l'aérohydroglisseur en vous guidant sur la crête de cette montagne là-bas. Voici les clés et le précieux manuscrit qu'il ne faut pas perdre pour tout l'or du monde. Je garde la télécommande. Vous arriverez sans doute avant nous. Vous vous cacherez alors dans le coffre du véhicule et nous attendrez là. Compris, les garçons ? Dès que Handy et moi l'aurons semé, nous vous rejoindrons. Je frapperai trois coups sur le capot pour vous indiquer que c'est bien nous et que vous pouvez sortir. Ce sera notre code d'identification.

– Vous pouvez compter sur nous, répondirent les deux fils.

Handy d'objecter :

– Et s'il y en a d'autres, et qu'ils nous rattrapent et nous capturent, on sera assez mal barrés, non ? Parce qu'avec ces gros Vikings qui croient au Dieu du tonnerre et des éclairs, qui peut nous garantir que la foudre ne s'abattra pas sur nous cette fois, hein ?

– Eh bien laisse la foudre où elle est et ça n'arrivera pas ! répliqua-t-il, irrité par ses inquiétudes.

– Bon, OK, je ne dis plus rien Doug.

– Maintenant à trois on y va. Un, deux et trois !

Le Viking, entendant le bruit, se retourna vivement.

– Heu !

Puis il se lança comme prévu à leur poursuite et franchit assez vite l'endroit où Thomas et Edison étaient restés terrés. Après, rendus assez loin d'eux et les regardant aller, le grand frère enclencha l'autre partie du plan :

– À nous de jouer à présent. Allons-y !

Düger et Handy, qui couraient toujours ensemble, procédèrent à l'ultime phase du plan :

– Bon là, nous allons nous séparer… Nous allons partir chacun de notre côté en retournant sur nos pas. S'il choisit de te poursuivre toi, ce sera bien tant mieux. Parce que tu arriveras facilement à le distancer. Par contre, si c'est moi, il a plus de chances de réussir. Dans ce cas, j'utiliserai davantage la ruse pour m'en défaire. Donc, dès que tu auras repris notre chemin en te guidant sur la crête de la montagne, tu fonceras sans m'attendre vers l'aérohydroglisseur, lui dit le savant.

Il ne voulut pas l'abandonner et lui rétorqua :

– Ça non Doug ! Je ne vous abandonnerai pas ici, je ne pourrai pas faire ça et vous le savez !

– Non Handy ! Tu dois repartir avec Thomas et Edison. Le Transfuseur temporel est déjà programmé... Tu dois le faire pour Cybril et mes fils, tu entends ! Notre position d'arrivée est enregistrée, tu n'auras qu'à enclencher le tout ! Allez ! Maintenant, on se sépare !

Ce fut ses dernières paroles. Islav choisit, au grand bonheur de Handy, de le pourchasser.

– Hé ! viens par ici ! Je vais te faire découvrir la forêt, lui lança-t-il pour l'attirer davantage à le poursuivre.

Tournant la tête, il en aperçut trois autres, Baff, Imorv et Istoff, qui s'amenaient sournoisement vers son ami en l'encerclant.

– Doug ! Attention juste derrière vous ! Il y en a trois autres qui s'amènent ! lui cria-t-il.

Comme il courait la tête tournée sans prendre garde, il se frappa contre une grosse branche d'arbre trop basse pour l'éviter et tomba par terre, assommé.

Ils se retrouvèrent enchaînés sur le drakkar de Baff avec Grimm, le neveu de Rigor Dicksson. Celui-ci était un navigateur islandais d'origine norvégienne, d'un clan de Vikings convertis au christianisme et ancêtre du célèbre shérif Dicklane et de son petit-fils, directeur du lycée, Ralph Dicklane.

— 17 —

Il faisait nuit au moment où Handy, reprenant ses esprits, crut qu'il venait encore de faire un affreux cauchemar.

– Dieu merci... nous voilà enfin revenus à ce bon vieux 1987 !

Düger, qui n'avait pas fermé l'œil, dut lui donner le triste constat d'échec.

– Malheureusement, il te faut remplacer les trois derniers chiffres par un 0, un 1 et un 5, Handy !

– Quoi ! Que dites-vous là ? s'écria-t-il face au terrible verdict.

Réalisant qu'il portait des chaînes aux mains et aux pieds mais ne le voyant toujours pas il ajouta, confus, le cherchant dans la noirceur :

– Des chaînes ? Mais où sommes-nous ? Doug ? Où êtes-vous ? Je ne vous vois pas !

– Juste ici, Handy... Ne crie pas si fort. Nous avons été faits prisonniers par les Vikings. Nous sommes sur leur drakkar. Ils nous emmènent sur une île, l'île du Marteau, que j'ai cru comprendre. C'est un repaire, j'imagine.

– C'est pas le pied... Et Thomas et Edison ? Et l'aérohydroglisseur ? Comment va-t-on faire à présent pour s'enfuir de cette proue « dragonienne » bien en vue, Doug ?

– Avant que j'arrive à leur navire, les Vikings avaient repéré l'aéro-hydroglisseur et l'avaient déjà attaché à leur drakkar. Seulement juste en passant tout près, j'ai lancé très fort, question d'avertir Thomas et Edison qui sont toujours dans le coffre : « Handy et moi sommes prisonniers. Ils nous emmènent tous sur leur île. » Nous attendrons donc d'être rendus. Ils voudront festoyer, boire et manger et seront vite tous ivres. Regarde ! dit-il en lui montrant les tonneaux de bière qu'ils avaient volés.

Il ajouta, confiant :

– Il y aura bien un moyen pour déjouer ces bougres !

– Ouais, il ne reste plus qu'à espérer que cette île ne se trouve pas à deux semaines d'ici, et qu'il y aura un Dicklane qui interviendra pour les empêcher de nous faire rôtir sur une broche au-dessus de leur feu !

Grimm, qui se tenait recroquevillé dans un coin, enchaîné et retenu captif comme eux par Baff, leur dit dans le noir, les deux hommes ne s'étant pas rendu compte de sa présence :

– Ne vous inquiétez pas, étrangers. Nous serons à l'île du Marteau juste après que le soleil ait atteint son plus haut point dans le ciel. Et Rigor Dicksson, mon oncle, est à ma recherche. C'est un navigateur et un grand guerrier. Dès qu'il m'aura trouvé, ses hommes et lui s'empareront de Baff et de sa bande et les amèneront devant le Conseil des Anciens, où ils seront condamnés aux plus cruels supplices pour le meurtre de la princesse Gaëyla et tous les autres crimes commis envers leurs pairs. Mais soyez sans crainte. Mon oncle ne vous fera aucun mal. Bien qu'il applique la loi de Dieu avec beaucoup de rigueur, c'est un homme juste. Il vous libérera de vos chaînes, et vous pourrez retourner avec votre vaisseau dans votre royaume.

Düger, un peu troublé par ce qu'il venait de leur confier, voulut en savoir davantage sur ce Rigor Dicksson.

– Donc, si je comprends bien petit... ton oncle est un Viking lui aussi mais d'un autre clan, c'est ça ?

– Pas tout à fait, répondit le garçon. Mon oncle est un Viking converti au christianisme. Il vient du royaume de Norvège, mais il vit sur la grande île du nord, appelée Islande. Moi, je suis son neveu et je m'appelle Grimm. Baff et son clan sont quant à eux des Vikings qui refusent d'embrasser la foi chrétienne et qui continuent de semer la terreur et la dévastation partout sur leur passage. Ce sont des pillards de la pire espèce !

– Pour ça il n'y a pas de doute, ils ont même piqué notre Shelby ! dit Handy.

Réalisant son lapsus, il se reprit :

– Heu, je veux dire notre vaisseau en l'accrochant à leur drakkar. À part ça autant tout se dire, vu le programme. Il y a de plus en plus de chances que l'on finisse au-dessus de leur feu. Avec cette différence que nous serons cette fois à l'horizontale au lieu d'être à la verticale, hein Doug ?

– Rassurez-vous, je ne dirai rien, leur dit Grimm. Pas plus sur tout ce que vous venez de dire que sur vos amis restés cachés dans la cale de votre vaisseau. Vous avez ma parole ! ajouta-t-il.

– Ce sont mes deux fils, confia le savant, ils sont à peu près de ton âge. Cependant voilà, aussi incroyable que cela puisse paraître parce que personne n'y est encore venu, « notre royaume », comme tu dis, est de l'autre côté de l'océan, ou plutôt de la grande mer devrais-je dire dans ton langage à toi. Et nous sommes pour ainsi dire des « explorateurs du temps » qui ne demandent pas mieux que de rentrer chez nous tout comme toi.

– Ça alors ! s'écria-t-il. Leif Eriksson dit donc vrai... Il y a vraiment une immense terre de l'autre côté, un Nouveau Monde !

196

– Cool ! enchaîna Handy, soulagé. Je suis sûr que tu aimerais ce petit coin de paradis.

Se tournant vers Düger, il ajouta, y allant d'un brin d'ironie envers le directeur de son lycée :

– Dicksson… je trouve que ça sonne bien. Il y a même un nommé Dicklane, une vieille branche de ton oncle peut-être qui y habite ? Bah, il est peut-être sévère lorsqu'on arrive en retard, mais Dieu que c'est rassurant de savoir qu'il y en a un ici du même nom pour s'occuper de ce Baff et de sa bande de loups de mer. N'est-ce pas Doug ? Oups ! je veux dire « navigateur Colomb ».

– Tout à fait, « timonier Errol ». Maintenant, reposons-nous !

— 18 —

DANS L'APRÈS-MIDI, le drakkar baissa les voiles et accosta sur la plage de l'île du Marteau. Baff, s'approchant de ses prisonniers et fier de sa virée en Écosse scanda d'une voix forte, brandissant son épée vers le ciel, les autres Vikings l'imitant avec le même cri de ralliement :

– Vive Thor ! Vive Odin !

Après, en ricanant, il s'adressa à Grimm :

– Hi ! hi ! hi ! crois-tu toujours que ton oncle viendra te délivrer, Grimm ? Parce que j'ai un bon marché à lui proposer... Hi ! hi ! hi !

– Oui il viendra, avec une grande flotte de drakkars sous son commandement. Et il ne marchandera pas avec toi, traître que tu es. Il te capturera toi et ta bande pour ensuite vous emmener devant le Conseil des Anciens, parce que Dieu est avec lui, espèce de lâche ! cria courageusement le neveu.

Furieux, le géant l'empoigna par le cou et le souleva de terre.

– Ah oui ! Sais-tu que je peux te hacher en petits morceaux et te donner en pâture aux monstres de la mer, vermisseau ? ajouta-t-il en le secouant et en l'étranglant.

Continuant de le malmener, il reprit avec plus de méchanceté :

– Dis-moi lequel des dieux est plus fort maintenant, hein ! Ha ! ha !

Handy, n'en pouvant plus de le voir s'en prendre à un enfant de cette façon, lui lança d'une voix percutante :

– Hé ! Tu n'as pas honte de t'en prendre à un gosse de cette façon ?

Debout les mains sur les hanches et n'en revenant pas, il ajouta en pensant à Stiff :

– Non mais... c'est pas croyable... On est mille ans en arrière et c'est toujours le même disque !

Baff lâcha aussitôt Grimm, l'agrippa par une jambe et le retourna la tête en bas. Comme il s'apprêtait à le jeter par-dessus bord chaînes aux pieds et aux mains, Düger, qui avait la télécommande de l'aérohydro-glisseur dans sa poche, parvint à la saisir et actionna les divers boutons. Il alluma et éteignit les phares, fit clignoter les feux de positionnement et déclencha le strident système d'alarme dont il était doté, pour finalement lui crier :

– Lâche-le tu entends !

Ses fils, qui étaient toujours dans le coffre, se demandèrent :

198

– Mais qu'est-ce qui passe ?

– Je sais pas… mais ce n'est pas notre code. On n'a donc pas à sortir, répondit le grand frère.

Düger stoppant tout, Baff laissa tomber Handy sur le plancher, les Vikings apeurés croyant avoir affaire à un sorcier. Ils reculèrent avec leurs épées et leurs boucliers.

Il s'ensuivit un profond silence. Là, Istoff, mort de trouille, chuchota à l'oreille de son chef :

– Vous avez vu chef ? Il doit être sorcier, il vaudrait peut-être mieux les laisser partir !

– Non, répliqua-t-il à voix basse, Thor et Odin sont plus forts que les gnomes et les sorciers. Nous allons donc festoyer comme prévu et nous les garderons enchaînés dans la grotte de la déesse Frigg. Nous verrons ce que nous ferons d'eux après avoir invoqué les dieux.

Puis, s'adressant à tous les autres, il reprit sensiblement le même discours.

Après, tous les Vikings répétèrent :

– Vive Thor ! Vive Odin !

Puis, les regardant tous, il ordonna :

– À présent, emmenez-les !

Les entraînant sur une passerelle de bois, ils descendirent sur l'île à la file indienne, en chantant des chants barbares.

– Hé mais Doug, murmura Handy tout en marchant, pourquoi n'avez-vous pas actionné le démarrage à distance ? Là vous n'auriez pas manqué de les impressionner encore plus ! Vous leur auriez fiché une de ces trouilles !

– Malheureusement, cette télécommande ne possède pas encore le démarrage à distance, Handy. Sinon, c'est ce que j'aurais fait, crois-moi ! répondit le savant en riant.

À travers une fente, les deux jeunes entendirent les chants barbares et virent leur père, Handy et Grimm, chaînes aux poignets.

– Tu as vu ! fit remarquer le cadet, il y a un jeune garçon avec eux... Il doit être de notre âge !

– Oui, je l'ai remarqué. Dès qu'il n'y aura plus aucun danger de nous faire voir, nous sortirons de ce coffre. Il faut les délivrer et réussir ce coup de maître, Edison !

Tirant le loquet de l'intérieur, ils soulevèrent le capot, sortirent, coupèrent la grosse corde tressée reliée au navire et prirent place dans le véhicule.

– Tu crois que tu arriveras à faire avancer ce machin ? demanda Edison.

– Oui j'y arriverai, j'ai bien observé.

Il démarra et enclencha le bouton de mise en marche à bas régime du réacteur à propulsion. Il conduisit l'appareil sans difficulté jusqu'à la plage et ils descendirent.

Ils prirent les choses qu'ils avaient tenu à apporter avec eux ; l'un son baladeur et l'autre sa grosse boîte de feux d'artifice avec la voiturette.

Thomas emporta également un porte-voix, et ils partirent en suivant leurs traces.

Arrivés aux abords du repaire, ils s'accroupirent derrière des arbrisseaux pour apercevoir à travers les branches une gigantesque statue de Thor, le dieu du tonnerre, taillée dans une falaise. Les Vikings plaçaient un gibier embroché au-dessus de leur feu qu'ils venaient tout juste d'allumer et d'autres s'occupaient de mettre sur le ventre les tonneaux de bière. Ils commençaient à en boire. Leur chef, assis à une grande table au centre de ce qui serait leur festin, lançait au bout de ses bras les objets inutiles et sans valeur que certains d'entre eux avaient volé. L'un d'eux, Imorv, lui présenta une peinture encadrée de Katherina, l'épouse du duc.

– Qu'est-ce que c'est que ça ? demanda-t-il, irrité.

– C'est que je la trouvais très belle chef, et j'ai pensé qu'elle ferait très bien au-dessus de votre pieux.

Exaspéré, il se leva carrément, la prit et la lui enfonça sur la tête.

– J'ai dit : « Que des choses qui brillent ! des métaux ! or ! fer ! bronze ! que l'on peut refondre après par Thor ! pas d'en-com-bre-ment-sur-mon-drak-kar ! »

Le regardant, il ajouta :

– Voilà qui te fait mieux crétin.

Edison pouffa de rire.

– Ha ! ha ! Tu as vu la tête qu'il fait ? dit-il à son aîné, tout en se roulant par terre.

Ils virent alors deux autres Vikings se dirigeant avec leur père, Handy et Grimm vers la grotte de la déesse Frigg, près de la statue de Thor. Thomas lui lança à voix basse, en catastrophe :

– Regarde où ils les emmènent !

S'arrêtant aussitôt, il s'avança et les vit.

– Tu as un plan ?

– Oui, et un super à part ça, dit le grand frère. Voilà ce que nous allons faire. Tu vois cette gigantesque statue taillée dans le roc ? Ça doit être leur dieu Thor... Il y a deux flambeaux dans les trous servant d'yeux. Eh bien, il doit nécessairement y avoir un passage pour y accéder par derrière afin d'entretenir ces flammes. Autrement, je ne vois pas comment ces gros Vikings pourraient arriver à grimper jusque-là. Et il n'y a rien qui l'indique vu de face non plus. On va rigoler, tu vas voir. Je vais faire le tour par derrière et monter là-haut avec mon baladeur et ce porte-voix. Rendu là et bien installé, je leur parlerai avec l'aide de ce microphone et du porte-voix que j'aurai relié au baladeur en me faisant passer pour leur dieu Thor. Je leur mettrai de la musique en leur demandant de danser pour moi. Tu vois un peu le tableau ?

S'arrêtant et se regardant, ils éclatèrent de rire.

– Et au moment où je leur demanderai de relâcher notre père, Handy et le jeune garçon qu'ils retiennent captifs, reprit Thomas, tu leur en mettras plein la vue avec tes gros pétards. Ça marchera, j'en suis sûr. Donc tout ce que tu as à faire, c'est de te planquer ici et d'attendre mon signal, compris ?

– Compris ! Je reste ici et j'attends ton signal. Seulement, si ça échoue, qu'est-ce qu'on fait ?

Confiant de réussir, il lui répondit :

– Ça n'échouera pas ! Bon, j'y vais. À tout à l'heure, ajouta-t-il avant de le quitter.

– Bonne chance Thomas !

Pendant qu'il se rendait dans l'antre des yeux de la statue de Thor, les trois prisonniers de Baff bavardaient sur ce qui pouvait arriver de mieux pour les sortir de là.

– Bon, nous voilà bien au frais dans la grotte de cette déesse en attendant notre dernière heure, dit Handy. Hé ! mais j'y pense, les feux d'artifice, ça mettrait Dicklane… heu, je veux dire son oncle sur les dents. En les apercevant au loin, cela l'attirerait forcément ici, non ?

– C'est vrai, les feux d'artifice d'Edison… Il reste à espérer qu'ils y penseront !

– Tes fils sont intelligents, Doug. Ils vont y penser, j'en suis sûr !

Grimm, qui ne disait pas un mot et se contentait d'écouter, voulut savoir :

– C'est quoi des feux d'artifice ?

– Eh bien, ce sont des bâtons de grosseurs différentes que l'on plante dans le sol et qui, dès qu'on y met le feu, s'élancent très haut comme une étoile qui file dans le ciel, dit Handy. Lorsqu'ils explosent, ils produisent des milliers de petites étincelles de couleurs différentes dans le firmament. Pour cela, il faut attendre que la nuit soit tombée. Et ton oncle… s'arrêta-t-il, l'invitant à deviner le reste.

– J'ai compris ! s'écria le garçon. Soyez sûrs que lorsqu'il les apercevra au loin... mon oncle y verra un signe de Dieu et s'amènera très vite ici avec toute une flotte de drakkars sous son commandement. Face à lui, Baff et son clan n'ont aucune chance de leur échapper.

– Voilà qui est très encourageant petit, dit Düger.

– Vous verrez... c'est le plus grand navigateur de toutes les mers, ajouta Grimm.

Handy, qui connaissait déjà deux Dicklane, le directeur de son lycée en 1987 et le réputé shérif ayant vécu à l'époque du Far West, s'imagina déjà un peu de quoi aurait l'air cet ancêtre sortant du Moyen Âge. Car si la chose était bien vraie, il fallait effectivement s'attendre à une friction de feu et d'éclairs entre les deux entités personnifiant le Bien et le Mal. Pour cette raison et fort de cet unique espoir, il ne manqua pas de le lui faire savoir.

– Pour ça il n'y a pas de doute, on te croit, petit.

À l'extérieur, les Vikings commençaient leur festin, chantant, buvant et s'empiffrant. Thomas se trouvait déjà dans l'antre des yeux de la statue de Thor et se préparait à être en quelque sorte le DJ de la soirée. Il s'affairait à relier un fil à une extrémité afin de le brancher au porte-voix lui servant d'enceinte.

Le branchement effectué, il s'assit un peu en retrait des énormes trous servant d'yeux, prit le microphone, glissa le bouton à la position « ON » et monta le volume. Puis, s'adressant aux Vikings qui festoyaient en prenant une grosse voix grave, il leur dit, voulant du même coup faire un test :

– Vikings ! leur dit la voix résonnant de la statue.

– Heu ! s'écrièrent les barbares, cessant la fête, figés de stupeur face à leur dieu qui venait de s'adresser à eux.

Edison, toujours bien planqué et l'entendant, murmura, fou de joie :

– Il a réussi ! Ça marche !

Handy, de la grotte de la déesse Frigg, croyait avoir entendu une voix venant comme d'un haut-parleur. Il leur dit, vivement excité :

– Vous avez entendu ! On aurait dit une voix venant d'un haut-parleur !

Thomas, voyant que son truc fonctionnait à merveille, parla de nouveau :

– Vikings !

Ceux-ci, tremblant et morts de trouille, se jetèrent tous à genoux en se prosternant contre le sol.

– Ah mais là c'est bien vrai ! s'écria Handy, j'ai bien entendu la voix de quelqu'un qui parlait dans un haut-parleur.

Se tournant vers Düger, il ajouta :

– J'ignorais que les Vikings utilisaient déjà ce truc du cornet !

À peine venait-il de dire cela que la voix se fit entendre à nouveau :

– Vikings... Je suis votre dieu Thor ! Vous êtes revenus victorieux de l'Écosse et vous avez omis de m'honorer, Vikings ! Pour cela j'exige que vous dansiez pour moi, alors debout ! Dansez, et en avant la musique !

– Par tous les capitaines Nemo de la terre ! s'écria le savant, le porte-voix… c'est Thomas. Il a dû le brancher à son baladeur et il leur parle avec l'aide d'un microphone en se faisant passer pour leur dieu…

– Tu entends ça petit ! dit Handy à Grimm. Ses fils qui sont de ton âge vont nous sortir d'ici en se payant la tête de ces Vikings !

Pendant que le jeune DJ insérait la fameuse cassette audio d'une compilation des meilleurs succès de 1956 à 1968 que Bénédict Thompson lui avait donnée en prime, le Viking appelé Islav, se trouvant juste à côté de son chef, lui confia, ahuri :

– Mais chef... comment allons-nous faire ? Nous ne savons pas danser !

– Eh bien il va falloir que tu nous montres... à moins que tu veuilles le faire au bout d'une planche avec un gros monstre marin juste en dessous et prêt à t'avaler !

– Mais chef voyons, je ne peux pas, je ne sais pas ! dit le Viking confus, larmoyant, n'y connaissant rien.

Leur ignorance allait être de courte durée, puisque Thomas enfonça la touche « Play ». Il ouvrit la danse avec le fameux *Twist and Shout* des Beatles. Et Islav, le rythme lui montant instinctivement dans les jambes, se mit aussitôt à *twister*, chose qui ne tarda pas à être imitée par les autres Vikings, qui embarquèrent dans sa galère. Edison, toujours planqué derrière les buissons, se tordait de rire de voir ces gros bonshommes se déhancher face à face à certains moments et frotter les cornes de leurs casques ensemble.

S'ensuivit une série de succès rock and roll avec *Wooly Bully* de Sam The Sham and Pharaohs, *Great Balls of Fire* de Jerry Lee Lewis pour terminer par *Oh, Donna* de Richie Valens. Les Vikings, exténués et complètement ivres, dansèrent alors l'un contre l'autre. Cependant, la musique cessant sans que le jeune DJ qui se tordait de rire ait éteint son microphone, Baff, qui l'entendit, déduisit très vite qu'il y avait quelque chose de louche.

Passant aussitôt à l'arrière du gros rocher, il monta à pas de loup, entendant toujours de plus en plus fort les rires de Thomas se répercutant contre la pierre dans l'antre de la statue. Puis, le surprenant par-derrière se roulant de rire, il l'empoigna d'une seule main et le soulevant dans les airs, il lui dit, fou de rage :

– Tu étais avec les autres hein ! Et tu as voulu te moquer de nous ! Eh bien on va te faire rôtir, on manquait justement de gibier !

– Lâche-moi sale monstre ! Lâche-moi tu entends ! hurla le gamin se débattant et le frappant.

S'arrêtant, il cria à son cadet :

– Edison les feux d'artifice… vas-y !

Düger, Handy et Grimm, qui l'avaient bien compris cette fois, se rendirent compte que les choses avaient mal tourné pour lui.

– Quelle idée stupide j'ai eue de les emmener avec moi ! dit le père, le moral à son plus bas.

Grimm, pour le réconforter, lui fit valoir :

– Vous ne devriez pas parler ainsi, navigateur du Nouveau Monde. Votre fils a été brave. Il n'a pas hésité à affronter le danger pour vous sauver.

– Tu as raison petit, il a été très courageux !

– Hé mais attendez, leur dit Handy. Il appelle Edison, c'est donc qu'ils ne sont pas ensemble.

– Dans ce cas, c'est qu'il est sûrement caché quelque part et il doit attendre un signal de Thomas. Ils font toujours ça habituellement, leur dit à son tour le savant, reprenant espoir.

Le père disait vrai. Edison, qui venait de recevoir le signal de passer à l'action, s'apprêtait à exécuter la partie la plus spectaculaire du plan. Seulement, Imorv s'amenait tout droit vers lui, et il dut abandonner en catastrophe sa grosse boîte de feux d'artifice.

– Qu'est-ce qu'il pouvait bien avoir à faire ici, celui-là ? murmura-t-il, se cachant derrière un arbre pour l'observer.

Le Viking s'arrêta près des buissons. Puis, tout en urinant, il aperçut la grosse boîte de bâtons multicolores.

– Oh... hic ! dit-il ébloui, complètement soûl.

Il en prit un dans ses mains, l'examina de près et, se tournant vers le feu qui diminuait d'intensité il dit, se parlant à lui-même : « Voilà qui devrait…hic ! remonter la flamme par Thor ! le chef…hic ! va sûrement être content de moi cette fois...hic ! »

Edison le vit prendre la boîte, partir avec en titubant vers le feu et la lancer dessus. Il murmura seul, se réjouissant de ce qui allait se produire : « Alors là Thomas tu ne seras pas déçu... parce que c'est à un véritable spectacle de feux d'artifice que nous aurons droit ce soir je crois... cet ignare de Viking ivre vient de tout lancer dans le feu ! »

La chose ne tarda pas à se concrétiser, puisque après à peine une minute, les feux fusèrent de toutes parts, quelques-uns explosant directement dans le feu du campement. Les Vikings, pris de panique et y voyant du coup un châtiment des dieux, se mirent à courir dans toutes les directions. Certains étaient poursuivis par un feu d'artifice à ras le sol. Un autre s'était retrouvé avec le gibier qui tournait au-dessus du feu et courait affolé sans savoir où il allait. Il se frappa contre son compagnon qui venait en sens inverse.

Le petit bout d'homme, revenant à sa position première, remarqua que les deux qui s'étaient frappés étaient justement ceux affectés à la garde de leur père, de Handy et du jeune garçon. Ils avaient donc les clés du cadenas de leurs chaînes. Il profita alors de la confusion et de la fumée recouvrant l'endroit pour se faufiler à quatre pattes et aller les prendre.

Dans la grotte c'était l'euphorie totale, Düger était fier de ses fils.

– Vous avez vu ça ! Parlez-moi d'une diversion, hein !

Edison, qui avait récupéré les clés, fonçait maintenant vers la grotte. Thomas, que le chef Viking avait dû lâcher en voulant éviter un feu d'artifice, avait réussi à lui échapper. Il courait également à toutes jambes vers celle-ci. Arrivé pendant que son cadet était déjà en train de les défaire de leurs chaînes, il lui dit, prenant sa place :

– Laisse-moi faire, je vais continuer.

Passant à Grimm, il lui demanda :

– Comment t'appelles-tu ?

– Grimm. Je suis le neveu de Rigor Dicksson, le plus grand navigateur de toutes les mers. Et toi ?

– Moi c'est Thomas.

Le petit frère enchaîna :

– Moi c'est Edison. Nous sommes frères. Notre père est le grand aux cheveux blancs.

– Je sais.

– Hé, les garçons… si ça ne vous fait rien, vous ferez plus ample connaissance plus tard. Il ne faut plus traîner dans le coin, si vous voyez ce que je veux dire. Ils s'amènent tous vers nous comme un troupeau de bêtes à cornes !

– Venez ! Suivez-moi ! leur dit Grimm, je connais cette île aussi bien qu'eux. J'y suis déjà venu avec mon oncle.

Ils filèrent et parvinrent à distancer la bande de loups de mer. Arrivant aux abords d'un volcan, ils entrèrent dans une caverne de stalactites.

– Nous serons en sécurité ici, leur dit le jeune guide. Baff et son clan n'y viendront pas. Nous y passerons la nuit. Demain, avant le lever du soleil, je vous conduirai jusqu'à votre vaisseau par un autre chemin. Moi, j'y reviendrai et resterai caché là. Après, le soir venu, je monterai plus haut et ferai de grands feux pour signaler ma présence à mon oncle. Ne vous inquiétez pas pour moi, ajouta-t-il en leur montrant sa fronde et un couteau qu'il tenait cachés sous ses vêtements, je ne mourrai pas de faim. Je sais chasser.

Handy, qui ne comprenait pas pourquoi Baff et ses pirates n'oseraient pas venir jusque-là, lui demanda :

– Hé mais petit... pourquoi es-tu si sûr qu'ils ne viendront pas jusqu'ici et ne nous surprendront pas durant notre sommeil ?

Le savant d'ajouter :

– C'est vrai.

– C'est que Baff et les autres Vikings croient que Odin, un de leurs dieux, habite le volcan. Ils craignent de le réveiller en s'en approchant de trop près et qu'il entre dans une violente colère en les exterminant tous. Avec l'état dans lequel ils sont et avec cette noirceur, je doute fort qu'ils soient capables d'y parvenir.

En effet, plus loin en arrière, le terrible chef et sa bande de pillards ivres, exténués et chancelants abandonnaient la poursuite.

– Nous ferons le tour et les surprendrons juste avant qu'ils traversent la gorge. Nous devrons être là avant eux, leur dit Baff. Ils passeront nécessairement par là pour regagner leur vaisseau…

Toute la bande se mit à rire de façon idiote.

Les rires cessant, Imorv, complètement ivre, voulut honorer son chef.

– C'est que vous zzz'êtes un vrai... hic ! zzzénie [génie] chef !

— 19 —

Le lendemain avant l'aube... les voyageurs dans le temps conduits par Grimm arrivèrent à la fameuse gorge. Le pont pour la traverser était un énorme tronc d'arbre muni de deux cordes tressées servant de rampes. Ce fut la surprise. Baff et ses Vikings, qui les attendaient, bondirent épée à la main.

– Argh ! crièrent-ils d'une seule voix.

Fort heureusement, ils furent plus rapides qu'eux et prirent le pont les premiers. Toutefois, les voyant qui s'amenaient comme des chiens enragés, le savant leur donna cette consigne :

– Ne nous énervons pas et nous arriverons à bon port, les enfants !

Thomas, arrivant de l'autre côté le premier, leur dit :

– Vite ! Ils se rapprochent de Grimm !

Baff lança au frêle garçon, les dents serrées et grimaçant de rage :

– Attends que je t'attrape trognon d'Olav ! Je vais te faire rôtir !

Tous de l'autre côté, ils foncèrent en direction de la plage et Thomas leur cria, reconnaissant les lieux et leur montrant du doigt le véhicule spatio-temporel qu'il apercevait au loin :

– Par ici ! Il est juste là ! On n'est plus très loin, à présent !

– Je le vois ! Tenez bon ! J'y suis presque ! cria Edison.

À peine venait-il de leur lancer cela que Grimm s'accrocha le pied, trébucha et tomba. Handy, qui l'avait vu chuter, cria aux autres, après s'être arrêté subitement et tout en se retournant vers le garçon :

– Hé ! Attendez ! Grimm vient de tomber ! Il s'est blessé je crois... on ne peut pas l'abandonner ! Je retourne le chercher !

Les deux fils de Düger, déjà à l'aérohydroglisseur, se retournèrent pour voir ce qui se passait. Leur père, qui n'avait pas cessé de courir, fit de même. Voyant Baff et son clan qui s'amenaient requinqués, il hurla :

– Handy ! Fais gaffe ! Les voilà qui s'amènent !

Celui-ci se retourna vers son mentor pour ensuite constater que les Vikings, qui ne voulaient pas capituler, s'amenaient, ruant et se bousculant même pour pouvoir les attraper tous. Il hésita quelques secondes, puis choisit malgré tout de prendre le risque d'aller le chercher. Cependant, Grimm, se tordant de douleur et à la merci des barbares, s'y opposa et lui rétorqua :

– Non, timonier Errol ! Ne t'occupe pas de moi ! Va avec tes amis plutôt ! Ne crains pas, mon oncle sera bientôt là !

Handy, ralentissant devant la menace sans cesse grandissante s'arrêta, essoufflé, déchiré et ne sachant plus trop que faire. Il se retourna une seconde fois pour regarder Düger et ses fils, qui lui dit, baissant la tête :

– Désolé… mais il faut y aller, Handy !

Le courageux garçon lui lança sa fronde ainsi qu'une petite pochette remplie de pierres.

– Tiens, prends ça !

Il les attrapa, fit demi-tour et fonça à toutes jambes vers l'aérohydro-glisseur rejoindre les autres qui l'attendaient.

Le chef Viking lança alors à Handy, tout le clan éclatant de rire :

– Hé ! « Trouyaff ! »

Handy s'arrêta face à Edison, celui-ci ne manquant pas de lui faire savoir de son ton d'étudiant érudit :

– Si j'en crois la terminologie du mot, je dirais que c'est « trouillard ». Mais à l'intonation orale, je dirais que c'est plutôt de « mauviette » ou même de « chiffe molle » qu'il vient de te traiter, Handy !

Düger, le voyant changer d'air, eut tout juste le temps de lui crier :

– Non Handy !

– Tu n'aurais pas dû lui dire ça Edison… Il ne supporte pas ce mot et perd tout discernement chaque fois !

Trop tard. Déjà retourné vers Baff, il le regarda droit dans les yeux et, du bout du doigt lui dicta, gonflé à bloc :

– Personne ! Personne ne me traite de « trouyaff » tu entends !

Le géant lâcha Grimm, regarda ses guerriers et leur dit, ricanant et s'avançant vers lui, sa longue épée sortie de son fourreau :

– Hi ! hi ! hi ! Je savais bien que ce n'était encore qu'un de ces « trouyaffs ».

Handy, nullement impressionné et ne le perdant pas des yeux, commanda à Thomas :

– Thomas… le Wee Jet Board !

– Tiens Handy… et que Dieu soit avec toi !

Il déplia l'appareil, qui s'éleva automatiquement. Il monta dessus.

– Ça alors ! s'écria Edison épaté, n'en croyant pas ses yeux.

– Vas-y Handy, fais-lui en voir de toutes les couleurs !

– Ne t'inquiète pas... cette fois il va avoir son compte !

Il décolla et fonça aussitôt. Les barbares, bien qu'éblouis, y virent plutôt de la magie. Le combat s'engageant, il passa dans un premier temps juste au-dessus de la tête du chef, qui tenta de l'atteindre avec son épée, décidé à en finir.

208

– Argh !

Passant de chaque côté en surfant dans les airs comme porté par les rafales d'un vent impétueux, il finit par être tout en sueur et complètement exténué. Le rocker, qui venait de repasser juste derrière lui, s'arrêta, sortit une grosse pierre de la pochette attachée à son pantalon, et la mit dans la fronde. Il lui cria, moqueur :

– Hé ! je suis ici !

Le géant se retourna lentement, encore étourdi et traînant son épée. Il eut tout juste le temps de lui murmurer :

– Je finirai bien... par... t'avoir... « trouyaff » !

Handy, avec toute l'habileté et la force qu'il pouvait y mettre, fit tourner la fronde et lui lança le projectile. Celui-ci l'atteignit au milieu du front. Baff, assommé, tomba de tout son long sur le sol.

– Yé ! David 2, Goliath 0 ! s'écria Thomas.

– En plein dans le mille ! ajouta le petit frère.

Düger, éberlué, vint d'un pas lent vers le champion. En tournant la tête du côté de la mer, Grimm aperçut une immense flotte de drakkars venant au loin.

– Regardez ! dit-il à ses amis du Nouveau Monde, c'est mon oncle. Je vous avais bien dit qu'il était à ma recherche et qu'il me retrouverait !

– Grand Dieu ! Rigor Dicksson, s'exclama le savant, sortant de son mutisme.

– Ouais c'est le pied, dit Handy, on dirait bien que l'on va avoir droit à de la grande visite.

Regardant le clan de Baff qui fuyait, abandonnant leur chef et n'osant plus emmener Grimm avec eux il ajouta, Thomas et Edison venus les rejoindre :

– Hé, vous avez vu ça ? Ils s'enfuient !

– Oui, ils peuvent bien fuir, ces sales lâches ! Mais mon oncle aura tôt fait de les rattraper. Une armée de vaillants guerriers l'accompagne, vous allez voir !

Un peu plus d'un quart heure après... le drakkar de tête accosta sur la plage. Rigor Dicksson et ses hommes posèrent le pied sur la plage. S'amenant à grands pas vers son neveu il lui dit, heureux de le retrouver sain et sauf :

– Enfin tu es là Grimm !

Puis, s'accroupissant, il le serra dans ses bras et réalisa qu'il avait du mal.

– Tu es blessé ?

– Non, ce n'est qu'une foulure au pied.

– Nous avons vu des feux au loin. Ils nous ont guidés vers toi, reprit le Viking.

Grimm lui présenta ses amis.

– Voici le capitaine Colomb et ses deux fils, Thomas et Edison, ainsi que le timonier Errol. Ils viennent du Nouveau Monde. Ils m'ont sauvé la vie !

Rigor leur déclara, les regardant tous, pensif :

– Leif Eriksson dit donc vrai... il y a bien une immense terre de l'autre côté... !

Content de l'entendre, le savant en profita pour lui glisser ces quelques mots :

– Hum oui, et on l'appelle l'Amérique. Et c'est... c'est effectivement très grand !

Baff bougeant et commençant à revenir à lui, le chef du clan Viking s'avança et le retourna de son pied pour lui dire, pointe d'épée sous le menton :

– Le Conseil des Anciens s'est réuni et se prépare à élire Olav II roi de Norvège. Ils m'ont chargé de te livrer à eux. Ils veulent te juger pour les crimes que tu as commis envers tes pairs. Mais s'il n'en tenait qu'à moi, je t'enfoncerais cette épée dans la gorge, je te taillerais les membres et les restes de ton corps morceau par morceau pour les donner ensuite moi-même en pâture aux monstres et aux serpents de mer !

Après, voyant sa bande qui fuyait au loin, il ordonna à ses hommes, qui n'attendaient qu'un ordre de sa part :

– Rattrapez-les ! Enchaînez-les, et emmenez-les tous !

– En tout cas… si c'est bien là l'ancêtre de Dicklane… je comprends maintenant pourquoi il a ça dans le sang… ce type vous donne la chair de poule juste à le regarder, dit Handy.

Le grand conquérant des mers voulut les récompenser.

– Vous avez sauvé la vie de mon neveu, marins du Nouveau Monde. Je vous invite chez moi. Vous y serez comme chez vous. Nous allons fêter ça !

– Heu, navigateur Dicksson voici… ce n'est pas que nous n'apprécions pas cette invitation que vous nous faites, c'est juste que nos familles nous attendent… et que nous devons rentrer nous aussi, dit Düger, très reconnaissant mais visiblement mal à l'aise de refuser l'invitation.

– Bah, vous savez... ce sera peut-être pour une autre fois… qui sait jusqu'où on peut aller avec lui ! dit Handy.

– C'est vrai... l'Islande... j'aimerais bien la découvrir ! dit le cadet en regardant le père avec un petit sourire moqueur qui en disait long.

– Oui, et il y a un volcan je crois... qu'on pourrait peut-être explorer, ajouta l'autre en prenant le même air.

– Hum, hum, bon enfin peut-être c'est sûr. Mais quand... je ne sais pas encore, dit leur père.

– Dans ce cas... vous direz aux habitants du Nouveau Monde que Leif Eriksson vous a découverts avant que vous nous découvriez, capitaine Colomb ! dit Rigor.

– Ça, nous n'y manquerons pas, rétorqua Edison.

Après, le grand conquérant leur enjoignit :

– Vous leur direz également qu'il leur faut abandonner leurs idoles. Il n'y a qu'un seul vrai Dieu, Jésus-Christ Notre Seigneur, et donc tous les autres ne sont que de faux dieux !

Handy en profita pour glisser :

– Oui, et je me ferai un devoir de le rappeler à mon curé, croyez-moi. Parce que avec tout cet œcuménisme des religions depuis Vatican II, il n'y a plus ce *challenge* et tout le monde s'y perd ! Bon ! C'est l'heure d'y aller, je crois.

Puis à Rigor, en lui donnant une rapide poignée de main :

– Eh bien... au revoir Monsieur Dicksson. J'ai été enchanté de faire votre connaissance. Et à bientôt peut-être.

– Au revoir timonier Errol, le salua à son tour le redoutable conquérant, bon retour et surtout ne soyez pas en retard. Être à l'heure est une grande qualité vous savez ! ajouta-t-il en lui rappelant sans le savoir la perpétuelle consigne du directeur de son lycée.

– Oh ! Ce n'est pas croyable comme vous me faites penser à quelqu'un que je connais ! dit-il en le fixant quelques instants.

Passant à son neveu, il lui remit sa fronde et sa pochette de pierres.

– Tiens, ceci est à toi. Salut, petit Grimm.

– Non, j'insiste pour que vous les gardiez, timonier Errol, répliqua le garçon.

S'approchant, il lui chuchota à l'oreille :

– Enfin, je sais bien que c'est Handy ton vrai nom... mais ce n'est pas grave.

– C'est vrai mais bon... tu es un petit futé toi, hein ! Bon OK, voilà une grosse pièce toute neuve de 25 cents. Je te la donne. Allez, on est quittes à présent. Qui sait si on se reverra, petit !

Edison lui remit également un de ses plus beaux feux d'artifice qu'il avait gardé dans la poche intérieure de sa veste.

– Tiens, prends-le. Je les aime bien, ceux-là. Tu n'as qu'à le planter comme ça dans le sol, ensuite tu l'allumes avec du feu juste ici. Et là, prépare-toi à voir de belles couleurs dans le ciel la nuit venue.

Ils se firent leurs adieux et montèrent dans l'aérohydroglisseur. Düger s'empressa aussitôt de leur dire :

– L'appareil est muni d'un système de pilotage automatique, et l'ordinateur de bord a enregistré notre position initiale de départ et d'arrivée par un Portail du Temps existant à présent sur la mer du Nord près des côtes d'Écosse. Je crois qu'il est préférable de ne pas brûler les étapes en tentant de prendre un autre corridor.

Aussitôt, il démarra le puissant réacteur et ils partirent.

— 20 —

À LA FULGURANTE VITESSE DU SON, le trajet fut de courte durée. L'appareil en position face au Portail du Temps, Düger leur défila, programmant et pianotant leur date d'arrivée :

— Bon, il était exactement 1 h 50 dans la nuit du 1er novembre 1987 lorsque nous sommes partis de Rusty Valley. Je programme donc notre retour pour le 1er novembre 1987 à 1 heure 55 minutes, soit exactement cinq minutes après notre départ, évitant ainsi de rencontrer nos homologues respectifs. Rendus là, afin que Handy puisse retourner au bal et pour ne pas laisser de traces avant que les employés du chemin de fer ne découvrent la chose, nous rechargerons la pile de ma camionnette et tirerons la Shelby de la vieille minoterie pour la placer sur la remorque. Ensuite, je repartirai à bord de l'aérohydroglisseur avec Thomas et Edison pour le 25 octobre 1895, soit la journée de ce fatidique duel entre mon beau-père Wilmor Baxton et le baron John-Lee Cromwell. L'événement ayant été fixé à 15 heures, j'avais convenu avec Cybril d'y être présent avec le juge Hodge et les parties concernées une heure avant, soit à 14 heures pile en face du saloon de Garbaine City. Pour cela, et grâce à la vitesse que voyage mon nouvel engin, je me poserai dans un endroit désert, non loin de la ville. J'apporterai bien entendu le fameux manuscrit, même s'il est certain que les textes du manuscrit falsifié de Cromwell se seront effacés de l'histoire. Donc tout devrait rentrer dans l'ordre pour tout le monde.

— Et qu'est-ce que je ferai après avec tout votre attirail, je ne peux pas garder tout ça à la maison !

— Très juste. Le lendemain, tu te rendras chez moi le remettre dans mon garage. J'avais laissé les portes ouvertes. Tu prendras soin de les refermer en plaçant le cadenas accroché sur la porte. C'est tout ce que tu auras à faire.

— Oui mais… la sphère biotique et tous les trucs de votre homologue qui occupaient toute la place, vous êtes sûr que tout sera comme avant ?

— Argh ! s'écria le savant, pourquoi faut-il que tu me fasses toujours répéter Handy ? Tout, absolument tout sera comme avant voyons !

— Bon OK Doug, c'est vous qui le dites, je les rangerai à leur place. Une dernière question : nous sommes en plein jour, comment faites-vous pour savoir si le Portail du Temps est toujours là ?

Il tira de sa poche intérieure un négatif de film.

– Comme lorsqu'on veut regarder une éclipse du soleil… avec ça !

Ses conseils donnés, les trois jauges du Transfuseur temporel commencèrent leur remplissage. Appuyant sur le commutateur de pleine puissance, le réacteur tournant à bas régime, il leur dit, exubérant :

– À présent les enfants, cramponnez-vous, nous rentrons à la maison !

L'aérohydroglisseur accéléra, puis entra dans le grand cercle rouge, disparut de la mer du Nord au milieu du feu et des éclairs, pour réapparaître tel que programmé sur la vieille ligne de chemin de fer, près de l'ancienne minoterie abandonnée des frères Parisch.

Le savant, descendant du véhicule, cria sa joie.

– Par Nemo, on a réussi ! Il ne me reste plus que la dernière étape et l'affaire est dans le sac ! ajouta-t-il.

– Pour une victoire, c'est une victoire, dit Thomas aux autres. Je ne l'avais jamais vu comme ça encore.

– Il faut dire qu'après avoir failli laisser nos cendres là-bas, être de retour chez soi n'aura jamais été aussi apprécié je crois ! souffla Handy.

Ne perdant plus une seule minute, ils se mirent tous au travail pour tirer la Shelby de la vieille minoterie en commençant par recharger la pile de la camionnette. Ensuite, se retrouvant tous sur les rails pour le départ final, Düger et ses fils, à bord de ce qui était à présent son nouveau Boomerang, firent leurs adieux.

– À la prochaine peut-être Handy et ne t'inquiète pas pour moi ni pour ta famille, il n'y aura rien de changé.

– Cool ! Merci Doug, je ne pourrai jamais oublier ce que vous avez fait !

Se tournant vers ses fils et enclenchant le processus de lancement de l'appareil, Thomas et Edison le saluèrent à leur tour.

– Salut Handy, n'oublie pas... « le futur n'est jamais écrit à l'avance ».

– Salut les garçons, bon retour à la maison et saluez votre mère et vos grands-parents de ma part !

Cette dernière parole dite, le père commanda la fermeture automatique des vitres de l'aérohydroglisseur qui s'élança aussitôt en glissant sur les rails vers le Portail du Temps, d'où il disparut dans la plus grande noirceur sous une éblouissante friction de feu et d'éclairs.

Handy resta cambré quelques instants entre les deux rails du chemin de fer, puis monta dans la camionnette de son mentor tirant sur la remorque le Boomerang original et partit rejoindre sa belle qui, espérait-il, serait toujours sur le banc en face du lycée.

Seulement une surprise d'une tout autre proportion l'attendait.

— 21 —

LA BLAGUE AVAIT PORTÉ FRUIT. Handy venait de garer le long véhicule en bordure de la rue étrangement déserte et s'amenait en courant vers le lycée. Il entendait de plus en plus fort tout un tintamarre venant de l'endroit où il avait abandonné la vieille camionnette GMC de Spitzel, dans une petite rue près du carré de l'hôtel de ville. Il s'arrêta quelques secondes puis, vivement intrigué, décida de s'y rendre. En passant devant l'hôtel de ville, il vit que la grande horloge indiquait 2 h 57. En arrivant sur les lieux, il vit tout ce boucan autour de la camionnette du fermier avec des voitures de police et leurs sirènes qui n'en finissaient plus de retentir. Il y avait des gens de la presse écrite, entre autres du *Daily News*, ainsi que les grandes chaînes de télévision américaines, des représentants du Pentagone et des membres du Centre d'études des ovnis, expliquant et défendant l'existence d'extraterrestres. En entendant la voix du grand reporter ainsi que celle de Salomon Spitzel, qui avait plus que mordu à la farce, il demeura bouche bée.

– Je me trouve présentement dans la petite ville de Rusty Valley en Californie, dit le reporter, où une fête de l'Halloween jusqu'ici sans problème s'est transformée en un véritable cauchemar. Des personnes qui y habitent depuis longtemps affirment en effet que des mutants venus d'une autre galaxie y auraient débarqué ce soir et se prépareraient à envahir notre planète en se dissimulant derrière des copies conformes de chacun d'entre nous. L'un d'eux, monsieur Salomon Spitzel, le premier à avoir alerté les autorités de la chose, déclare à qui veut l'entendre que ceux-ci auraient même volé la camionnette de son père il a de cela environ trois heures et l'auraient ensuite abandonnée juste ici, derrière moi.

Tendant le micro au principal intéressé, il lui dit :

– Monsieur Spitzel, qu'avez-vous à dire à la population ?

– Les mutants sont de retour ! Ils ont volé la camionnette de mon père. Ils sont maintenant ici dans cette ville et se préparent à nous envahir. Je n'ai qu'une chose à dire aux gens, il y a vingt-cinq ans un de leurs vaisseaux s'était posé dans le champ de maïs de notre ferme et personne ne voulait nous croire. Hier soir, voyez ce que j'ai trouvé écrit sur le mur intérieur du hangar abritant la camionnette de mon père, dit-il, s'arrêtant pour montrer l'inscription laissée par Handy.

NOUS SOMMES DE RETOUR...
LES MUTANTS

– Alors qu'on se le dise, ajouta Salomon, maintenant ils sont revenus pour s'emparer de notre bonne vieille terre !

– Quoi qu'il en soit, enchaîna le reporter, le Pentagone a déjà dépêché une équipe d'experts sur place ainsi que plusieurs unités de la force spéciale, prêts à intervenir. C'était Nick Sullivan, en direct de Rusty Valley, en Californie.

Handy, silencieux et observant de loin, pouffa de rire.

– Non mais tu parles... je ne croyais pas que cette blague prendrait une telle ampleur médiatique.

Puis, se ressaisissant, il vit la voiture de police du sergent Fielmans emmenant Peekles menotté. Ce dernier se mit à hurler, complètement hystérique :

– Hé ! Salomon a raison ! Il faut arrêter ce savant fou d'Evans Düger ! Il doit être complice avec eux ! Il a un double de lui-même !

Le sergent outré fit de même et commanda :

– Non mais tu vas te rentrer la tête et te taire, sinon je te donne un coup de matraque ! Tu entends ce que je te dis ?

Le directeur de son lycée, Ralph Dicklane, semblait être plongé dans sa lecture au milieu de tout ce vacarme. Piqué de curiosité, Handy s'approchant par-derrière, il le surprit plongé dans le best-seller de son père, le roman-fiction *Starkman – L'homme qui venait des étoiles*.

– Pas mal le gars, hein ? lança-t-il moqueur.

Le directeur se retourna alors vivement pour lui répondre en brandissant le livre, humilié, de son ton sec et tranchant, le fixant droit dans les yeux :

– Seulement que des stupidités !

– En tout cas, dit Handy, souriant et détendu, à vous voir plongé dedans tout à l'heure...

Le directeur, piqué au vif, se plaça nez à nez avec l'impertinent étudiant pour ajouter :

– C'est que je trouve ça très bizarre, McGowan. Il y a à peine une semaine, rien ne laissait présager une telle chose !

– Oh, mais c'est vilain ça... on s'attriste du bonheur des autres ! Je vous l'avais bien dit qu'un jour l'histoire allait changer !

Il fit quelques pas, se retourna, et revint pour lui demander :

– Ah oui, Monsieur Dicklane, une question me chiffonne depuis quelque temps… Quelles sont vos origines, pouvez-vous me le dire ?

– Norvégiennes ! Les Djörgenssen et les Dicksson sont mes ancêtres. Pourquoi ?

Handy, éclatant de rire, repartit aussitôt vers le lycée.

216

– Hé ! je t'ai demandé pourquoi, tu pourrais me répondre ! répéta le directeur, qui dut se contenter de le regarder filer.

Se rapprochant de l'école secondaire, où il avait laissé sa comtesse ivre morte sur un banc de parc entre les mains de Stiff, il murmura, en les apercevant :

– OK, ça s'annonce bien, l'autre Doug n'est plus là, il n'y a que Stiff et Jessica.

Arrivant près d'eux, le valet s'empressa de lui communiquer :

– Je n'y suis pour rien Handy, je ne sais pas où est passé le docteur Evans… J'ai dû m'absenter quelques minutes pour aller au petit coin et lorsque je suis revenu, il n'était plus là. J'ai même regardé tout autour, plus rien, disparu !

Le rocker ne voulut pas manquer de lui faire oublier le savant philanthrope de la planète, conséquence d'un Embobryo circonstanciel du Temps, ayant l'avantage de connaître la véritable raison de sa disparition.

– Oui je sais Stiff, je viens juste de le rencontrer, dit-il en parlant du véritable docteur Evans F. Düger reparti dans le passé. Il m'a même prêté sa camionnette pour ramener Jessica à la maison. De ton côté, j'aimerais que tu en fasses autant avec le carrosse et l'attelage de chevaux, c'est mieux comme ça je crois vu la situation, ajouta Handy en prenant dans ses bras sa petite amie. Il la porta dans la grosse camionnette, sous la musique de la disco se répercutant à l'extérieur, *Drowning Man* de U2.

– Ah bon… dit Stiff, grimpant aussitôt à l'avant du fabuleux carrosse.

Ils rentrèrent ainsi.

Sixième partie

La preuve incontestable

– 22 –

En 1895, à Garbaine City, le glas de la justice allait bientôt sonner. Tel que convenu, Cybril se présenta en face du saloon quelques minutes avant 14 heures en compagnie de sa mère Béatrice et de son père Wilmor. John-Lee Cromwell était déjà sur place et, la voyant venir avec son père lui lança, se faisant très sarcastique à son endroit, savourant déjà sa victoire et ricanant tout en reluquant sa montre de poche :

– Hi ! hi ! hi ! eh bien, Madame Düger, vous n'allez pas me dire que votre mari n'a pas pu être à l'heure parce que son cheval a perdu un fer, j'espère. Vous m'en verriez navré.

Le savant, qui venait d'arriver avec ses deux fils et qui l'avait entendu, l'interrompit.

– Je suis ici Cromwell, et à l'heure à part ça !

Surprise totale, il s'avança au milieu de la foule s'écartant pour le laisser passer. Son épouse, l'apercevant avec Thomas et Edison, accourut aussitôt vers lui, folle de joie. Elle se jeta dans ses bras.

– Evans ! dit-elle pleine de douceur.

– Cybril… je t'avais bien dit que je reviendrais !

S'accroupissant, elle prit les deux garçons, les pressa contre elle et les embrassa chacun leur tour, en les réprimandant pour leur fugue.

– Mes lapins… vous savez que j'étais morte d'inquiétude pour vous.

– Je sais maman, on s'excuse !

– Nous le regrettons, on ne voulait pas vous faire de peine ! répondirent Thomas et Edison.

– Je dois souligner qu'ils ont été tout à fait formidables, Cybril ! dit Evans.

– C'est vrai ? dit-elle émerveillée, les contemplant.

Le baron, qui les regardait, interrompit les retrouvailles et fit valoir à la foule silencieuse, ne se laissant pas attendrir pour autant, cœur dur qu'il était :

– Quel spectacle attendrissant que de voir une famille qui se retrouve ensemble, bien que vous conviendrez que ce n'est pas là l'objet de cette rencontre hein ? ajouta-t-il.

Düger s'avança, exhibant bien haut le manuscrit récupéré.

– Tout à fait Cromwell ! Voici la preuve incontestable, tel que promis. Un testament olographe datant du XIe siècle, de l'an 1015 plus précisément. Il porte la signature de Charles-Philippe Baxton, duc d'Édimbourg, et est muni de son sceau. Il prouve hors de tout doute que ses descendants Wilmor Baxton ainsi que sa fille Cybril, fille unique de ce dernier, sont les véritables héritiers de son château et de tous les titres s'y rattachant.

Se tournant vers le juge, il lui remit le précieux document.

– Juge Hodge, si vous voulez bien vous donner la peine d'examiner ce testament.

L'homme de loi ne put cacher son penchant pour le savant face à l'exécrable loyaliste anglais. Examinant le manuscrit, relevant la tête de temps à autre, tout le monde attendait fébrilement et savourait déjà le verdict final.

– Ce document est authentique ! dit-il haut et fort.

– Ouais ! s'écrièrent les fils de Düger.

L'euphorie générale s'estompant, Cromwell, resté impassible, reprit sans attendre la parole :

– C'est un faussaire ! s'écria-t-il, puisque je possède depuis toujours ce manuscrit me venant de mon ancêtre Robert Cromwell, comte d'Oxford. Il est très facile de nos jours avec les progrès de l'imprimerie d'en monter un de toutes pièces. Cela ne prouve absolument rien. En réalité, il cherche à soustraire son beau-père Wilmor du duel qui doit avoir lieu comme prévu !

– Faussaire toi-même, Cromwell ! répliqua le savant. Il faudrait peut-être que tu nous montres le tien. Là, nous verrons qui est le véritable faussaire !

Face à la foudroyante réponse de Düger, la foule lui témoigna sa sympathie par des cris et des coups de feu tirés en l'air. Puis, le calme se faisant, le juge trouva que le baron n'était pas trop empressé de s'exécuter.

– Eh bien Cromwell, tu nous le montres, ton manuscrit ?

– Ha ! ha ! bande d'ignobles colonisés, dit-il, riant et se moquant d'eux.

Puis il commanda à son valet, sans se retourner et ne prononçant que la première syllabe de son prénom :

– Lud, le manuscrit !

Il le tira du porte-documents qu'il tenait et le lui donna, en serviteur dévoué qu'il était.

– Tenez, maître.

Sûr de lui et ne se donnant même pas la peine de l'ouvrir, ni encore moins de le revoir avant, il le remit au juge, jubilant déjà.

– Regardez par vous-même. Ha ! ha !

Il le prit, le déplia, Wilmor s'approchant et se plaçant juste à côté de l'homme de loi qui, l'ouvrant à la première page, n'y vit aucune espèce d'écriture. Il crut du coup que ce n'était que la première page. Il passa à la seconde, puis à la troisième, et ainsi de suite jusqu'à la fin du document, levant les yeux et dévisageant l'exécrable loyaliste chaque fois qu'il se retrouvait devant des pages blanches pour finalement lui balancer, exaspéré mais fort satisfait de la tournure des événements :

– Voilà qu'en plus d'être faussaire, tu es menteur avec ça ! Non mais, tu as un sacré culot, Cromwell… Ce ne sont que des pages blanches, pauvre idiot ! ajouta-t-il en le lui brandissant en pleine figure.

Les événements ayant été modifiés par l'intervention de Düger en 1015, comme prévu, tout s'était effacé. Aussi, cette déclaration faite, un vent de surprise s'ensuivit. La grogne se traduisit aussitôt parmi la foule. Le baron, n'y croyant pas encore, reprenant son document et constatant lui-même la chose, s'écria :

– Mais voyons c'est impossible... je l'ai vu il y a deux jours à peine… C'est une arnaque… Vous vous êtes mis ensemble pour conspirer contre moi, c'est ça hein ! dit-il en lançant au bout de ses bras le manuscrit blanchi.

Le juge se tourna vers Fred Miller et lui demanda avec ironie :

– Dis-moi Fred... quel châtiment réserve-t-on aux menteurs dans notre pays, te souviens-tu ?

Le barman lui répondit, ravi et invitant les autres hommes à se joindre à lui pour s'en emparer et lui faire subir son châtiment.

– Oui, et à qui le dites-vous... Dieu que j'attendais ce moment depuis longtemps. Venez vous autres, il va avoir ce qu'il mérite à présent !

Les deux cow-boys, Will Bennett, le conducteur de la diligence et Roof Cashman s'avancèrent aussitôt vers l'exécrable pour lui dire, juste avant de l'empoigner :

– Il y a longtemps que j'attendais ce moment moi aussi.

– Ouais… et crois-moi que ça va être ta fête, sale loyaliste !

Ce dernier se débattant, il se tourna vers son valet pour le blâmer et le rouer de coups de canne.

– Espèce d'idiot… tout ça est de ta faute !

Ludwig, désespéré, le suivait en pleurnichant, la foule rigolant de les voir ainsi.

– Voyons baron, je n'y suis pour rien, mais que faites-vous là, arrêtez ! Puisque je vous dis que je n'y suis pour rien, arrêtez voyons !

– Vous n'avez pas le droit ! Vous allez en entendre parler ! Je vous poursuivrai en justice ! J'irai voir la reine s'il le faut ! vociféra Cromwell.

– Oh que si, on a le droit, Cromwell... dit le juge, tout en le regardant aller.

Düger regarda sa famille et ses beaux-parents pour conclure, avec un sourire qui en disait long :

– Eh bien... on dirait que tout est bien qui finit bien.

– Oui, et bon débarras ! dit Béatrice. Si vous le voulez bien, j'ai au four un bon rôti de bœuf qui a mijoté tranquillement toute la nuit avec une grosse tarte aux pommes toute fraîche, ajouta-t-elle en regardant ses deux petits-fils.

– Dans ce cas, qu'attendons-nous... allons-y ! dit Cybril.

Tout en marchant, Thomas, curieux de savoir, demanda à son grand-père :

– Dites-moi grand-père... quel est ce châtiment qu'ils vont lui infliger ?

– Eh bien, deux hommes mandatés par le shérif vont l'accompagner dans le train se rendant à New York. Rendus là-bas, ils le mettront sur le pont du premier bateau en partance pour l'Angleterre. Ensuite, ils lui passeront la tête et les deux bras dans une « guillotine à tarte » sur laquelle il sera inscrit « escroc ». Après, devant tous les gens et à tour de rôle, chacun sera invité à lui lancer une tarte à la crème au visage. Rentrant chez lui ainsi... voilà ce qu'il va recevoir !

Se tournant vers son gendre et, tout en revoyant le testament olographe rapporté par celui-ci, il voulut savoir, vivement intrigué :

– OK Evans... Je suis content que tout soit réglé une fois pour toutes. Seulement voilà, où as-tu trouvé pareil manuscrit ? J'ai cherché longtemps moi-même tu sais et je n'ai jamais pu mettre la main là-dessus, par Jupiter !

Quoique surpris par la question, il se tira bien d'affaire, tel un chat retombant sur ses pattes.

– Heu... eh bien... en fait, c'est un bon tuyau que j'ai eu là, vous savez...

Reluquant furtivement Cybril, sourire en coin, il compléta :

– ... un ami à moi que j'ai connu dans le temps m'a aidé à me le procurer !

Ils montèrent ainsi chacun dans leur buggy et partirent en jasant de l'avenir, maintenant beaucoup plus prometteur pour tous.

— 23 —

LE LENDEMAIN APRÈS-MIDI, dans le futur, en 1987… Handy, malgré les multiples explications fournies pour justifier son retard envers sa petite amie, qui ne voulait rien croire d'une telle salade, arriva à la maison où habitait le savant en compagnie de celle-ci, pour preuve de ce qu'il s'acharnait à lui dire. Il conduisait la camionnette tirant la Shelby avec la remorque. Tout était redevenu exactement comme avant. Plus de sphère biotique avec sa jungle amazonienne, que son cottage avec un grand garage.

— Tu vois, dit-il s'arrêtant quelques instants en face de la propriété, tout est redevenu comme avant. Et même si la chose te semble fabuleuse, Doug voyage dans le temps et vit dans le passé à présent !

La jeune fille, qui avait pourtant bien vu et visité l'endroit paradisiaque, fut encore plus estomaquée que la première fois et laissa tomber :

— Ça par exemple ! Tout a disparu comme par magie !

— Ouais, répliqua Handy, tu l'as bien dit… tout a disparu comme par enchantement. Néanmoins, comme je me tuais à te le certifier, c'est la pure vérité, ajouta-t-il, remettant le véhicule en marche et allant le garer tel que demandé par Düger.

La grande porte refermée, il s'avança vers elle et posa ses mains sur ses hanches pour lui dire, avec des yeux langoureux :

— Maintenant, pour me faire pardonner, le week-end prochain, je t'amène avec moi au chalet de mon oncle à Pampelo Bay. Nous ferons l'observation des oiseaux migrateurs et de toute la faune qui s'y trouve ! Qu'en dis-tu ?

Conquise par l'idée, elle tira un trait sur la soirée manquée et l'embrassa.

— Ce sera avec le plus grand plaisir Handy !

Puis ils quittèrent les lieux enlacés, n'emportant avec eux que le souvenir d'une histoire fantastique que personne ne voudrait croire.